P9-BUI-217

Pour le meilleur
et pour le pire

DU MÊME AUTEUR
aux Presses de la Renaissance

Les Farrel (1981)
Tous les fleuves vont à la mer (1982)
La splendeur des orages (1983)
Les cèdres de Beau-Jardin (1984)
La coupe d'or (1987)
Les Werner (1988)

Belva Plain

Pour le meilleur et pour le pire

Roman

Traduit de l'américain
par Éric CHÉDAILLE

37, rue du Four
75006 Paris

Si vous souhaitez recevoir notre catalogue et être tenu régulièrement au courant de nos publications, envoyez vos noms et adresse en citant ce livre aux

Presses de la Renaissance
37, rue du Four 75006 Paris

et pour le Canada à

Édipresse
945, avenue Beaumont
Montréal H3N 1W3

Titre original : *Blessings*, publié par Delacorte Press en 1989.

ISBN 2-85616-537-0 H 60-3593-5

Le cœur contient des trésors cachés,
Tenus secrets et plombés de silence.

Charlotte BRONTË.

1

Le jour où le ciel tomba sur la tête de Jennie avait aussi bien commencé que toutes les journées de cette merveilleuse année. Ces douze mois avaient été les plus heureux de son existence.

Ce midi-là, elle était venue en compagnie de Jay se poster sur la crête qui dominait cette étendue de terre inculte, baptisée le Marais Vert, du nom de la localité à laquelle elle était rattachée. C'était une de ces embellies de l'été indien, quand, après deux semaines de grisaille, de pluie et de froid prématurés, tout flamboie de nouveau. Les chênes s'embrasent sur le bleu vif du ciel. Encore mouillés de pluie, joncs et genévriers luisent sombrement sur le marais. Descendant du Canada, des vols d'oies sauvages filaient vers le sud en donnant de la voix, et des canards batifolaient sur l'étang.

« Comme tu vois, ce n'est pas que du marécage, dit Jay. Là-bas, à l'autre bout, tu as de la prairie et des bois. Plus de quatre cents hectares, complètement préservés. Ce coin est tel que tu le vois depuis Dieu sait combien de milliers d'années. Nous cherchons à ce que l'État en fasse une zone protégée. De la sorte, il sera définitivement préservé. Mais nous devons faire vite, avant que le projet de ces promoteurs new-yorkais n'aboutisse.

— Tu penses que cela pourrait arriver ?

— J'espère que non. Tu imagines, réduire tout cela à néant ! »

Ils restèrent un moment à écouter le silence. Parfaitement paisibles, habitués qu'ils étaient à partager des heures de quiétude, ils n'éprouvaient pas le besoin d'une conversation ininterrompue.

Une petite saute de vent souleva quelques feuilles mortes. Courant dans la brise, les enfants de Jay apparurent au pied de la colline. Ils jouaient à se faire tomber, les deux fillettes roulant leur jeune frère dans les feuilles. Ils poussaient des cris, le chien jappait et tout ce tumulte, apporté par le vent, fit voler en éclats la tranquillité de cette matinée dominicale.

« Chérie », dit Jay.

Tournant la tête, Jennie comprit qu'il l'avait contemplée tandis qu'elle observait les enfants.

« On n'a pas le droit d'être aussi heureuse que je le suis », murmura-t-elle.

Il lui scrutait le visage avec une telle intensité, un tel amour, qu'elle sentit sa gorge se nouer.

« Oh, Jennie, comment te dire... tu m'apportes... » Avec ce geste qui lui appartenait, il étendit les bras pour embrasser le paysage. « Jamais je n'aurais cru... » Sans achever sa phrase, il l'enlaça et la serra contre lui.

Pleine d'un bonheur sans nuages, elle se nicha au creux de son épaule. Ses souvenirs la ramenèrent aux débuts de ce miracle. Lorsqu'ils s'étaient rencontrés pour la première fois, un an et demi plus tôt, cela faisait deux ans que Jay était veuf, sa jeune femme s'étant éteinte d'un cancer. Il s'était retrouvé seul à la tête de deux fillettes et d'un nourrisson, d'un superbe appartement dans l'East Side et de parts dans un prestigieux cabinet d'avocats de New York, situation qu'il n'avait pas reçue en héritage, comme c'est parfois le cas, mais à laquelle il avait accédé par son mérite et son travail. Une des premières choses que Jennie avait remarquées chez lui était une physionomie tendue, qui pouvait refléter l'anxiété, le surmenage, la solitude ou les trois à la fois. Si la solitude était certes un problème, la ville ne manquait pas de jeunes personnes désirables, susceptibles de combler les heures creuses d'un homme, *a fortiori* celles d'un homme jeune, de haute taille, possédant un regard vif et, au menton, la plus charmante des fossettes. Lorsqu'elle l'avait mieux connu, Jennie avait compris qu'à cause de ses enfants, il se montrait d'une grande prudence en ce qui concernait sa vie amoureuse. Il était plusieurs fois arrivé que des amis à lui demandent à la jeune femme si elle ne trouvait pas un peu lassant ou encombrant son dévouement pour ses enfants ; bien au contraire, elle en éprouvait de l'admiration, s'en réjouissait et n'aurait pas eu une aussi haute idée de lui s'il n'avait eu pour eux cet amour profond et ce sentiment de responsabilité.

Elle leva les yeux vers son visage. Cette expression tendue avait disparu, de même que ce tic de se tirailler une mèche de cheveux sur la tempe, de même que l'insomnie et le tabagisme. En fait, depuis un mois, il avait complètement arrêté de fumer. Ses sourires étaient plus fréquents et il était loin de paraître ses trente-huit ans.

« Qu'est-ce que tu regardes ?

— Je t'aime en jean et chemise de coton.

— Plus qu'avec mon gilet de chez Brooks Brothers ?

— Je te préfère encore sans rien du tout, si tu veux savoir.

— C'est réciproque. Dis donc, j'étais en train de penser, est-ce que ça te dirait d'avoir une petite villégiature par ici ? Nous pourrions faire bâtir quelque chose au bout de la propriété de mes parents, ou bien ailleurs, ou bien ne rien faire bâtir du tout. Tu décides.

— J'en suis incapable. De toute ma vie, jamais je n'ai eu à faire autant de choix.

— Il n'est jamais trop tard pour commencer. »

Jamais elle n'avait été de ces êtres qui caressent mille projets. Elle allait toujours à l'essentiel et, en l'occurrence, l'essentiel était son désir d'être pour toujours au côté de Jay ; les maisons, les projets, les choses, tout cela était de peu d'importance comparé à cette aspiration.

« As-tu décidé de l'endroit où fêter notre mariage ? Mes

parents seraient ravis que cela se passe chez eux. Maman m'a dit qu'elle t'en avait déjà parlé. »

L'usage voulait qu'une femme se marie chez elle. Mais quand cela se résumait à un deux-pièces exigu, situé dans une HLM réhabilitée, dépourvue d'ascenseur, la plus simple des cérémonies posait problème. De toute évidence, la mère de Jay le comprenait même si, avec infiniment de tact, elle s'était gardée d'y faire allusion.

« Oui, en effet. C'était très gentil de sa part. » Cependant, se dit Jennie, si cela avait lieu à l'appartement de Jay, cela serait un peu comme si cela se passait chez moi. « J'aimerais que l'on fasse cela chez toi. Puisque c'est là que je vais habiter. La chose est-elle possible ?

— Mais bien sûr, ma chérie. J'espérais que tel serait ton choix. Une dernière chose et tout sera réglé. Il s'agit de ton cabinet. Est-ce que tu restes là où tu es ? Ou bien préfères-tu t'installer dans l'immeuble où se trouve le mien ? Il va y avoir quelque chose de libre au quinzième étage.

— Non, Jay, je reste où je suis. Sur Madison Avenue, mes clients seraient trop intimidés. Toutes ces pauvres femmes avec leurs pitoyables problèmes et leurs vêtements misérables... Non, ce serait cruel. En outre, je ne pourrais pas me permettre un tel loyer. »

Jay eut un sourire. Il lui ébouriffa les cheveux. « Tu tiens à ton indépendance, n'est-ce pas ?

— En ce qui concerne mon métier, oui », dit-elle sérieusement.

Elle lui prêtait la même attitude en ce qui concernait son propre cabinet. Sinon, pourquoi aurait-il choisi cette profession ? Mais elle ne connaissait personne, et ce n'était certes pas son cas, pour qui les problèmes de successions, de fidéicommis, de litiges sur des questions d'*argent* avaient autant d'importance que les problèmes humains, les femmes battues, les enfants martyrisés, les familles expropriées et toutes ces pauvres âmes qui venaient lui demander de l'aide. Cependant, nul n'avait plus que lui de bonté et de compassion. Mais après tout, l'argent n'était-il pas le lubrifiant des engrenages du monde ?

Il fallait donc bien que quelqu'un se chargeât des problèmes qu'il pouvait susciter.

On voyait la queue du setter se détacher au-dessus des herbes sèches. Les enfants étaient accroupis par terre.

« Je me demande bien ce qu'ils sont en train de fabriquer, dit Jay.

— Ils ramassent des feuilles. J'ai acheté un herbier à Sue et à Émily pour leur cours de sciences naturelles.

— Tu penses vraiment à tout ! Les enfants vont t'adorer, Jennie. C'est déjà le cas. » Il consulta sa montre. « Hé, il est temps de battre le rappel. Ma mère nous fait déjeuner de bonne heure afin que nous soyons rentrés en ville à l'heure où ils se couchent. »

La route à deux voies longeait des fermes et des vergers de pommiers. De petites maisons d'un âge respectable voisinaient avec de vastes granges rouges. Des chevaux en leur peu seyante robe hivernale broutaient par-dessus des clôtures de barbelés. De proche en proche, au bout d'une allée de gravier bordée de rhododendrons et d'azalées, se dressait la grande maison blanche de quelque banquier local ou, plus probablement encore, d'une famille de citadins qui, en été, venaient y goûter à deux ou trois mois de quiétude champêtre.

« J'ai peine à croire que mon petit appartement bruyant de New York n'est qu'à quelques heures d'ici », dit Jennie.

Les champs roussis faisaient place aux premières habitations de la petite ville. Ils roulaient maintenant dans la grand-rue. Les temps modernes étaient représentés par des supermarchés, des stations-service, un bowling, une pizzeria, un lycée en brique rouge, une agence Ford, un cinéma décati et, nouvellement construits, deux ou trois bâtiments à un étage qui abritaient des bureaux. Une sellerie, le poste d'incendie des pompiers bénévoles et un magasin d'aliments pour bétail portant l'écriteau *Maison fondée en 1868* parlaient d'une époque bientôt révolue.

« Cette ville était moitié moins grande à l'époque où papa a acheté la maison, dit Jay.

— Est-ce ici que tu te sens chez toi ?

— Pas encore. Cela viendra peut-être lorsque j'aurai l'âge de mes parents. Tu sais, maintenant que papa a vendu l'usine pour prendre sa retraite, je ne serais pas étonné s'ils renonçaient à leur appartement new-yorkais pour venir vivre ici toute l'année. »

Lorsqu'ils arrivèrent, Mrs. Wolfe était en train d'épandre du compost sur un parterre de rosiers.

Elle se redressa, ôta ses gants de jardinier et tendit les bras au petit garçon qui courait à elle.

« Alors, Donny, as-tu bien fait du cheval ?

— Nous sommes allés au manège, répondirent les deux sœurs, mais Donny n'a pas voulu monter sur le poney.

— Papa nous avait promis des barres de chocolat, mais tous les magasins étaient fermés.

— Ce n'est pas plus mal. Cela vous aurait gâté l'appétit. D'ailleurs nous avons un superbe gâteau au chocolat comme dessert. » La grand-mère regarda Jennie en souriant. « J'espère que ce week-end ne vous a pas épuisée ?

— Oh non, Mrs. Wolfe, je serais capable de faire mes vingt kilomètres quotidiens à travers ces collines.

— Ça, je gage qu'un jour ou l'autre Jay vous proposera de telles randonnées. Moi, je propose que nous entrions... »

Jennie s'effaça pour laisser l'autre femme la précéder à l'intérieur. Elle s'appliquait à n'omettre aucune de ces menues délicatesses...

N'était-il pas naturel de se sentir quelque peu mal à l'aise en présence de ses futurs beaux-parents ? Surtout lors de cette première visite, uniquement précédée de deux rencontres dans le cadre impersonnel d'un restaurant. En dépit de ses manières accueillantes, et même en corsage de guingan et jupe de jean, la mère de Jay possédait une élégance naturelle qui avait de quoi intimider.

Toute la maison en était empreinte. Sa simplicité même reflétait l'histoire de ces gens qui n'avaient nul besoin de forcer la note pour faire impression. La porte d'entrée donnait sur un hall bas de plafond ; comme Jay le lui avait expliqué, les gens étaient plus petits deux cents ans plus tôt, à l'époque de la construction de cette ferme. Des tapis d'Orient, authentiques, parsemaient le plancher chevillé. Il flottait dans l'air une odeur mêlée de bûches de sapin, d'encaustique et de fleurs. Sur la table à café du salon était disposée une grande gerbe de roses rouge sang, les dernières de l'année, précisa quelqu'un. Deux canapés tendus de chintz se faisaient face devant la cheminée. Le mobilier était d'époque et un beau piano quart de queue trônait à l'extrémité de la grande pièce. Deux petites toiles représentant un ciel troublé au-dessus d'une rivière étaient posées sur l'appui de la cheminée. Ces tableaux ressemblaient aux Turner que Jennie avait vus au musée, mais, peu sûre d'elle-même dans le domaine de la peinture et redoutant de dire une bêtise, elle n'en fit pas la remarque. Connaissant l'importance que Jay accordait aux choses de l'art, elle se dit qu'il lui faudrait vraiment faire l'effort de s'y ouvrir.

Elle soupçonnait la décoration de cet intérieur de ne présenter aucune faute de goût. Il y en avait sans aucun doute pour beaucoup d'argent. Et cependant cette pièce et l'ensemble de la maison semblaient dire : je ne fais pas semblant, je suis bien ce que je suis. De gros coussins brodés à l'aiguille étaient disposés un peu partout. Des livres étaient posés en tas sur des tables et guéridons, et il y en avait même une pile, chancelante, dans un coin à même le sol. Une grande table ronde était couverte de photographies en sous-verre : une mariée des années vingt, en robe courte et longue traîne, des portraits d'enfants, une photo de classe un jour de remise de diplômes, le portrait d'un chien, un carlin. Des raquettes de tennis étaient entreposées dans un coin du mur. Un chat siamois était lové dans une courtepointe sur un des fauteuils, et voici que le setter entrait en trombe pour venir s'alanguir devant le feu.

Le père de Jay se leva du fauteuil où il était assis un verre à la main. Il était athlétique, avec un nez aquilin, et de plus haute taille que son épouse, elle-même grande. Un jour, Jay lui ressemblerait.

« Entrez, entrez. Daisy ne va pas tarder à servir le déjeuner. Où étiez-vous passés, tout ce temps ? demanda-t-il tandis que l'on gagnait la salle à manger.

— On a fait un tour dans les environs, dit Jay. Je voulais montrer le coin à Jennie. Nous avons poussé jusqu'au Marais Vert. Quoi de neuf depuis la dernière fois que nous en avons parlé ? »

Arthur Wolfe abattit son poing sur la table.

« Depuis quelques semaines, ils ne cessent de rappliquer de New York. Ils ont proposé gros : quatre millions et demi. » Sa bouche eut un pli amer. « Je prédis que cela va scinder la ville en deux avant que la question soit réglée.

— Et qu'est-ce que ça donne du côté de l'État ? Où en sont les discussions quant à ce projet de parc naturel ?

— Oh, les politiciens ! L'administration ! Qui sait quand ils trouveront le temps de mettre le projet à l'ordre du jour ? Pendant ce temps-là, les promoteurs agissent, eux, et sans perdre de temps. Je suis écœuré. »

Jay s'était assombri. « Et de ton côté, que comptes-tu faire ?

— Eh bien, on a monté un comité, Horace Ferguson et moi. Il fait le plus gros du travail. Je suis trop vieux pour être vraiment efficace…

— Arthur Wolfe, protesta sa femme, tu n'es pas trop vieux !

— D'accord, disons que je fais mon possible. J'ai parlé aux gens qui, quoi qu'il arrive, seront toujours d'accord, surtout devant les plans. » Le vieil homme prit une cuillerée de potage, puis reposa sa cuiller et explosa de nouveau. « Bon sang, si cela continue, tout le pays va être bétonné en un rien de temps et on n'aura plus la moindre trace de verdure.

— S'ils se mettent à remanier ces marais, ils vont anéantir la nappe aquifère. Cela aura des répercussions sur toutes les agglomérations environnantes et toutes les exploitations agricoles. N'en ont-ils pas conscience ?

— Qui cela ? Les promoteurs ? Tu parles s'ils s'en moquent ! Ils arrivent de la grande ville, ils bousillent le coin, ils font leur pelote et vont voir ailleurs.

— Mange, Arthur, fit tendrement Mrs. Wolfe. Ton potage refroidit. La conversation occupe une grande place dans cette famille, expliqua-t-elle à l'adresse de Jennie. Mais vous l'aviez sûrement remarqué.

— Je suis bien de votre avis à tous, dit Jennie. Il est grand temps que nous nous souciions de l'environnement — l'eau, l'air, les carrières à ciel ouvert, toutes ces choses. Sinon il ne restera plus rien pour nos descendants, pour Émily, Sue et Donny.

— Jennie est quelqu'un qui aime la vie en plein air, dit Jay. L'été dernier, dans le Maine, nous avons fait une randonnée de cinquante kilomètres en canoë, avec portage une bonne partie du chemin, et elle a tenu le coup aussi bien que moi. Mieux, peut-être. »

Le vieillard eut l'air intéressé. « Où avez-vous passé votre enfance, Jennie ? Vous ne nous en avez jamais parlé.

— Vous allez peut-être être déçu. En ville, en plein cœur de Baltimore. Sans doute étais-je fille de fermier dans une autre vie. »

Le repas avançant, la conversation fut maintes fois interrompue. Il fallut couper la viande de Donny. Sue émettait des plaintes à propos de son professeur de piano. Émily répandit du lait sur sa robe. Enid Wolfe demanda si l'on avait pensé à prendre des billets pour quelque nouvelle pièce. On en était au dessert lorsque Arthur reparla du Marais Vert et en fit la description à l'adresse de Jennie.

« Il couvre une superficie de plus de cinq cents hectares, si l'on inclut le lac. Il appartient à la commune. Elle l'a acquis par testament — il y a pas loin de quatre-vingts ans de ça. Attendez, nous avons commencé à venir passer l'été ici à l'époque de la naissance de notre fils aîné, Philip, et il va sur ses cinquante ans. Nous avons d'abord loué la maison, puis je l'ai achetée une bouchée de pain après avoir hérité un peu d'argent de ma grand-mère. Bien, donc le Marais appartient à la commune et, normalement, les choses devraient en rester là. C'est un endroit tout à fait préservé, vous savez. On y trouve des castors, des renards. Et, bien sûr, c'est un sanctuaire pour les oiseaux. Vous avez là des chênes qui ont deux cents ans. Les gosses du coin se baignent dans le lac. On y pêche. On y trouve des sentiers balisés pour les promeneurs, les sorties scolaires. Il s'agit d'un trésor, un trésor à l'usage de tous, et nous ne pouvons nous en passer. C'est hors de question. » Il bouchonna sa serviette et la jeta sur la table. « Notre groupe, que je dirais composé de citoyens éclairés, est en train de se cotiser pour engager les services d'un avocat. Nous allons nous opposer de toutes nos forces à ce projet.

— Tu t'attends réellement à un dur combat ? interrogea Jay.

— Je te l'ai dit. Je n'aime pas faire preuve de cynisme — une sensibilité de gauche en est normalement dépourvue —, mais beaucoup d'habitants de la région vont se laisser circonvenir par l'argent. De pauvres idiots qui ne se soucieront guère de la beauté du site, ni même de la nappe phréatique. On leur fera miroiter des promesses d'emploi, de développement économique, les habituels arguments à courte vue. Aussi convient-il que nous soyons prêts pour la contre-offensive.

— Oui, bien sûr, fit Jay. Tu parles d'engager un conseil. Quelqu'un du coin ?

— Non. Les avocats de la région ne sont pas avec nous. Tous espèrent que les promoteurs les feront travailler.

— Tu as quelqu'un en vue ? demanda Jay.

— Eh bien, ton cabinet est plutôt diversifié, non ? Crois-tu que l'un de vous pourrait prendre l'affaire en main ? Évidemment, les honoraires ne seront pas mirobolants. Tout dépendra de ce que Horace, moi et quelques autres arriverons à réunir. » Voyant Jay hésiter, les yeux acérés du vieil homme se mirent à pétiller. « Va, je connais les tarifs que tu pratiques. Je voulais juste te taquiner un peu.

— Ah, mais pas du tout ! Tu sais bien que, si tu me le demandais, je ferais cela pour rien. Non, je pensais à Jennie.

— A moi ! s'écria celle-ci.

— Pourquoi pas ? Tu t'en tirerais à merveille. » Et Jay d'annoncer à ses parents : « Je ne vous en ai jamais parlé, mais, à l'époque de notre première rencontre, Jennie venait de gagner une affaire portant sur des questions d'environnement. Il se trouve que, le matin même, j'avais lu dans le *Times* un papier sur cette affaire, aussi quand, lors de cette fameuse soirée, quelqu'un m'a montré Jennie, j'ai tenu à ce qu'on nous présente.

— Comment en êtes-vous venue à vous charger de cette affaire, Jennie ? voulut savoir Arthur Wolfe. Ce n'est pas, que je sache, ce que vous faites habituellement.

— Non, je défends presque uniquement des femmes qui ont des problèmes conjugaux ou familiaux. Il se trouve que j'avais défendu une femme seule avec quatre enfants contre un propriétaire qui voulait l'expulser. Elle m'en a été reconnaissante et m'a demandé, quelque temps plus tard, de m'occuper de parents à elle, des gens de Long Island, qui étaient confrontés à un risque de grave nuisance. Je n'avais jamais rien fait de tel, mais cette affaire m'a fortement tentée. Ces gens étaient dans leur bon droit. Je me suis lancée. » Elle se tut. « Voilà, c'est tout. Je ne voudrais pas vous assommer avec des détails.

— Vous ne nous ennuyez pas. Racontez-nous tout cela par le menu.

— Eh bien, il s'agissait d'un quartier ouvrier. Des cols bleus, sans argent ni pouvoir. Au bout de la rue, à l'intersection avec une avenue, il y avait un terrain vague classé zone industrielle, qui venait d'être acheté par un groupe projetant d'y installer un petit complexe chimique. On redoutait des émanations délétères et, très probablement, cancérigènes. Cela aurait rendu le quartier invivable. Nous avons mené un combat très dur car, comme c'est souvent le cas, l'affaire avait des ramifications politiques.

— Mais tu as gagné, dit Jay avec fierté. Et tu n'as pas précisé que ce procès constitue maintenant un précédent. »

Son père fixait attentivement la jeune femme. « Pensez-vous que notre affaire pourrait vous intéresser ?

— J'aurais besoin d'en savoir un peu plus. Que comptent-ils construire sur la zone en question ?

— Ils veulent bâtir ce qu'ils appellent une base de loisirs. Des maisons de vacances. Un lieu de villégiature dévolu à telle ou telle corporation. Un habitat très dense, avec des immeubles à touche-touche. La nouvelle autoroute rendra l'endroit rapidement accessible, avec les sports d'hiver à une demi-heure. En draguant le lac, ils pourront en doubler la superficie utilisable, et... »

Enid lança une remarque : « Et incidemment, en cas de fortes pluies, inonder toutes les terres agricoles qui se trouvent au sud de la ville. Ça, j'en suis malade ! Il s'agit d'un des plus beaux coins de l'État et même de tout l'est du pays. Pour moi, cela a valeur de symbole. Si cette région succombe à la loi du profit, je ne vois pas ce qui pourrait encore lui résister. Vous comprenez ce que je veux dire, Jennie ?

— L'appât du gain, j'y suis chaque jour confrontée. C'est le pire poison, qu'il s'agisse de cités infestées de rats, d'océans pollués ou de forêts vierges menacées... » Jennie se tut une nouvelle fois, toujours vaguement mal à l'aise d'être le point de convergence de tous les regards, consciente de ce que l'enthousiasme lui faisait élever la voix, et soucieuse, comme à l'accoutumée, de garder les mains posées sur les cuisses. « Tous nous en pâtirons, au bout du compte », conclut-elle plus calmement.

Jay souriait. Il aimait cet enthousiasme. « Pas tant que se dresseront des gens tels que toi.

— Dois-je comprendre que vous acceptez ? » demanda Arthur Wolfe.

Ainsi je vais défendre le droit à l'existence d'un coin de terre ! Drôle de chose pour une citadine qui n'a jamais possédé le moindre mètre carré. Et cependant, dès l'enfance, dès l'époque où l'on allait parfois se promener en voiture dans la campagne, elle s'était senti une attirance pour la terre, comme si les arbres lui avaient parlé. Par la suite, lisant Rachel Carson ou regardant les programmes télévisés du *National Geographic*, elle avait éprouvé une attirance plus forte, doublée d'une plus grande compréhension.

« Oui, j'accepte, dit-elle en ressentant une bouffée de plaisir.

— A la bonne heure ! Et si Jay dit que vous êtes bonne... » Arthur se leva de table et vint se planter devant la jeune femme. « Nous avons déjà soumis nos propositions en première lecture au conseil municipal et la question va être présentée au Comité pour le développement et l'aménagement. Ils en prennent connaissance dans deux ou trois semaines, aussi allez-vous devoir revenir très bientôt par ici. Jay vous dira tout ce qu'il faut savoir sur la gestion de notre municipalité. Pas question que je vous embête avec ça maintenant. C'est le modèle courant, neuf conseillers élus, l'un d'eux faisant office de maire. » Il prit la main de Jennie et la serra vigoureusement. « Avant que vous partiez, je vais vous remettre une tonne de documents, des rapports d'ingénieurs, des réponses d'experts en géologie, une étude avec plans et relevés, la pétition à l'adresse des instances administratives, et bien sûr le désastreux projet de nos adversaires. » Il lui pressa à nouveau la main. « Cette fois, je crois que c'est bien en route.

— C'est un beau défi, lui dit Jennie. Je vais faire de mon mieux. »

Jay regarda sa montre. « Il faut que nous partions. Allez, Jennie, on court chercher les bagages et on y va. »

Jennie récupérait son manteau et son sac dans la chambre, quand Mrs. Wolfe frappa à la porte.

« Est-ce que je peux entrer ? Il fallait que je vous aie une petite minute en privé. » Elle avait à la main un coffret plat, recouvert de cuir rouge sombre. « Je voulais vous offrir ceci. En haut, au calme, rien que nous deux. Tenez, Jennie, ouvrez-le. »

Lové en un double cercle, un collier de perles reposait sur un lit de velours pourpre, de grosses perles uniformes et très légèrement, timidement, teintées de rose. Jennie eut un instant de flottement. Elle ne connaissait strictement rien aux perles et à leurs variétés, n'ayant jamais eu pour bijou qu'un court collier, acheté chez un marchand de travestis afin de n'avoir pas une mise trop stricte au tribunal. La stupeur le cédait à l'embarras.

« Elles étaient à ma belle-mère. Je les réservais à ma seconde bru, dit Enid Wolfe, ajoutant après une brève hésitation : j'ai déjà donné celui de ma propre mère. »

Le regard de Jennie alla des perles au visage de l'autre femme, adouci par une sorte de vénération. Elle comprit combien ce geste avait d'importance.

« Ce qu'elles sont belles, souffla-t-elle.

— N'est-ce pas qu'elles le sont ? Attendez, il faut que vous l'essayiez. » Jennie pencha le buste en avant et la mère de Jay lui passa le collier au cou. « Tenez, regardez-vous. »

Dans la glace posée sur la commode, elle vit un visage plein, un visage qui ne faisait pas ses trente-six ans et au milieu duquel deux yeux verts luisaient d'un éclat tout neuf. Tes yeux de chat, plaisantait Jay. Une lueur d'étonnement les habitait en cet instant. Et ses joues, si délicatement colorées qu'elles n'avaient jamais eu besoin de fard, étaient présentement très rouges depuis le menton jusqu'aux pommettes hautes.

« Il n'y a rien de tel que les perles, vous ne trouvez pas ? dit Enid. Regardez, ne serait-ce qu'avec ce pull et cette jupe.

— Ce qu'elles sont belles, répéta Jennie.

— Oui, on n'en voit plus guère de semblables.

— Je... je ne sais que dire, Mrs. Wolfe. Et ça ne me ressemble pas.

— Je vous en prie, appelez-moi Enid. Le ''Mrs. Wolfe'' n'est pas de mise pour quelqu'un qui va faire partie de la famille. » Le visage austère de la vieille femme s'éclaira subitement. « Écoutez bien ce que je vais dire. On ne voit pas sans quelque appréhension son fils et les enfants de celui-ci se donner à une autre femme. Mais vous avez été si bénéfique pour Jay. Cela ne nous a pas échappé et nous tenons à ce que vous sachiez... — elle posa une main sur l'épaule de Jennie —, je tiens à ce que vous sachiez qu'Arthur et moi vous aimons beaucoup. Jay nous a tellement parlé de vous que nous avons le sentiment de bien vous connaître. Et nous avons de l'admiration pour vous.

— J'ai parfois l'impression d'être en train de rêver, dit doucement Jennie en caressant les perles. Jay et moi et les enfants... et maintenant vous et votre mari. Vous êtes tous si gentils avec moi.

— C'est que vous le méritez. Quant à Jay, je n'ai pas besoin de vous dire combien il est tendre et aimant. La vie sera douce à ses côtés. » Enid eut un sourire plein de maternelle indulgence. « Oh, il a bien sûr ses petits travers. Il ne supporte pas d'attendre. Il aime que les plats chauds soient servis brûlants, et les plats froids, glacés. Des choses de ce genre. » A présent assise sur le bord du lit, elle parlait sur le ton de la confidence. « Mais c'est un brave garçon, un honnête homme. Ce mot de “brave” a une si large acception. Jay est d’une absolue droiture. Il ne dit que ce qu’il pense et il pense ce qu’il dit. Il est d’un abord très ouvert et ne sait guère dissimuler. Et je vois en vous les mêmes qualités. Certes, il nous a tellement parlé de vous que, même avant de vous rencontrer, nous avions le sentiment de vous connaître. » Elle se leva. « Seigneur, je parle, je parle, et tout le monde nous attend. Vous avez trois heures de route devant vous. »

Sur le chemin du retour, Jay fit observer : « Je n’avais plus vu mon père aussi remonté depuis l’époque où il se battait pour que l’on construise des logements à loyer modéré et de meilleures écoles pour les pauvres. »

Ils conversaient à voix basse, tandis que les enfants sommeillaient à l’arrière.

« J’espère être de taille à assumer cette affaire. Et je crois que je vais être incapable de penser à autre chose jusqu’à ce qu’elle soit terminée.

— Est-ce qu’elle te tracasse déjà à ce point ? Si tel est le cas, je m’oppose à ce que tu t’en charges. J’entends que mon épouse soit détendue. Pas de plis d’anxiété autour des yeux.

— J’ai accepté. Pas question de faire machine arrière.

— Allons donc. Si tu as la moindre hésitation, ne laisse surtout pas mon père te forcer la main. Je peux très bien mettre un des jeunes types du cabinet sur cette affaire. »

Elle répondit d’un ton d’indignation affectée. « Comment ? En charger un homme, comme si une femme n’était pas à la hauteur ? Non, non. Seulement, tu comprends, il y a ton père, ta famille… Je tiens tellement à ce qu’ils aient une haute idée de moi.

— Bon sang, mais c’est le cas. Et tu le sais. Te faut-il une autre preuve que ce coffret que tu as sur les genoux ? Ma mère aurait préféré jeter ce collier à la mer plutôt que de le voir en de mauvaises mains. Non, sérieusement, une fille aussi énergique que toi ne devrait pas être aussi peu sûre d’elle dès qu’elle est en présence de ma famille.

— Je le suis ? C’est l’impression que je donne ?

— Un peu, oui. Mais ne t’en inquiète pas outre mesure,

dit Jay en tendant le bras pour prendre la main de Jennie. Au lieu de ça, tu ferais mieux de tenir fermement ce coffret jusqu'à ce que je le fasse assurer à ton nom, demain. »

Il faisait nuit lorsqu'ils se garèrent devant l'immeuble. Sous une marquise verte, deux belles lampes de fiacre en éclairaient l'entrée. Une double rangée de réverbères illuminait le calcaire, la brique et le granite des harmonieuses façades de Park Avenue qui s'étiraient au loin jusqu'à la forme basse de la gare de Grand Central, tapie devant la tour Pan Am. C'était une des plus prestigieuses vues au monde, aussi typique que Trafalgar Square à Londres ou la place de la Concorde à Paris. Tandis que Jay aidait les enfants à descendre, Jennie demeura un moment immobile à contempler les perspectives de l'avenue. Elle avait rarement l'occasion de venir dans cette partie de la ville ; avant de connaître Jay, elle n'avait même jamais mis les pieds dans un immeuble tel que celui-ci.

« La nurse est-elle déjà là ? demanda-t-elle.

— Non, elle doit passer de bonne heure lundi matin, à temps pour les conduire à l'école.

— En ce cas je monte t'aider à les mettre au lit.

— Ce n'est pas la peine. Je peux m'en débrouiller. Et puis tu m'as dit avoir une grosse journée demain.

— Tu es dans le même cas. En plus, j'en ai envie. »

Tandis que Jay déshabillait son jeune fils et le mettait au lit au milieu d'un amoncellement d'ours et de pandas en peluche, Jennie s'occupa des filles.

« Il est très tard et vous avez eu une douche ce matin, aussi pas de bain ce soir.

— Une histoire ? réclama Sue. Tu nous racontes une histoire ? »

Jennie consulta la pendule posée sur la table basse, entre les deux lits laqués ivoire. « Il est trop tard pour les histoires, je vais plutôt vous lire quelques poèmes. » De plus en plus habituée aux enfants et acceptée par eux, elle se sentait compétente dans ce rôle de mère. « Que diriez-vous d'A. A. Milne ? D'accord ? Allez, direction la salle de bain. »

Elles se brossèrent les dents, se lavèrent les mains et le

museau. Elles jetèrent leurs vêtements dans le panier à linge sale et enfilèrent leur chemise de nuit de coton rose. Pour finir, Jennie dénoua leurs tresses et brossa leurs longs cheveux blonds. Jay et les siens étaient bruns. Sans doute les filles tenaient-elles de leur mère.

Emily lui passa la main sur les cheveux. « J'aimerais bien avoir des boucles noires comme toi.

— Et moi, j'aimerais avoir des cheveux comme les tiens. Dès qu'il pleut, les miens se mettent à frisotter dans tous les sens. Ce n'est pas drôle du tout.

— Non, ils sont splendides, dit la fillette. C'est aussi l'avis de papa. Je lui ai demandé. »

Jennie la serra dans ses bras. Ils étaient si adorables ces trois enfants, avec leur peau parfumée et leurs baisers mouillés ! Oh, ils faisaient quelques colères de temps à autre — elle avait été témoin de quelques-unes d'entre elles —, mais c'était bien naturel. Elle se sentit une bouffée de quelque chose qui, si ce n'était de l'amour — avec quelle facilité on use à tort et à travers du mot « amour » ! —, n'en était guère éloigné. De retour dans la chambre, elle prit le livre adoré et lut quelques comptines. « C'est l'heure de fermer les yeux », dit-elle enfin en allant tirer les rideaux.

A la lueur rosée de la veilleuse, tout était propre et rangé. La paix de cette chambre émut le cœur de Jennie. Elle était si souvent confrontée à l'autre aspect de l'existence, à la laideur, à la violence que les êtres s'infligent les uns aux autres ! Embrassant les fillettes d'un dernier regard, elle remercia le Ciel de ce qu'au moins ces deux-là fussent préservées. C'étaient là des sentiments complexes, apparentés à la prière.

Elle éteignit la lumière. « Bonne nuit, mes chéries. Faites de beaux rêves. »

Jay se tenait devant la porte de sa chambre. « Je sais bien que tu dis ne rien vouloir changer dans l'appartement, commença-t-il.

— Oui, ce serait tout à fait extravagant, alors que tout est en parfait état. »

La pensée de refaire la décoration de toutes ces pièces était démoralisante. Elle ne s'entendait guère à ces choses et ne s'y intéressait pas vraiment. Elle considéra l'immense salle de séjour qui s'ouvrait au bout du couloir, elle parcourut du regard un océan de moquette vert mousse, ponctué avec goût d'îlots d'acajou et de chintz, puis se tourna vers la salle à manger, où elle se surprit à reconnaître une table de chez Duncan Phyfe et des chaises Chippendale, tendues de soie chamarrée de fleurs rubis.

« Au moins la chambre à coucher, dit Jay. Il va nous falloir une nouvelle chambre. »

Cela, elle le lui concédait. Elle ne voulait pas de ce lit à baldaquin dans lequel il avait dormi avec une autre femme. Il faudrait également remplacer l'armoire et les commodes dans lesquelles Phyllis avait rangé ses vêtements. Elle s'en occuperait la semaine prochaine.

Sur une haute commode, qu'elle supposa être celle de Jay, était posée la photographie encadrée d'argent d'une jeune femme en robe du soir. Elle portait au cou les perles de l'autre grand-mère. Elle avait de grands yeux où dansait une lueur amusée, et un visage rond aux hautes pommettes. Ma foi, se dit Jennie, mis à part ses cheveux clairs et raides, elle me ressemble ! Elle se demanda si Jay avait nettement conscience de cette ressemblance. Non, sans doute. On disait que les êtres répétaient inconsciemment les mêmes choix. Elle s'était immobilisée, examinant ce visage, procédant à des comparaisons.

« Cela ne va évidemment pas rester là, dit Jay quelque peu anxieusement. J'aurais déjà dû le mettre ailleurs.

— Et pourquoi donc ? Quel genre d'homme serais-tu, si tu cherchais à l'effacer de ta mémoire ? »

Pauvre âme, morte à trente-deux ans du cancer, laissant derrière elle cette vie et tous ces êtres chers !

« Tu es quelqu'un d'unique, Jennie, fit Jay d'une voix altérée par l'émotion. Il n'y a pas une femme sur cinquante qui dirait cela et le penserait, comme je sais que tu le penses. »

Elle était effectivement sincère. Étrangement, lorsqu'elle était seule avec Jay, elle n'éprouvait pas le moindre sentiment d'insécurité, ne redoutait pas de comparaison désobligeante avec qui que ce soit. Seule la famille, les parents, le milieu lui inspiraient une sorte de trouble, l'angoisse, malgré leur attitude accueillante, de ne pas être des leurs. Mais cela, elle le surmonterait...

Il l'enlaça et elle posa la tête sur son épaule. « J'ai sacrément hâte que ce mariage soit derrière nous. Pas question de dormir ensemble ce week-end chez mes parents, pas question de dormir ensemble ici à cause des enfants et de la nurse. Quelle barbe.

— Tu es le bienvenu chez moi n'importe quel soir de cette semaine », murmura-t-elle. Puis elle leva la tête pour contempler son visage. Du doigt, elle suivit l'arête de son nez. « Est-ce que je t'ai jamais dit que tu me fais penser à Lincoln ? Avec une barbe, tu serais son parfait sosie. »

Jay éclata de rire. « Dès que l'on est grand et mince, avec le visage étroit et un long nez, on ressemble à Lincoln. Je te trouve bien fleur bleue pour une jeune avocate qui a la tête sur les épaules.

— J'ai la tête dure et le cœur tendre.

— Je le sais, ma chérie. Bon, tu as besoin de sommeil. Je vais te mettre dans un taxi. Appelle-moi dès que tu rentres.

— Je suis assez grande pour me mettre moi-même dans un taxi. Jamais je n'avais été à ce point paternée ! Tu ne penses tout de même pas que le chauffeur de taxi va me kidnapper ?

— Non, mais téléphone-moi quand même. »

L'immeuble réhabilité, sans ascenseur, dans lequel elle avait son appartement, appartenait à un tout autre univers. Ici résidaient des célibataires, des couples vivant maritalement, de jeunes comédiens et artistes, soit en pleine ascension soit pleins d'espoir. Leurs intérieurs allaient de la vacuité — un matelas à même le sol et un lampadaire — au semi-meublé — bois brut barbouillé de laque noire ou écarlate, fauteuils à bascule victoriens chinés chez un brocanteur — et au tout meublé avec tapis, livres, disques et plantes vertes. Celui de Jennie appartenait à cette dernière catégorie.

La porte d'en face s'ouvrit à l'instant où elle tournait la clé dans sa serrure.

« Salut ! Alors, comment était-ce ? s'enquit Shirley Weinberg, en sortie de bain, les cheveux enroulés dans une serviette. J'étais en train de me sécher les cheveux quand je t'ai entendue. Comme était-ce ? Je peux entrer ?

— Bien sûr. »

Cela faisait cinq ans qu'elles partageaient le même palier. Elles n'avaient pas grand-chose en commun, sinon cette relation de voisines vivant en bonne intelligence. Secrétaire d'un metteur en scène de théâtre, Shirley était obnubilée par Broadway et le faste, le *glamour* de ce monde du spectacle ; elle était à cent lieues des femmes battues que côtoyait l'avocate, des tribunaux défraîchis où elle plaidait. Elle s'assit sur le sofa.

« Alors, c'était le grand luxe, chez eux ? »

Sans doute imaginait-elle des sols de marbre et des boiseries dorées à la feuille.

« Pas à proprement parler. C'est un bâtiment de ferme qui doit avoir dans les cent cinquante ans ou plus. Moi, j'ai bien aimé, mais cela ne t'aurait pas plu.

— Pourtant, ils sont rudement riches, non ? »

Semblables questions avaient quelque chose d'un peu choquant, mais il convenait de considérer qui les posait. Shirley était certes un peu brusque, mais elle n'était pas malintentionnée. Cependant pourquoi tant de gens s'attachaient-ils à poser de telles questions ? Un souvenir tressaillit quelque part, une voix interrogatrice... De qui pouvait-il s'agir ? A quand cela remontait-il ? Mais cette ombre de réminiscence s'évanouit...

« Je ne pense pas qu'ils soient "rudement riches". Mais ils ne sont pas non plus pauvres, répondit patiemment Jennie. Je dirais que ce n'est pas la chose à laquelle on pense quand on les voit.

— Toi peut-être. Mais il faut dire que tu n'es pas comme tout le monde, fit affectueusement Shirley. Qu'est-ce qu'il y a là-dedans ?

— Un collier. Tiens, regarde.

— Seigneur Dieu, voyez-moi ça !

— Tu m'as fait peur. Pourquoi crier de la sorte ?

— Mais à cause de ces perles, idiote. Tu sais qu'il y en a

pour dix mille dollars ? Qu'est-ce que je dis ? Plus que ça. Les perles ont recommencé à grimper.

— Ce n'est pas possible, dit Jennie.

— Si je te le dis, c'est que je le sais. Tu sais que j'ai travaillé chez un bijoutier de Madison Avenue ? Ce sont des neuf millimètres. Tu sais ce que cela signifie ? Non, tu ne le sais pas, bien sûr. Mets-les.

— Non, j'ai peur de les toucher. J'ai peur de les casser.

— Aucun risque. Allez, mets-les.

— Je me sens un peu idiote si elles ont une telle valeur. Où est-ce que je vais les porter ?

— Les endroits ne manquent pas. Regarde-moi ça, elles sont magnifiques.

— Je n'ai absolument pas l'habitude de ce genre de chose, dit Jennie d'un air interdit. Je veux dire... pourquoi voudrait-on se mettre autant d'argent autour du cou ?

— Tu es vraiment un drôle de numéro. Elles ne te font vraiment aucun effet ?

— Eh bien, en un sens, si. Elles sont très belles, bien sûr qu'elles le sont. Mais ce qui importe surtout pour moi, c'est ce qu'elles représentent, le fait que j'ai ma place dans leur famille et cela, j'en suis très, très heureuse. Simplement, il y a que je n'ai jamais rêvé de posséder des choses de ce genre. Et c'est aussi bien, parce que je n'aurais jamais pu me les offrir.

— Eh bien, m'est avis que ce ne sera plus un problème désormais. Tu es vraiment folle de lui, non ? »

Jennie leva les yeux vers le visage de l'autre femme, sur lequel elle lut une certaine tendresse mêlée de curiosité. « Oui, dit-elle. On peut dire ça. Je suis folle de lui.

— C'est la première fois que je te vois dans cet état.

— C'est que jamais je n'avais rien éprouvé de semblable avec qui que ce soit.

— Tu es vernie. Est-ce que tu réalises combien tu es vernie ?

— Oui.

— Être amoureuse du type qui voit ça pour la vie. Bon sang, ce que je suis fatiguée de ces types qui ne veulent rien te promettre sinon qu'ils n'essaieront jamais d'entraver ta liberté.

J'aimerais bien, moi, renoncer à un peu de ma liberté — pas tout, mais un peu — pour avoir un foyer et un enfant. Deux enfants. Bon sang, de nos jours les hommes qu'on peut rencontrer sont eux-mêmes des gosses. »

Occupée à accrocher son manteau, Jennie ne trouva rien à répondre. Elle se souvenait comment, à peine plus de deux ans plus tôt, Shirley, de même que la plupart de ses contemporaines dont Jennie elle-même, se réjouissait encore d'avoir une totale indépendance, la possibilité de vivre des aventures qui jusqu'alors n'avaient été permises qu'aux seuls hommes. Puis l'horloge biologique, comme on nommait cela à présent, avait commencé de faire valoir ses droits.

« L'horloge biologique, dit-elle à voix haute.

— Ouais. En tout cas, je suis contente pour toi. » Shirley se leva et embrassa Jennie sur la joue. « Ça ne pouvait pas arriver à une plus chic fille. Écoute bien : procure-toi un bout de flanelle et essuie-les chaque fois que tu les portes. Et fais-les réenfiler tous les deux ans. A ta place, pour ça, j'irais chez Tiffany. »

Shirley sortie, Jennie demeura quelques instants immobile, le collier de perles posé sur l'avant-bras. Des pensées l'assaillaient. Cet appartement n'avait certes rien de conséquent, mais il était confortable et joliment arrangé, avec ces gravures, ces colombes de Picasso et ces compositions géométriques de Mondrian. Elle se disait parfois combien il serait amusant que Jay vienne habiter chez elle plutôt que l'inverse. Elle avait elle-même peint les murs en jaune tendre, acheté ce patchwork chez un artisan des montagnes du Tennessee, fait pousser cette grande plante verte, placée dans un cache-pot de cuivre près de la fenêtre. Les livres, sa seule extravagance, et la chaîne stéréo haut de gamme étaient les fruits de son propre labeur, et cela la comblait d'aise ; sans aucun doute n'était-il pas de plus douce satisfaction.

Elle avait vraiment fait du chemin. Cependant, maintenant qu'elle s'était colletée avec le monde, qu'elle avait démontré sa capacité à y survivre seule, elle était prête, désireuse et contente de renoncer, pour Jay, à un peu de son indépendance.

Ils avaient fait connaissance lors d'un de ces grands raouts où se retrouve une faune chic en proie au même malaise existentiel. Cela se passait dans un bel entrepôt rénové, un *loft* plein de sculptures abstraites, de mobiles en inox, de taboulé, de vin blanc et d'un brouhaha de conversations. Quelqu'un avait évoqué l'affaire de Long Island, plaidée par Jennie, et quelqu'un d'autre avait hâtivement et sans cérémonie présenté Jay à la ronde. Presque aussitôt elle et lui s'étaient écartés du groupe.

« Vous aussi, vous êtes avocat ? avait-elle demandé.

— Oui. Chez DePuyster, Fillmore, Johnston, Brown, Rosenbaum et Levy.

— Rien à voir avec moi.

— Rien à voir en effet. » Il souriait, avec, à l'œil, une petite lueur amusée. « Êtes-vous en train de vous dire que je suis le cynique défenseur de compagnies tout aussi cyniques ?

— Je n'ai pas la stupidité de croire que toutes les compagnies sont dépourvues d'honnêtes gens.

— C'est une bonne chose. Parce que figurez-vous que je veux avoir votre estime.

— Simplement, je ne me vois pas travailler dans cette spécialité.

— C'est tout à fait légitime. Mais, vous savez, il m'arrive également de plaider *pro bono publico*.

— C'est aussi une bonne chose, avait-elle dit en lui rendant son sourire.

— Vous ne goûtez guère cette soirée, avait-il fait. Toute cette sociologie et cette psychologie de bazar. Vous savez à quoi cela se réduit ? "Regardez-moi, je suis ici, c'est moi, écoutez-moi." Quand ça se termine, il ne vous en reste qu'une bonne migraine. Fichons le camp d'ici. »

Ils avaient passé la moitié de la nuit dans un bar tranquille du bas de Manhattan à se parler de leurs idées politiques, de leurs familles, de leurs goûts en matière de musique, de cuisine, de littérature, de tennis et de cinéma. Ils appréciaient Zubin Mehta, Woody Allen, Updike et Dickens. Ils détestaient le golf, les sauces butyreuses, les zoos et les croisières. Il s'était passé quelque chose ce soir-là. Plus tard, tous deux s'accordèrent sur le fait qu'ils en avaient eu conscience.

Le lendemain, il lui avait envoyé des fleurs. Elle avait été touchée par ce geste un peu désuet et avait senti monter en elle un sentiment d'attente tel qu'elle n'en avait jamais éprouvé. Tout à coup, il lui apparaissait clairement qu'elle n'avait jamais soupçonné les possibilités de l'amour, qu'elle n'avait jamais su ce que recelait le cœur des choses, et qu'elle n'avait jusqu'alors fait que se bercer d'une connaissance illusoire des choses de l'amour.

C'est ainsi que cela avait commencé.

Elle avait fait beaucoup de chemin depuis le pavillon dans la banlieue de Baltimore et le magasin de plats à emporter. Depuis l'université de Pennsylvanie et le chiche revenu qu'elle tirait de cours particuliers. Dans les temps où elle avait décroché son diplôme universitaire, son père était tombé malade du rein. Elle avait vingt-cinq ans l'année de sa mort. Sa mère avait vendu le magasin et, grâce au modeste produit de cette vente et à l'assurance de feu son mari, était allée vivre avec sa sœur à Miami, où le temps était plus clément et la vie moins chère. Par la suite, après avoir suffisamment économisé pour payer ses études de droit, Jennie était retournée à Philadelphie pour se réinscrire en faculté.

Ayant déjà perdu quatre ans, il n'était pas question pour elle de traîner en chemin. Animée d'un seul désir, elle travaillait d'arrache-pied et ne se distrayait guère. A vingt-neuf ans, elle termina brillamment ses études. Elle aurait pu, l'eût-elle voulu, entrer dans un prestigieux cabinet de Philadelphie. Mais, au cours des années difficiles, elle s'était forgé une personnalité propre et un point de vue bien particulier sur le monde. L'heure était venue de ce qu'elle entendait faire et, dans son esprit, l'endroit qui convenait pour cela était New York.

Elle ouvrit un cabinet dans un quartier sans prétentions du bas de Manhattan, non loin de la Seconde Avenue, deux pièces sous-louées d'un appartement appartenant à trois jeunes gens qui venaient eux-mêmes de terminer leur droit et aspiraient à se spécialiser dans le droit pénal. N'ayant aucune attirance pour les affaires ayant trait aux familles ou aux problèmes des femmes, ils étaient contents de pouvoir se décharger sur Jennie de ce genre de causes. Ainsi commença-t-elle de se bâtir une réputation de défenseur coriace, dévoué et compatissant des droits de la femme, surtout de la femme pauvre.

Et les années avaient passé. Elle avait un temps fréquenté des mouvements progressistes, s'y était enrichie, puis s'en était éloignée. A l'instar de Shirley, elle avait connu sa part d'hommes drôles et brillants, mais peu soucieux de continuité. Elle avait été brièvement amoureuse — ou du moins se l'était-elle imaginé — d'un gentil garçon qui, au bord des larmes, avait fini par lui confesser qu'il avait fait son possible mais qu'en définitive ses goûts le portaient vers ceux de son sexe. Elle avait été courtisée par un ou deux hommes convenables qui l'eussent volontiers épousée et qu'elle eût épousés, en eût-elle été amoureuse. Elle avait connu un homme adorable, qui l'aimait mais n'avait nulle intention de se séparer de sa femme. Pour une raison ou pour une autre, aucune de ces relations n'avait abouti, aussi s'investissait-elle dans son travail et tous les avantages de la grande ville, spectacles de danse et opéras au Lincoln Center, projections de films étrangers, jogging dominical à Central Park, librairies de la Cinquième Avenue, trattorias italiennes de Greenwich Village et cours à la New School.

Elle avait mené une vie active, productive et utile, mais qui ne l'avait amenée nulle part et où elle vit une sorte de vide lorsqu'elle en eut inventorié toutes les ressources.

Puis Jay était arrivé. Deux ans plus tôt.

Revenant à la réalité, elle essuya les perles comme on venait de le lui conseiller, puis les déposa précautionneusement sur leur lit de velours et cacha le coffret sous ses chemises de nuit. Dévêtue, elle inspecta son image dans le grand miroir fixé à la porte de la salle de bain. Pas mal du tout. Elle n'avait jamais eu beaucoup de mal à rester svelte, ce qui était une bénédiction car elle aimait la bonne chère, les pâtes et le pain en quantité. Pas de muscles flasques non plus, grâce au tennis et à la course à pied. Fredonnant un air, elle esquissa un pas de danse devant la glace. Elle était heureuse, heureuse...

Le téléphone sonna.

« Suis-je bien chez Janine Rakowsky ? » Janine. En dehors de sa mère, plus personne ne l'appelait ainsi.

« Oui, répondit-elle prudemment.

— Je m'appelle James Riley. » La voix était courtoise, raffinée. « Je sais que ce que je vais vous dire va vous saisir, mais... »

Maman. Un accident, là-bas en Floride. Maman est blessée. Des crissements de pneus. La pluie qui luit sur l'autoroute. Des sirènes. Des voitures de police arrivent. Une ambulance s'immobilise. Des gyrophares éclairent la nuit.

« Qu'est-ce qu'il y a ? Qu'est-il arrivé ?

— Non, non, s'empressa de dire l'inconnu. Rien de grave. Je suis désolé de vous avoir fait peur. Voilà, je représente Recherche de la parenté, association au service des anciens enfants adoptifs. Sans doute avez-vous entendu parler de nous.

— Je ne pense pas, fit Jennie, interdite. Auriez-vous besoin d'un avoué ?

— Oh non, pas du tout. Cela n'a rien à voir avec la justice. Voici pourquoi je vous appelle... »

Croyant comprendre que l'homme allait se lancer dans une longue explication, elle l'interrompit d'une voix paisible :

« Écoutez, je suis avocate et puisqu'il ne s'agit pas d'un recours devant la justice, je vous prie de m'excuser, mais je n'ai pas de temps à vous consacrer. Je suis désolée... »

Ce fut au tour de l'inconnu de l'interrompre, d'un ton tout aussi paisible. « Si vous voulez bien m'accorder une minute, je vais m'expliquer. Vous avez, j'en suis certain, connaissance du nombre d'enfants jadis adoptés qui, aujourd'hui, cherchent à retrouver leurs vrais parents. Un grand nombre d'associations, dont la nôtre, se sont proposé de les y aider, et nous... »

Jennie laissa échapper un long soupir. « Je suis toujours prête à verser mon obole dans la mesure de mes moyens. Envoyez-moi une brochure décrivant votre action, j'en prendrai connaissance. »

Mais l'inconnu n'était pas disposé à baisser pavillon. « Il ne s'agit pas d'une sollicitation, miss Rakowsky. » Il y eut un long silence. Lorsque l'homme reprit la parole, ce fut dans un murmure. « Il y a dix-neuf ans de cela, vous avez donné naissance à une fille. »

Plusieurs secondes passèrent. La trotteuse de la pendule de bureau tressautait. De petits parasites craquaient sur la ligne, à moins que ce ne fût le bruit du sang battant dans les artères de Jennie.

« Cela fait plus d'une année qu'elle a entrepris ses recherches. Elle désire vous rencontrer. »

Je vais me sentir mal, se dit Jennie. Je vais m'évanouir. Elle s'assit.

« J'ai préféré vous appeler chez vous plutôt qu'à votre cabinet, s'agissant d'une chose aussi personnelle. »

Elle n'arrivait pas à parler.

« Miss Rakowsky ? Êtes-vous là ?

— Non ! » Un cri atroce sortit de la poitrine de Jennie, comme si on y eût planté un scalpel sans anesthésie. « Non ! C'est impossible ! Je ne peux pas !

— Oui, je comprends. Cela constitue un choc. C'est pour cela que votre fille a préféré que nous — que je vous appelle au préalable. » Silence. « Elle se nomme Victoria Miller. Mais tout le monde l'appelle Jill. Elle habite New York, étant en première année à Barnard. »

Des doigts glacés couraient le long de l'échine de Jennie. Son pouls s'affolait.

« C'est impossible... Pour l'amour du Ciel, vous ne comprenez pas que c'est impossible ? Nous ne nous connaissons pas.

— Eh bien mais, justement. Il faut que vous fassiez connaissance.

— Justement, non ! Je l'ai mise en de bonnes mains. Pensez-vous que j'aurais permis qu'on la confie à n'importe qui ? lança-t-elle d'une voix altérée.

— Non, bien sûr que non. Seulement...

— Seulement quoi ? Est-ce qu'elle a des problèmes ? Est-ce qu'il lui est arrivé quelque chose ?

— Absolument pas. Elle est tout à fait bien dans sa peau.

— Là, vous voyez ? C'est bien ce que je vous disais ! Elle a donc une famille, une famille qui prend soin d'elle. Que pourrait-elle bien me vouloir ? Je n'ai seulement jamais vu son visage. Je... » Accrochée au combiné, Jennie s'affaissa sur le sol et prit appui contre son bureau.

« Oui, elle a une famille, une excellente famille. Cependant, elle souhaiterait vous connaître. N'est-il pas naturel qu'elle désire savoir qui vous êtes ? » La voix était paisible et mesurée.

« Non, non et non ! La page est tournée, c'est de l'histoire ancienne. Tout a été réglé à l'époque. Quand les choses sont réglées, on n'y touche plus. Je n'aurais pas pu m'occuper d'elle à l'époque ! Vous n'avez pas idée de ce que c'était ! Je n'avais pas le choix, je...

— Là n'est pas la question, miss Rakowsky. Tout cela, nous le comprenons parfaitement. Nous sommes des professionnels, des psychologues, des travailleurs sociaux, et nous comprenons, je vous assure. Croyez-moi, je vous comprends. »

Jennie avait les mains moites. Son corps tout entier était en nage. La transpiration, le cœur battant la chamade, les jambes en coton, tout cela était en soi terrifiant. Il fallait qu'elle se reprenne, il le fallait. Elle ne pouvait s'effondrer, être terrassée, seule, par une crise cardiaque...

« Jill est une jeune personne charmante, charmante et très intelligente, plaidait l'homme. Elle et vous seriez...

— J'ai dit non ! Ce serait tout à fait aberrant ! Nous n'allons pas... nous voir au bout de dix-neuf ans, comme si de rien n'était. Je vous en prie ! » Elle pleurait à présent. « S'il vous plaît, dites-lui que c'est impossible. Dites-lui d'être heureuse et de ne plus chercher à me contacter. Qu'elle n'y pense plus. Pour elle, les choses sont mieux ainsi. J'en suis certaine. Je vous en supplie, laissez-moi tranquille avec ça. Je vous en supplie !

— Je ne vous ennuie pas plus longtemps, miss Rakowsky. Réfléchissez-y pendant quelques jours. Peut-être allez-vous comprendre que cela n'a rien de néfaste ni de tragique. Je vous rappelle.

— Non ! Je ne veux plus en entendre parler. Je... »

La communication fut interrompue.

Reposant le combiné sur ses genoux, Jennie laissa aller sa tête contre le pied du bureau. Son cœur battait toujours si violemment qu'elle l'entendait dans ses tympans.

« Oh mon Dieu ! dit-elle à haute voix. Oh mon Dieu ! » Elle ferma les paupières et se prit la tête entre les mains.

Je vais vomir, je vais m'évanouir...

Lorsqu'elle rouvrit les yeux, les motifs du tissu de son grand fauteuil tournoyaient. C'était un tourbillon de cercles bruns, blancs et noirs, de carrés, de points et d'étoiles. Elle les referma et garda les paupières hermétiquement closes.

Toutes ces années. Je ne voulais pas me souvenir d'elle. Il fallait bien que je l'oublie, non ? Et je l'ai parfois oubliée. Mais à d'autres moments ? Je n'ose pas penser à ces autres moments...

« Ne comprends-tu pas ? cria-t-elle à la pièce silencieuse, cria-t-elle à personne, à tout le monde, à l'adresse de la destinée. Ne comprends-tu pas ? »

« Oh Seigneur... » sanglotait-elle, le visage entre les mains, se balançant d'avant en arrière.

Au bout d'un long moment, la raison reprit ses droits. Jennie fit impérieusement appel, de crainte de s'effondrer tout à fait, à la petite machine tapie au centre de son crâne.

Réfléchis, Jennie. Tu n'as pas le droit de céder à la panique. Il est, tu le sais, une approche intelligente de chaque problème. C'est ce que tu ne cesses de répéter aux autres. A toi de le démontrer à présent. Réfléchis.

Le téléphone sonna de nouveau. Assourdie par les plis de son peignoir, la sonnerie paraissait fort lointaine.

C'était Jay. « Tu ne m'as pas appelé.

— Appelé ? fit-elle, prise de court.

— Ta ligne était occupée.

— Oui. Une cliente.

— Il faut aussi qu'elles te dérangent le dimanche ?

— Ça arrive de temps en temps, dit-elle, recouvrant une partie de ses moyens. Une femme en butte aux harcèlements de son propriétaire. Et puis Shirley était ici, ce qui explique que je n'aie pu t'appeler. Elle sort à l'instant. Je n'arrivais pas à me débarrasser d'elle... »

Jay se mit à rire. « Tu vas lui manquer, à celle-là. N'avons-nous pas passé une merveilleuse journée ? J'étais assis là à y repenser.

— Ça oui, cela a été un merveilleux week-end.

— Nous ne sommes toujours pas allés choisir ta bague. Est-ce que je peux t'accaparer, un après-midi de cette semaine ? »

Comment pourrais-je tout à coup avouer un enfant ? Si je lui en avais parlé le premier jour...

« Nous irons voir chez Cartier. Cela ne prendra pas longtemps.

— Jay, je n'ai pas besoin d'une bague si coûteuse. Vraiment, je t'assure.

— Jennie, ne m'embête pas avec ça, veux-tu ? Ne discute pas avec moi. Va dormir. Moi-même, je dors déjà à moitié. Bonne nuit, ma chérie. »

« Mon Dieu, mais qu'est-ce que je vais faire ? » lança-t-elle tout haut après avoir raccroché.

Entrer dans une famille avec une fille de dix-neuf ans, tout à coup tombée du ciel... Les enfants de Jay... Et le mariage, prévu dans deux mois... Les Wolfe, ces gens convenables, honorables, et qui ont toute confiance en moi. Des gens tolérants, des gens raisonnables. Mais ne te leurre surtout pas : sous cette belle surface, il y a un code moral rigide. Et puis Jay... Je lui ai menti... Pareille dissimulation, et pendant si longtemps, n'est rien d'autre qu'un mensonge...

Une jeune fille intelligente, a précisé l'homme. On l'appelle Jill. Pourquoi voudrait-elle de moi ? Je suis celle qui l'a abandonnée. Pauvre petit bébé que j'ai abandonné. Elle est sortie de moi, du plus profond de mon être. J'ai entendu son cri de protestation et cela a été tout. Un vagissement pitoyable, impuissant, et on l'a emportée. Petit paquet de langes emporté de la chambre, emporté hors de ma vie. Est-ce qu'elle me ressemble si peu que ce soit ? Est-ce que je la reconnaîtrais si je la rencontrais quelque part, sans savoir qui elle est ? Mais j'ai agi pour le mieux. Tu sais que tu as agi pour le mieux, Jennie. Et il n'est pas pensable qu'elle revienne maintenant dans ta vie. Non, ce n'est pas imaginable. Cela ne marcherait pas. Réfléchis, t'ai-je dit. Mais je n'arrive pas à réfléchir. Je n'en ai pas la force. Je suis vidée.

Au bout d'un moment, elle se leva, éteignit les lumières, et toujours en peignoir, s'allongea sur le lit. Elle s'était mise à frissonner. Elle demeura longtemps dans cette position, le dessus-de-lit rabattu sur la tête. Absolument seule…

Seule, tout comme elle l'avait été à bord de cet autocar qui la ramenait du Kansas. Elle éprouvait les mêmes impressions. Elle sentait les odeurs d'échappement. Elle combattait la nausée, tandis que le car faisait des embardées, traversant à toute vitesse de petites bourgades toutes semblables, dépassait des supermarchés et des casses automobiles, la ramenant chez elle, la ramenant à sa vie d'avant…

2

Cela commence dans la cuisine d'un pavillon d'une cité ouvrière de Baltimore, devant une tasse de thé après que la vaisselle du dîner a été lavée et rangée. Parfois, rarement en fait, probablement le jour du sabbat, on prend le thé dans la pièce de devant, celle qui est si encombrée et où de la poussière s'amoncelle sur les fleurs de papier, où chaises et sofa sont, sauf en cas de visite, recouverts d'une toile plastifiée, celle dont les persiennes restent closes afin que la parcimonieuse lumière du nord ne décolore pas le tapis. Le bleu est la plus fragile des couleurs, répète maman.

Tout commence en fait bien avant Baltimore, car chacun de nous n'est-il pas le dernier maillon d'une longue, longue chaîne ? Cela commence en Lituanie, dans une bourgade au nom imprononçable, non loin de Vilna, la ville aux fameux érudits. Les parents de maman, qui n'avaient rien à voir avec l'université, gagnaient leur vie en vendant du raifort sur les marchés. Si on peut appeler cela une vie, dit maman. Il s'agit d'une histoire simple et cependant, chaque fois qu'elle la raconte, elle la pare d'une nouvelle anecdote, comique ou pathétique. L'épisode où la famille part pour la France est un des plus forts ; c'est la douleur du déracinement, l'arrivée dans l'inconnu. Le décor change, la langue change et la petite Macha est rebaptisée Marlène. Elle va à l'école, vêtue, comme n'importe quelle petite Française, d'une robe-chasuble. Il ne lui faut pas longtemps pour se sentir française, et peu à peu s'estompe le souvenir de la route boueuse de Vilna. Puis les Allemands arrivent, et la fillette apprend qu'elle n'est pas, en définitive, française. Ses parents sont arrêtés et ramenés dans l'Est pour y être consumés par les flammes. Elle, par miracle, se trouve incorporée à un groupe de réfugiés en fuite et finit par aboutir en Amérique.

« Nous avons franchi les Pyrénées. Je ne sais, Janine, comment nous avons fait. »

Janine est le prénom qu'elle a donné à sa fille en souvenir de Jacob, son père, en souvenir mélancolique et orgueilleux de son éphémère séjour en France.

« Il y avait les patrouilles allemandes, les avions d'observation. Nous étions sans cesse obligés de nous cacher dans les bois, puis nous avons quitté la limite des arbres, et nous avons continué de grimper dans la rocaille. Il gelait à pierre fendre. Un homme a eu une crise cardiaque, il est mort sur place...

« Je m'en suis malgré tout tirée. J'avais seize ans. Je n'avais pas le moindre argent et pas de métier dans les mains. C'est alors que la chance m'a souri. J'ai fait la connaissance de Sam. »

Sam lui aussi a une histoire à raconter. A la différence de sa femme, il refuse toutefois de la raconter. C'est par sa mère que Jennie apprend comment il a survécu au camp de concentration. Tailleur de son état, on l'employa à faire des uniformes pour les Allemands. Hanté par d'horribles souvenirs, il ne touche plus à l'aiguille, sinon, une fois de temps en temps, pour façonner à l'intention de sa fille ou de sa femme une robe ou un manteau remarqués dans *Vogue*. Il se montre, selon les jours, plus ou moins aimable derrière son comptoir, préparant sandwiches et salades, tandis que sa femme tient la caisse.

Jennie est leur seul enfant. C'est pour elle seule que ses parents travaillent. Leurs économies, les choses auxquelles ils renoncent, les vacances qu'ils ne prennent pas, tout cela est pour elle. Ils n'en parlent pas, mais elle le sait. Elle a conscience de ce qu'ils lui inculquent les « bonnes valeurs », le travail, la famille, l'honnêteté et le goût de l'instruction. Il leur importe que leur fille reçoive l'instruction à laquelle ils n'ont pas eu droit. La laideur du monde ne doit pas l'effleurer. Ils la maintiennent à l'abri.

Papa est le plus religieux des deux. Orthodoxe dans sa pratique, il ferme boutique chaque samedi, même si ce jour est le plus fructueux de la semaine. Il a un langage châtié et jamais sa fille ne l'a entendu jurer. L'image la plus vivace qu'elle pense garder de lui, c'est lorsque le soir à la table du dîner il se lave les mains avant de dire les prières ; le bassin que tient sa femme, la petite serviette blanche et la lueur vacillante des bougies du chandelier de bronze.

Même si elle ne partage pas leur foi, Jennie la tient en grand respect. Ils sont des parents aimants, surmenés, reconnaissants de ce qu'ils ont, tristes de ce qui leur a manqué, et parfois, Jennie s'en rend compte, perdus, retranchés dans le souvenir de ce qu'ils ont traversé. Et cependant, même lorsqu'elle n'était encore que lycéenne, elle savait que le jour viendrait où elle quitterait leur univers, même si elle était certaine d'en faire toujours partie, au moins en esprit.

« Ainsi il habite à Atlanta ? » dit maman. Elle a des rouleaux dans les cheveux. Elle est un peu boulotte, même avec cette robe ample. Elle fronce les sourcils en s'efforçant de déchiffrer l'élégante écriture, penchée à gauche. Il s'agit d'une écriture de femme sur fort papier gris. « C'est gentil de la part de sa mère de t'inviter.

— C'est l'usage, maman.

— Atlanta, ce n'est pas tout près ?

— Une paire d'heures en avion, fait Jennie, tout excitée. Ils habitent dans la banlieue. Ils nous attendront à l'aéroport.

— J'imagine que ce sont des gens riches. »

Cette remarque a le don de gêner et d'agacer Jennie. « Ça, je ne le leur ai pas demandé.

— Qui parle de leur demander ? Évidemment que tu ne leur as pas demandé une chose pareille. Mais c'est quelque chose qui se voit d'un coup d'œil.

— Peu m'importe. Cela ne m'intéresse pas.

— Cela ne l'intéresse pas ! » Maman est accoudée à la table, tenant sa tasse de thé à deux mains. Une lueur ironique passe dans ses yeux brun-vert. « Tu ne sais pas de quoi tu parles, ma petite fille. Dieu merci, tu n'as jamais manqué de rien. Sais-tu ce que c'est que de se réveiller en pleine nuit, cachée au creux de son lit, de regarder l'heure et de se dire que dans quelques heures il va falloir affronter le propriétaire et le boucher, qui veulent leur argent ? Non, tu ne le sais pas. Alors, ça ne t'intéresse pas. Dis-moi, que comptes-tu mettre ? » Et sans attendre la réponse : « Écoute, ton père va te faire un tailleur de demi-saison, quelque chose de léger pour voyager.

— N'embête pas papa avec ça. Il est fatigué. Je trouverai bien quelque chose à mettre.

— Ce n'est pas un malheureux tailleur qui va l'abattre. Il va te faire ça en quelques soirées. Quelle couleur aimerais-tu ? Un gris serait très bien. Le gris, ça va avec tout. Un joli tailleur, que tu aies l'air d'une dame à ta descente d'avion. Un gentil garçon, ce Peter. Pourquoi le surnomme-t-on "le Pygmée" ?

— Parce qu'il mesure un mètre quatre-vingt-dix.

— C'est un gentil garçon. »

Et maman de resservir du thé avec ce petit sourire chaleureux qui lui est habituel.

Tout avait commencé peu après l'entrée de Jennie à l'Université. S'étant passée de déjeuner afin de préparer un contrôle, elle s'était autorisé une pause en milieu d'après-midi pour aller manger un sandwich dans un café situé à l'extérieur du campus.

« Est-ce que je peux m'asseoir avec vous ? »

Levant la tête, elle vit un garçon de très haute taille, avec des cheveux d'un roux flamboyant.

« Oui, bien sûr. » Dans un nouvel établissement, dans une nouvelle ville, on avait besoin de rencontrer des gens. Et elle poussa ses livres vers le bord de la table.

« Cela fait un moment que j'ai envie de vous aborder. Voici une semaine que je vous observe, chaque jour au déjeuner. »

Il avait la parole facile. Un banal dragueur ? « En ce cas, pourquoi ne pas l'avoir fait plus tôt ? répondit-elle sans montrer ni étonnement ni plaisir.

— Vous êtes toujours entourée d'une foule de gens. Je ne voyais pas de bonne entrée en matière. »

Elle ne répondit pas. Elle n'allait pas lui faciliter les choses avant d'en savoir un peu plus sur son compte. Même s'il avait un visage engageant, il semblait du genre à brûler les étapes, ce qui inspirait prudence et circonspection à la jeune étudiante.

« C'est votre physique que j'ai remarqué en premier. Et puis le timbre de votre voix. Elle n'a pas ces aigus qu'on entend trop souvent chez les filles.

— Je remarque aussi la vôtre. » Il prononçait les voyelles avec douceur. « Vous êtes du Sud ?

— D'Atlanta. Je m'appelle Peter Mendes.

— Jennie Rakowsky. Je suis de Baltimore. »

Il lui tendit la main. Cela ne se faisait guère sur le campus. Peut-être était-ce une coutume du Sud. On disait les Sudistes plus attachés à la forme et aux bonnes manières que le reste de leurs compatriotes.

« Jennie, j'aimerais que nous fassions plus amplement connaissance. »

Ce n'était pas la première fois qu'on lui servait ce genre de formule. On buvait un verre, puis on couchait, comme si cela coulait de source, alors que l'on était l'un pour l'autre deux heures plus tôt de parfaits inconnus. Eh bien, s'il comptait là-dessus, il allait être déçu.

« Voulez-vous que nous dînions ensemble ce soir ? Aimez-vous la cuisine italienne ?

— Qui n'aime pas la cuisine italienne ?

— Alors, c'est d'accord. Je connais un endroit super. Ce n'est pas un endroit très chic, mais on y sert une cuisine familiale. A quelle heure est-ce que je passe vous prendre, et où ?

— Je n'ai pas dit que j'acceptais. J'ai simplement dit que j'aimais la cuisine italienne.

— Ah... »

Elle le vit violemment rougir et regretta aussitôt ses paroles. Il n'était pas un de ces tombeurs endurcis. Il était simple et direct.

« Excusez-moi, dit-elle en allongeant le bras pour lui toucher la main. Je vous taquinais. J'accepte. Je loge dans le nouveau bâtiment. D'accord pour dix-huit heures, si cela vous convient aussi. »

Les lèvres du jeune homme s'étirèrent en un sourire plein de tendresse. Elle comprit alors qu'il lui inspirait de la sympathie, et elle regagna la bibliothèque en fredonnant.

De quoi parlèrent-ils par-dessus l'éternelle nappe maculée de cire de bougie et de sauce tomate ? Sur les campus de 1969 il n'était pas de conversation de plus de dix minutes qui n'abordât le sujet du Viêt-nam. Jennie expliqua qu'elle aurait tellement voulu, l'année précédente, se rendre à la convention de Chicago, mais qu'elle était encore au lycée et que ses parents n'avaient rien voulu savoir. Peter avait connu quelque chose d'analogue.

« Ce n'est pas qu'ils ne trouvent pas horrible ce qui se passe au Viêt-nam, dit Jennie. Mais, bon, ils estiment que les jeunes n'ont pas à descendre dans la rue, que cela ne mène à rien. De Chicago, ils n'ont retenu que le désordre. »

Peter opinait. « Le monde n'est pas beau à voir. J'ai parfois le sentiment qu'il court à sa perte. Parfois, je me sens si plein d'énergie que me vient la certitude d'être capable de faire avancer les choses lorsque je m'y mettrai. » Il fronça les soucils d'un air pénétré et, tout aussi soudainement, se mit à rire. « Le plus drôle c'est que me voilà en train de discourir sur ma contribution à un avenir rayonnant, et vous savez quelles études je compte suivre ? Archéologie ! Vous trouvez que ça tient debout ?

— Mais oui, si c'est ce qui vous plaît. Comment l'idée vous en est-elle venue ?

— C'était un été, au Nouveau-Mexique. J'ai visité les réserves indiennes et j'ai lu quelque chose sur les Anasazi, les Anciens. Ils ont une merveilleuse philosophie. Cela a à voir avec leur place dans la nature, le lien qui unit toutes choses, les arbres, les bêtes et les hommes, et la nécessité de vivre en harmonie. »

Comme elle aimait ses généreuses idées, son visage, ses mains, longues et propres, les taches de rousseur de son nez et de ses bras, sa chemise blanche et immaculée ! Elle aimait le fait que son second prénom fût « Algernon » et qu'il pût en rire.

« Ils disent : "Ma mère la terre, mon père le ciel." Avez-vous déjà entendu ce genre de chose ?

— Non. C'est une vision merveilleuse », dit-elle. Mais elle n'avait d'yeux que pour ce visage encadré d'une épaisse étoupe rouille, ces yeux telles des opales, gris avec des éclats lavande.

« Voilà, c'est comme cela que j'ai choisi l'archéologie. Et vous, que comptez-vous faire ?

— Je voudrais faire mon droit, si j'y arrive, financièrement parlant. J'ai eu une bourse partielle pour venir ici, aussi il faut que je maintienne une bonne moyenne. »

La conversation musarda ensuite d'un sujet à l'autre. La musique, les discothèques, le tennis. Il était classé. Ses parents avaient chez eux un court de tennis, expliqua-t-il, aussi avait-il toujours beaucoup pratiqué ce sport. Jamais elle n'avait connu quelqu'un qui eût son propre court.

Il lui demanda si elle était allée visiter la région où vivaient les Amish. Non, bien qu'elle ait lu des choses à leur sujet. Lui non plus n'y était pas allé ; il n'avait guère eu le temps de visiter la région depuis qu'il était arrivé ici, et il avait, entre autres projets, celui d'aller faire un tour sur les terres de cette secte mennonite. Aimerait-elle l'accompagner un de ces dimanches ? Ils pourraient louer une voiture et se relayer au volant, si elle aimait conduire.

« Je n'ai pas le permis. Je n'ai que dix-sept ans, dit-elle.

— J'en ai dix-huit. Vous êtes bien jeune pour être en fac.

— J'ai sauté une classe au lycée.

— Je suis très impressionné. »

Voici qu'elle minaudait un peu. Elle baissait les yeux, puis regardait de côté et à nouveau droit devant elle en un mouvement qu'elle avait mis au point des années plus tôt devant son miroir. Cela mettait en valeur ses cils noirs et fournis et les boucles de jais qui descendaient sur ses tempes. Elle pensait accentuer ainsi le côté piquant de sa beauté.

« Il n'y a pas de quoi. Je ne suis pas si brillante que ça. Simplement, je travaille dur pour les raisons que je vous ai dites.

— Vous avez des cils superbes, dit-il.

— Vous trouvez ? Je n'avais jamais remarqué.

— Eh bien, ils le sont. Bon sang, je suis content de vous avoir rencontrée cet après-midi. C'est si grand ici que je craignais de ne plus vous revoir, du moins pendant plusieurs mois.

— J'en suis heureuse, moi aussi.

— Au début j'ai cru que j'étais importun.

— Je me montrais prudente.

— Alors, et mon projet de louer une voiture dimanche prochain ?

— Cela me ferait très plaisir. »

Ils retraversèrent ensemble le campus, presque désert en cette fraîche soirée du début de l'automne. Il la raccompagna jusqu'à sa porte.

« J'ai passé une merveilleuse soirée, Jennie. Mettons-nous en route de bonne heure, dimanche. Ainsi nous aurons toute la journée devant nous. Bonne nuit.

— Bonne nuit, Peter. »

Il n'essaya même pas de l'embrasser. En temps normal, elle y aurait vu un affront, même de la part d'un garçon qu'elle n'avait pas envie d'embrasser. Elle perçut quelque chose de grave dans la façon dont il lui souhaita une bonne nuit. Singulier, se dit-elle, et difficile à analyser.

Ils allèrent comme prévu visiter le comté de Lancaster, première des nombreuses excursions qu'ils feraient ensemble. Ils déjeunèrent dans une auberge où ils goûtèrent les spécialités locales. A pied et en voiture, ils découvrirent une campagne vallonnée, opulente, plantée de seigle d'hiver ou laissée en pâturages.

« Pas d'électricité, pas de machines, expliqua Peter. Ici, on trait à la main.

— Vous voulez dire qu'il existe des machines pour traire les vaches ?

— Bien sûr.

— Comment se fait-il que vous sachiez tant de choses sur l'agriculture et l'élevage ?

— Nous avons une maison à la campagne. Je m'y suis souvent rendu.

— Je croyais que vous habitiez en ville.

— C'est exact, mais nous avons aussi cette maison de campagne. »

Tandis que l'automne faisait place à l'hiver, ils commencèrent de se voir quotidiennement pendant leur temps libre. Ils allèrent au zoo, à l'aéroport, au bord de la mer. Un jour, ils bavardèrent des heures durant, assis sur un banc de Rittenhouse Square. Une autre fois, ils prirent le train pour New York et allèrent voir un film français à Greenwich Village, où il lui acheta un bracelet en argent.

« Il a dû te coûter les yeux de la tête, se récria-t-elle. Tu dépenses trop d'argent pour moi, Peter. »

Il se mit à rire. « Tu sais quoi ? On va retourner là où je l'ai pris.

— Pour quoi faire ?

— Pour acheter le collier qui va avec. Ne prends donc pas cet air effaré. Puisque je te dis que je peux. »

Elle le regardait tandis qu'il lui passait au cou la chaînette d'argent. Le bonheur irradiait du sourire de Peter, de ses jolies lèvres étirées en une longue courbe.

Elle aimait sa gaieté. Elle avait quelque chose de contagieux, tout comme était contagieuse l'anxiété de la mère de Jennie. A la maison, il y avait toujours comme une angoisse sous-jacente, même lorsque la conversation était plaisante et légère ; on y sentait toujours planer la peur que les choses — quelles choses ? — pussent à tout instant s'effondrer. On se sentait si bien au côté d'une personne heureuse. Le bonheur rendait fort.

C'est vers le milieu de leur deuxième mois ensemble que Peter l'embrassa. Elle se rappela par la suite ce qu'elle avait pensé sur l'instant : *ce* baiser signifiait quelque chose. C'était par une fin d'après-midi pluvieuse, si bien qu'ils n'avaient pas eu de témoins. Il l'avait prise dans ses bras. Elle avait laissé choir son parapluie pour lui passer les bras autour du cou, et ils étaient restés un long moment embrassés sous la bruine.

Pendant la semaine ou les deux semaines suivantes, ils échangèrent plusieurs de ces étreintes pleines de ferveur et d'innocence. Elles devenaient chaque fois plus troublantes. Ils se serraient l'un contre l'autre et, à travers les épaisseurs de lainage, s'enflammaient à la chaleur du corps de l'autre. Lorsque Peter la relâchait, Jennie sentait palpiter tout son être. Lorsqu'elle remontait jusqu'à sa chambre, c'était avec l'impression qu'une part d'elle-même venait de lui être arrachée. Ce n'est pas assez, se disait-elle, ce n'est pas suffisant.

« Ce n'est pas satisfaisant, dit-il un beau jour. Nous avons besoin, nous avons envie l'un de l'autre. Est-ce que tu comprends ?

— Je sais, oui.

— En ce cas, est-ce que tu me fais confiance pour les préparatifs ?

— Je te fais confiance. Je te ferai toujours confiance.

— Jennie chérie. »

De toute la semaine qui précéda ce grand changement, elle ne put penser à rien d'autre. Elle, qui avait toujours porté des pyjamas, fit l'emplette d'une chemise de nuit rose, bordée de dentelle. Elle était d'humeur changeante. Elle était parfois si émue que sa gorge se nouait ; alors elle lisait de la poésie ou bien allumait la radio pour écouter de la musique classique, quelque chose qui comportât des envolées triomphales, comme la *Neuvième Symphonie* de Beethoven. Elle avait tantôt envie de pleurer, tantôt envie de rire. A l'approche du week-end, un mince filet de peur s'insinua en elle, et elle se mit à craindre que cette peur ne persiste jusqu'au bout et ne gâche son bonheur.

Mais Peter se montra très doux. La peur n'était pas de mise. Lorsque la porte de la chambre du motel se referma sur eux, il se tourna vers elle avec une expression si rassurante, si amoureuse et protectrice, que toute trace de peur s'évanouit. Plein de tact, il diminua l'intensité de l'éclairage plafonnier, ne laissant qu'une lampe dans un coin de la pièce. Sans rien de l'empressement ou de la rudesse dont elle avait entendu parler ou dont elle avait lu des exemples, il lui ôta ses vêtements.

« Je ne te ferai jamais de mal, murmura-t-il. Jamais et en aucune façon. »

Et elle savait que c'était vrai. Jamais il ne ferait de mal à dessein. Un cœur tendre battait à l'intérieur de cette poitrine virile. Aussi se donna-t-elle à lui avec joie et sans arrière-pensées.

Elle n'eut pas l'occasion de porter sa chemise de nuit fantaisie. Cela les fit bien rire le lendemain matin. Ils eurent un dernier regard pour cette chambre terne et s'en amusèrent également. L'endroit était propre et chauffé, ce qu'ils trouvaient suffisant. Ils y reviendraient.

Quel merveilleux endroit que le monde ! Les minuscules empreintes en forme de flèche d'un moineau dans la neige. Les pyramides de pommes, lisses et luisantes comme de la soie. Le sourire d'un inconnu qui vous tient la porte. Tout était si beau.

Il lui arrivait toutefois, rarement il est vrai, avant de s'endormir ou rêvassant, le nez sur un livre de cours, de se demander si ces sentiments merveilleux pourraient durer encore quatre ans. Quatre longues années ! Une éternité. Et elle était secouée d'un petit frisson.

« Ne me quitte pas, Peter », disait-elle tout haut dans le noir.

Un jour, il lui dit gravement : « Tu sais, toi et moi, c'est pour toujours.

— Nous sommes encore bien jeunes pour savoir exactement ce que nous voulons », répondit-elle pour le sonder, attendant qu'il la rassure.

Ce qu'il fit : « Il y a seulement deux générations, les gens se mariaient à seize ans. Cela se fait toujours, en certains endroits. Nous, nous allons simplement différer cela de quelques années. Nous en passerons par là un peu plus tard, lorsque nous aurons notre diplôme.

— Oui, tu as raison. »

Mieux valait n'y pas trop penser. Si l'on ne pense pas à une bonne chose, elle arrive.

« Le week-end prochain, je dois aller voir des gens à Owings Mills, dit un jour Peter. Ce n'est pas loin de chez toi, ça.

— Pas très loin, oui. Quoique nous n'y mettions jamais les pieds.

— Il s'agit d'amis de mes parents. Mr. Frank a fait ses études avec mon père. Il a eu des problèmes de santé, une horrible opération du côté du cou. Ils m'ont invité, et papa tient à ce que j'y aille.

— Bon, eh bien, puisque tu n'es pas là ce week-end, je vais rentrer à la maison. Maman me harcèle pour que je vienne. Veux-tu venir dîner à la maison avant de te rendre chez ces gens ?

— Avec plaisir. Je vais prendre le train jusqu'à Baltimore.

— Tu vas devoir prendre un taxi pour venir jusque chez moi. Papa ne conduit pas le samedi.

— Pas de problème. »

Jennie tenait à ce que tout fût impeccable. Il pouvait en effet arriver, lorsque sa mère avait passé toute la journée au magasin, que les choses fussent un peu précipitées et improvisées. Aujourd'hui, toutefois, parce qu'on était samedi, sa mère dressa la table dans la salle à manger.

« Ma chérie, j'ai un petit travail à te confier. Prends l'argenterie dans le tiroir et lave-la à grande eau, pendant que je termine mon chou farci. Il aime ça, au moins ?

— Il n'est pas difficile. En plus, c'est quelqu'un de très simple ; inutile de te mettre dans tous tes états.

— Il faut bien faire les choses, Janine. C'est quand même la première fois que tu invites un garçon à dîner. »

Elle aurait voulu que sa mère cesse d'employer le mot « garçon ». Peter était un homme. Cependant, elle répondit tranquillement : « Ne t'empresse pas d'en tirer des conclusions, maman. Tu vas me gêner. »

Cette invitation avait peut-être été une erreur. D'un autre côté il eût été gênant de ne pas inviter Peter, sachant qu'il allait passer le week-end dans la région.

« Ne t'inquiète pas, je comprends parfaitement. Il faut être décontract', n'est-ce pas comme cela que vous dites, vous autres les jeunes ? Allez, va me laver les couverts. » Sa mère ouvrit le tiroir et prit une fourchette pour la soupeser. « C'est de la belle argenterie, ce qui se fait de mieux. Mets un torchon au fond de l'évier pour ne rien rayer. »

Par la fenêtre placée au-dessus de l'évier, on voyait directement dans la cuisine des Danieli, les voisins. L'été, lorsqu'il faisait trop chaud pour manger à l'intérieur, tous les gens du quartier sortaient des tables pliantes sur leur véranda.

La cuisine était embaumée par la délicieuse sauce au jus qui mijotait en permanence sur l'arrière de la cuisinière des Danieli.

« Oui, là où je travaillais, tout le monde s'est cotisé pour m'offrir ce service le jour de mon mariage. C'était un geste tellement généreux. Je me souviens que j'ai fondu en larmes... »

Le maître de maison entra dans la cuisine, curieux de voir ce qui s'y préparait. « Pourquoi t'appelle-t-il Jennie ?

— Là-bas, tout le monde m'appelle comme ça. »

Sa femme, occupée à couper des oignons, se joignit à la conversation. « Pourquoi te laisses-tu faire ? Janine est un si beau prénom.

— Ça ne va pas avec Rakowsky.

— Sam, tu entends ça ? Alors, c'est Rakowsky qui ne te plaît pas. C'est une bonne chose que ton grand-père, qu'il repose en paix, ne puisse pas t'entendre. Il était fier de son nom. C'était un véritable héros. Tiens, par exemple, le jour où il y a eu un incendie...

— Maman, dit Jennie d'un ton affectueux, je connais cette histoire par cœur. Combien de fois ai-je pu l'entendre ?

— Et donc tu vas changer de nom, dit gaiement sa mère. Tu vas choisir un homme possédant un beau nom. »

Jennie passa dans la salle à manger, où les plus belles assiettes étaient posées sur la plus belle nappe, et où les protections plastifiées avaient été ôtées des sièges. La voix de son père l'y suivit.

« ''Mendes.'' Qu'est-ce que c'est comme nom ? Je connais ''Mendel'', qui est assez répandu, mais ''Mendes''...

— C'est espagnol ou portugais.

— Espagnol ! Ma foi, il y a des Juifs partout. Même en Chine, à ce que j'ai lu quelque part. Oui, même en Chine. »

Les inquiétudes de Jennie étaient injustifiées car tout se passa le mieux du monde. Peter arriva avec un bouquet de jonquilles qu'elle disposa dans un vase au centre de la table. Il était surprenant de voir combien un simple bouquet pouvait agrémenter une pièce. Le dîner fut délicieux. Comme à son habitude, la mère de Jennie se montra très volubile, mais elle ne fit pas de commentaires trop personnels, si ce n'est la fois où, apportant la bouteille de ketchup sur la table, elle caressa son mari sur la tête et déclara qu'il n'allait pas tarder à mettre du ketchup sur de la crème glacée.

Ce dernier se montra plus bavard qu'à l'accoutumée. Peter et lui vouaient une même passion au base-ball. Jennie fut surprise de découvrir que son père s'intéressait autant à ce sport. Mais peut-être, vivant entre deux femmes, n'avait-il jamais éprouvé le besoin d'en parler.

Elle voyait qu'il appréciait Peter. « Janine me dit qu'on vous surnomme le Pygmée.

— Pas Jennie. Mais, oui, beaucoup de gens m'appellent comme cela.

— Un peu plus et vous ne pouviez pas passer notre porte d'entrée. Est-ce que vous connaissez celle du nain et de son frère ? » Et Mr. Rakowsky de raconter une histoire drôle en yiddish.

Voyant qu'à l'évidence Peter ne comprenait pas, Jennie la lui expliqua du mieux qu'elle put. Son père n'en revenait pas. « Vous ne comprenez pas le yiddish ?

— Je suis désolé, fit Peter, confus. Je ne l'ai jamais appris.

— Appris ! Mais ce n'est pas une langue qui s'apprend, on la sait, voilà tout. Votre famille est originaire de l'autre côté, non ?

— D'Europe, oui. Mais cela ne date pas d'hier.

— C'est votre grand-père qui a fait le voyage ?

— Non, il faut remonter plus loin.

— Jusqu'où ? » insista Mr. Rakowsky.

Jennie espérait que Peter n'y voyait nulle rudesse, mais au contraire de l'intérêt et de la curiosité.

« Eh bien, ils se sont établis à Savannah, venant d'Amérique du Sud, aux alentours des années dix-sept cent. Avant cela, ils étaient de souche hollandaise.

— Deux cents ans dans ce pays ? » fit Mr. Rakowsky en secouant la tête d'un air émerveillé. Sans doute pensait-il que Peter ne se rendait pas compte de ce qu'il disait.

Lorsque le stock d'histoires drôles — en anglais à présent — eut été épuisé, on aborda inévitablement le sujet de la politique. Tous étaient également navrés et inquiets de ce qu'il se passait au Viêt-nam et du rôle qu'y jouaient les États-Unis. Tandis que la conversation suivait son cours, Mrs. Rakowsky ne manquait pas de resservir Peter. Arriva la tarte aux pommes, servie chaude, odeur de cannelle se mêlant au parfum des jonquilles. Peter mangeait, argumentait et, Jennie le voyait, se sentait comme chez lui. Elle en était heureuse.

Évidemment, les choses eussent pris un tour différent si ses parents avaient été au courant de la nature de leur relation... Mais ils vivaient à l'écart des réalités du monde et, si ce qu'ils lisaient dans les journaux les choquait, ils n'y voyaient que des comportements exceptionnels et anecdotiques. Ils n'avaient pas compris combien les temps avaient changé.

La soirée suivit son cours jusqu'à ce que Peter annonce qu'on passait le prendre à neuf heures pour le conduire à Owing Mills.

« Dommage que vous ne restiez pas pour la nuit, dit Mrs. Rakowsky. Nous pouvons vous installer un lit de camp dans le salon. Un lit de camp très confortable.

— Je vous remercie. Cela m'aurait fait plaisir, mais je suis attendu. »

L'homme qui vint prendre Peter conduisait un break. Lorsque la portière s'ouvrit, on entendit des aboiements et l'on vit les têtes de trois terriers s'agiter à l'arrière de la voiture. Peter ouvrit la porte d'entrée et fit signe qu'il arrivait.

« Dites donc à votre ami de venir prendre une tasse de café avec nous, proposa Mr. Rakowsky. Et il y a la tarte à finir.

— Je ne crois pas que cela va être possible. A cause des chiens. Il ne va pas les laisser seuls dans la voiture, même pour une minute. Ce sont des chiens de concours, des bêtes d'une grande rareté, des terriers du Tibet. Chez eux, ils ont tout un mur de rubans bleus. »

Peter remercia les Rakowsky, s'attachant à saluer Jennie comme si de rien n'était, puis s'en fut.

Ils regardèrent la voiture s'éloigner. « Des rubans bleus, marmonna Mr. Rakowsky. Qu'est-ce qu'il pouvait bien vouloir dire ? N'empêche que c'est un gentil garçon. Un très gentil garçon, Janine, même s'il s'entête à t'appeler "Jennie". »

« J'ai bien aimé tes parents, dit Peter. Ce sont de braves gens.

— J'en suis heureuse. Toi aussi, tu leur as bien plu.

— J'espère que les miens te plairont tout autant. Aimerais-tu venir passer quelques jours à la maison pendant les vacances de Pâques ? Si tu es d'accord, je vais demander à ma mère d'écrire dès la semaine prochaine une petite lettre à tes parents. »

Il n'avait jamais dit grand-chose sur les siens, sinon qu'il avait une sœur, âgée de quatorze ans. Son père s'occupait d'investissements et Jennie en avait conclu qu'il devait être « dans la banque ». Elle imaginait une demeure de belles dimensions, flanquée d'un court de tennis, une de ces maisons blanches, opulentes, qu'on pouvait voir, le dimanche, en se promenant dans les banlieues huppées.

« Il veut te faire rencontrer ses parents, dit Mrs. Rakowsky, et si tu leur plais — je ne vois pas pourquoi tu ne leur plairais pas —, alors il va venir voir ton père pour lui demander ta main.

— Maman ! Nous sommes en 1969. On ne demande plus la main d'une jeune fille à son père. De plus, ni Peter ni moi ne sommes prêts pour le mariage. Nous sommes trop jeunes.

— Vous n'aurez qu'à attendre un an ou deux. Moi, j'avais dix-neuf ans », décréta péremptoirement Mrs. Rakowsky.

Une longue voiture bleu foncé, conduite par un Noir en uniforme bleu marine, vint les prendre à l'aéroport d'Atlanta. Jennie supposa qu'il s'agissait d'une limousine de location et, utilisant pour la première fois ce genre de véhicule, ne laissa pas d'être impressionnée.

C'est alors que le Noir dit : « Content de vous voir de retour, monsieur Peter. Le temps nous paraît long entre deux visites.

— Comment ça va à la maison, Spencer ? Maman ? Papa ? Tante Lee ?

— Tout le monde va bien, et votre tante Lee, elle est toujours le même sel de la terre. C'est-y pas comme ça que vous l'appelez ?

— Oui, et c'est bien ce qu'elle est, le sel de la terre. »

Il s'agissait donc de leur propre limousine et de leur propre chauffeur ! Jennie lissa sa jupe. Elle lissa et lissa encore ce tissu de bonne laine grise que son père avait façonné.

« Du cousu main, s'était émerveillée sa mère. Sais-tu combien cela coûterait en magasin ? Ton père a des doigts d'or. Il ne te manque plus qu'un corsage jaune, des souliers de cuir noir, et tu pourras te présenter n'importe où. »

Peter posa la main sur celle de la jeune fille. « Je te sens tendue. »

Il voyait et sentait tout, comme si son système nerveux eût été relié à celui de Jennie.

« Oui, un peu. Est-ce que je suis présentable ?

— Tu es très belle. »

Elle ne pouvait dire : c'est cette voiture qui m'a tourneboulée. Depuis que j'y suis montée, j'ai peur.

Quelqu'un avait laissé un parapluie et un plaid de chez Burberry sur le plancher. A l'Université, une fille avait les mêmes, avec l'imperméable assorti. *Cela coûte une fortune*, avait coutume de dire sa mère.

Ils quittèrent l'autoroute pour entrer en zone urbaine et arrivèrent bientôt dans une large avenue bordée d'arbres centenaires, à présent en pleines feuilles. On longeait des pelouses, des haies et des palissades, de grandes maisons qui se dressaient au bout de longues allées. Un air doux, bien plus doux que dans le Nord, entrait par la vitre entrouverte et rafraîchissait les joues en feu de Jennie.

« Tu sais, mes parents ne sont pas des ogres. Ils ne vont pas te manger. »

Les parents de Peter. Je suis idiote de me mettre dans cet état. Oui, ils ont une limousine et un chauffeur. Et alors ?

« Regarde, des cornouillers, dit Peter. Atlanta est aussi réputée pour ses cornouillers. »

Au sommet d'une colline, la voiture contourna un immense

massif de tulipes rouges et s'immobilisa. Jennie crut d'abord que l'on venait prendre quelqu'un devant un *country club* ou une école privée. Deux étages de colonnades blanches se détachaient sur des murs de brique rouge ; un escalier en fer à cheval joignait les deux vérandas. Elle pensa à *Autant en emporte le vent* ou peut-être au Parthénon. Puis elle avisa des gens devant la porte d'entrée et comprit qu'il s'agissait de la maison des parents de Peter.

Il fallait dire quelque chose. Une remarque terriblement banale lui vint : « Oh, toutes ces tulipes ! »

Peter était déjà descendu. Il gravissait les marches quatre à quatre. Le chauffeur aida Jennie à descendre et prit sa valise. Elle monta les marches, en haut desquelles Peter s'était retourné vers elle avec un geste de bienvenue.

« Maman, papa, je vous présente Jennie Rakowsky. »

Jennie, dont la vue se brouillait, tendit la main à une forme féminine, puis à une autre silhouette, symétrique, à l'œil perçant et au teint pâle.

« Comment allez-vous, Jennie ? fit la mère de Peter. Nous sommes toujours heureux de rencontrer les amies de notre fils. »

Son père était un personnage de haute taille, bien découplé, aux cheveux blancs. Il ressemblait à un général ou à un sénateur, ou encore à un présentateur du journal télévisé. Jennie se sentait bien petite à côté de ces gens élancés, sous ces hautes colonnes.

On entra dans un grand vestibule. Un lustre de cristal pendait au bout d'une longue corde dorée. Un nouvel escalier en fer à cheval menait à un palier où s'ouvrait une immense baie lumineuse.

« Je te présente Sally June », dit Peter.

Une adolescente descendait les marches, vêtue d'une chemise et d'une jupette de tennis blanche, une raquette à la main. Elle avait les cheveux roux et les grains de son de son frère.

« Salut », fit-elle sans sourire, avant de passer devant eux pour sortir.

Tu n'embrasses même pas ton frère ? s'étonna Jennie. Ne sais-tu pas qu'on doit sourire lorsqu'on rencontre quelqu'un ?

Elle, Jennie, avait souri, et l'attitude de Sally June l'avait fait se sentir toute bête.

« Venez que je vous montre votre chambre », dit Mrs. Mendes.

Jennie la suivit dans les escaliers. Ces larges marches, très peu hautes, étaient plaisantes à fouler. Mais le dos étroit et droit de celle qui la précédait avait quelque chose de peu engageant. Elle repensa au principal du lycée, qui avait la même démarche, une femme très intimidante et très stricte, avec un chignon impeccable et des yeux sombres, pailletés de gris.

Elles entrèrent dans une chambre située au bout d'un large couloir. « Le dîner sera servi dans une demi-heure, dit Mrs. Mendes. Inutile de vous changer, après un tel voyage. Mettez-vous à votre aise et rejoignez-nous en bas dès que vous serez prête. Nous allons prendre l'apéritif dans la bibliothèque. Ah, et s'il vous manque quoi que ce soit, vous n'avez qu'à sonner. Appuyez sur le bouton qui se trouve près de l'interrupteur. »

Je vais tâcher de ne pas appuyer dessus par inadvertance, se dit Jennie avant de répondre : « Merci. Merci beaucoup, Mrs. Mendes. »

La maîtresse de maison referma la porte. Après le cliquetis léger du pêne, un grand silence régna sur la chambre. Debout en son centre, Jennie promena un regard alentour. Le lit d'acajou était recouvert d'un baldaquin imprimé de citrons miniatures et de feuilles vertes sur fond gris tendre. Les deux fenêtres étaient garnies de doubles rideaux assortis. Sur la moquette, grise, étaient posés des fauteuils rebondis, tendus de tissu jaune et blanc, deux commodes lustrées et une table ronde sur laquelle on avait placé un bouquet de tulipes rouges, de celles que Jennie avait vues dehors.

Me changer. Inutile de vous changer. Me changer pour mettre quoi ? J'aurais pensé que mon tailleur conviendrait pour le déjeuner… le dîner… A part cela, j'ai mon ensemble de soie bleu marine pour le cas où nous irions au cinéma ou ailleurs, demain… Elle oublia ces considérations pour aller à la fenêtre. Elle avait toujours l'automatisme d'aller à la fenêtre pour voir où elle se trouvait.

La chambre donnait sur le devant de la maison. Il y avait, sur la gauche, un coin de pelouse d'un vert intense. Pas d'autre habitation en vue, rien que de l'herbe et des arbres. Une grande tranquillité accompagnait cette fin d'après-midi.

Tranquillité qui se retrouvait aussi dans la maison. Chez les parents de Jennie, on entendait toujours quelque chose, la chasse d'eau des toilettes, des voix venant du jardin voisin, des camions dans la rue ou des pas dans l'escalier dépourvu de tapis. « Dans un escalier, un tapis s'use trop vite », disait sa mère.

Elle alla ouvrir la porte et se pencha à l'extérieur. Son regard se posa sur une horloge ancienne qui se dressait à l'autre bout du couloir. Il s'agit d'une comtoise, se dit-elle, ayant lu ce terme quelque part, peut-être dans *Home and Garden*, qu'il lui arrivait de feuilleter chez le coiffeur. Encore une de ces bribes d'information que je glane sans le vouloir, songea-t-elle. L'horloge se mit à sonner. *Rejoignez-nous dès que vous serez prête.* Elle allait se laver les mains et redescendre.

La chambre possédait sa propre salle d'eau, entièrement carrelée de céramique jaune pâle. Les serviettes étaient épaisses, blanches et brodées d'un monogramme jaune, le même que sur le papier à lettres de Mrs. Mendes, un M majuscule précédé d'un c et d'un d minuscules. C pour Caroline, M pour Mendes, et le d doit correspondre à son nom de jeune fille. C'est ainsi que l'on compose un monogramme. Encore une de ces connaissances inutiles qui collent à moi comme des mouches sur du papier tue-mouches. Jennie se mit à rire. Elle se sentait un peu bête. Si nous nous marions un jour, est-ce que cela donnera Janine Rakowsky Mendes ? Un monogramme ! Quand il y en a besoin, maman achète nos serviettes au supermarché, et elles font aussi bien l'affaire.

Un peigne tout neuf était posé sur le dressing. Elle recoiffa ses cheveux bouclés, vigoureux et d'un entretien si facile, ce qui faisait un souci et des dépenses en moins. Sur la table de chevet étaient posées une carafe d'eau glacée et des revues, dont *Town and Country* et *Vogue*. Si l'invité avait été un homme, sans doute les magazines eussent-ils été *Time* et *Newsweek*.

Peter, jamais je n'ai imaginé que tel était ton mode de vie. Tu ne m'en as jamais rien dit. Mais pourquoi en aurais-tu parlé ? Comment t'y serais-tu pris ? *Jennie, nous sommes très riches, nous habitons une grande propriété.* Idiote ! J'ai les joues en feu, ils vont penser que j'ai de la fièvre.

Elle sortit, refermant la porte sans bruit. Elle vit, par une porte entrebâillée, l'intérieur d'une autre chambre, décorée, celle-là, dans les tons bleu vif. L'étage comptait au moins huit chambres à coucher. Aucune porte n'était fermée, et Jennie en conclut que l'usage était de les laisser ouvertes. Elle revint sur ses pas pour rouvrir la sienne, puis descendit au rez-de-chaussée et chercha la bibliothèque. Elle vit d'abord une grande pièce éclairée par un bow-window et aménagée, jusqu'au plafond, de rayonnages chargés de livres. Elle se demanda si la présence de ces livres impliquait qu'il s'agissait de la bibliothèque. Cependant, l'endroit était désert.

« Par ici, Miss », dit une voix.

Il s'agissait du chauffeur noir. Il portait maintenant une veste blanche et avait un plateau d'argent à la main. Elle le suivit à travers plusieurs pièces, foulant un tapis de velours vert amande, un autre à ramages pêche et crème et plusieurs tapis d'Orient. A l'autre bout de la maison, plusieurs personnes étaient réunies dans une longue pièce lambrissée et garnie de rayonnages. Se dirigeant vers les gens qui étaient assis près de la cheminée, Jennie embrassa du regard de grands fauteuils de cuir, des maquettes de voiliers et, au-dessus de la cheminée, le portrait à l'huile d'un personnage en uniforme gris.

Les hommes se levèrent et l'on fit les présentations. Il y avait là, outre Peter, son père, son grand-père et un oncle. Mrs. Mendes et une tante firent de la place sur le canapé, devant lequel, sur une table basse, le Noir venait de déposer son plateau chargé de verres et de bouteilles. Peter tendit un verre à son amie.

« Tu n'as même pas demandé à ton invitée ce qu'elle voulait boire, dit sa mère.

— Je sais ce que Jennie prend invariablement. Une bière au gingembre. »

Jennie se mit à siroter sa boisson, tandis que les hommes reprenaient leur conversation. Elle se souvint qu'il convenait de garder les chevilles croisées. « Avec une jupe droite, disait sa mère, il faut faire attention. Elle va remonter très haut dès que tu croiseras les jambes. » Maman savait ces choses-là. Jennie eut un sourire. Parfois, mais pas toujours, les conseils de maman étaient profitables.

« Je suppose que votre jardin n'est pas aussi avancé que le nôtre ? dit Mrs. Mendes. On dit que vous avez au moins un mois de retard, là-haut dans le Nord. »

Votre jardin. Jennie eut soin de ne pas croiser le regard de Peter.

« En effet, oui. Il fait encore assez frais par chez moi.

— Comme il est plaisant d'avoir une maison pleine de jeunes gens », dit la tante. Elle aurait pu être un clone de la mère de Peter, cela jusqu'à sa robe de soie et ses boucles d'oreilles en ivoire. « J'ai cru comprendre que Sally June a elle aussi une invitée.

— Oui, Annie Ruth Marsh, de Savannah.

— Ah, les Marsh ! Des gens délicieux ! Les filles se connaissent donc ?

— Oui, nous les avons fait se rencontrer l'été dernier à la plage. Vous n'étiez pas au courant ?

— Non. Comme c'est charmant. Cette amitié qui perdure de génération en génération. »

Cependant Jennie examinait ce qui l'entourait. Elle avait lu, dans le cadre de son cours de sociologie, un livre passionnant dont un chapitre mettait en parallèle le style d'habitat et l'origine ethnique. Certains Wasps* appréciaient les objets anciens, même si ceux-ci ne leur avaient pas été transmis par héritage, parce qu'ils aimaient laisser croire qu'ils en avaient hérité, cherchant par là à proclamer qu'ils n'étaient pas émigrants de fraîche date. Certains Juifs optaient pour le moderne dans le but de proclamer qu'ils venaient au contraire d'arriver,

* White Anglo-Saxon Protestant : Américain blanc protestant d'origine anglo-saxonne (*NdT*).

montrant ainsi le chemin parcouru en si peu de temps. Mais cette famille, les Mendes, était aussi « ancienne » que n'importe quels Wasps. Que tout cela était vain... Cependant, Jennie n'avait que faire de ces considérations. La pièce était bien meublée et pleine de livres somptueux.

« Je vois que vous regardez ce portrait », dit Mrs. Mendes, s'adressant subitement à Jennie.

A vrai dire, ce n'était pas le tableau que celle-ci regardait. Elle eut cependant le temps de réaliser que l'uniforme gris du personnage était en fait une tenue confédérée. L'homme avait des favoris et tenait un sabre.

« Il s'agit de l'arrière-arrière-grand-père de Peter du côté de son père. Il avait le grade de major. Il fut blessé à Antietam, mais... — là elle eut un petit rire — il se remit, se maria et fonda une famille, sans quoi nous ne serions pas ici aujourd'hui. »

Le grand-père fit écho au rire de sa belle-fille. « Eh bien, portons-lui un toast. » Il se mit debout, leva son verre avec emphase et s'inclina devant le tableau. « Mes respects, major. Il s'agit de mon grand-père, vous savez, et je me souviens de lui. En cela, je suis le dernier. A vrai dire, j'avais cinq ans à l'époque de sa mort et tout ce dont je me souviens c'est qu'il avait des ruches. Tiens, voilà notre Sally June. »

Une deuxième adolescente, elle aussi en jupette de tennis, entra à la suite de la sœur de Peter.

« Annie Ruth Marsh, Jennie Rakowsky. Grand merci pour le gâteau, ma chérie. » Et Mrs. Mendes d'expliquer : « Annie Ruth s'est rappelé à quel point nous adorons ce cake des basses terres que fait leur cuisinière.

— Maman a pensé que c'était exactement ce qu'il fallait apporter à cette époque de l'année, dit Annie Ruth, parce qu'on peut continuer d'y ajouter de l'alcool tout l'été. »

On était donc censé apporter quelque chose ? Pourquoi Peter ne lui en avait-il rien dit ? Il aurait dû la mettre au courant. Mais comment aurait-il pu dire : « Oh à propos, Jennie, tu es censée apporter quelque chose. »

Une certaine froideur régnait en ces lieux. Jennie se sentait en pays étranger. Elle fut soulagée lorsqu'on annonça que le dîner était servi. On allait se consacrer à la nourriture. La conversation n'aurait plus ce caractère obligatoire.

La table était aussi lisse et polie que du verre noir. Sur chaque napperon était disposé un ensemble d'objets étincelants : porcelaine bleue, argenterie et cristal. Jennie eut la vision de sa mère apportant la bouteille de ketchup... Le même Noir en veste blanche, Spencer, faisait le service. La conversation, presque essentiellement masculine, portait sur les élections locales, le golf et les potins familiaux. Les mets étaient délicieux. On servit un consommé qui, comme Jennie l'apprit d'un commentaire que fit un des convives, était un bouillon de tortue noire. Puis ce fut un rôti d'agneau parfumé au romarin et accompagné de betteraves découpées en boutons de roses. Jennie mangait lentement, s'observant elle-même tout en observant et écoutant les autres.

Inévitablement, on en vint à parler du Viêt-nam, des combats et des pertes de la veille. Le grand-père avait la parole.

« Ce qu'il faudrait une bonne fois pour toutes, c'est laisser tomber les demi-mesures. Il faudrait mettre le paquet et rayer Hanoi de la carte. »

Et le père de Peter d'ajouter : « Nous sommes la risée de la planète. Une puissance comme la nôtre, se laisser malmener comme... — il promena un regard indigné autour de la table — comme je ne sais pas quoi. Tous ces jeunes qui manifestent, tous ces agitateurs ! Si jamais mon fils s'y mettait... Croyez-moi, si cette guerre n'est pas terminée — j'espère qu'elle le sera et que nous les aurons écrasés — mais si elle n'est pas terminée quand Peter aura fini ses études, je compte bien qu'il endossera l'uniforme et qu'il ira faire son devoir comme tout homme qui se respecte, pas vrai, Peter ? »

Peter déglutit. Son regard frôla Jennie pour aller se poser sur son père, assis derrière la carafe de vin.

« Exact », fit-il.

Jennie eut conscience de ce que son étonnement était par trop manifeste, et changea aussitôt d'expression. Mais enfin, chaque fois que nous en avons parlé, tu m'as dit que jamais tu n'accepterais d'y aller, que cette guerre était immorale et inutile. Peter, te souviens-tu de tout ce que tu as pu me dire là-dessus ?

« Et, dans l'ensemble, Peter, qu'en pensent tes amis ? interrogea le grand-père.

— Eh bien, à vrai dire, nous n'en parlons pas tellement. »

Nous n'en parlons pas tellement ! Mais c'est de cela que tout le monde parle le plus, en cours, après les cours, au restaurant universitaire et jusque tard dans la nuit. On pourrait même dire que c'est tout ce dont nous parlons !

« Ils ont quand même leur opinion sur la question, non ? insista le grand-père.

— Oui bien sûr. Certains penchent d'un côté, d'autres de l'autre.

— En tout cas, j'espère que tu te fais entendre. On ne peut pas laisser tous ces défaitistes s'en tirer comme ça. Voilà ce qui affaiblit un pays. J'espère bien, Peter, que tu tapes sur la table et que tu leur rives leur clou, à ces dégonflés.

— Je n'y manque pas », dit Peter.

Mrs. Mendes intervint : « Bon, ça suffit, assez de politique ! Parlons plutôt de choses gaies, comme par exemple la fête d'anniversaire de Cindy, demain. » Elle expliqua à Jennie : « Cindy est une cousine, en fait une cousine au second degré. Elle va avoir vingt et un ans et ses parents organisent un petit bal habillé pour l'occasion. J'espère qu'il ne va pas pleuvoir. Ils ont prévu de danser en plein air. Ce devrait être charmant. »

Un petit bal habillé... Il ne m'a pas non plus parlé de cela. Peut-être n'était-il pas au courant. Je n'ai rien à mettre... Jennie se sentait plus que jamais une étrangère dans cette maison.

La conversation suivait son cours : « Savez-vous ce que tante Lee lui a offert ?

— Non, quoi donc ? demanda l'oncle.

— Un cheval, dit Mrs. Mendes. Un poulain, pour être exacte. Vous connaissez notre tante Lee, dit-elle à Annie Ruth, celle qui possède un haras.

— Une vraie hommasse, celle-là ! intervint Sally June. C'est un squelette dans le placard de la famille.

— Sally June ! A-t-on idée de dire des choses pareilles ?

— Et alors ? C'est la vérité.

— Je ne vois pas ce que vous voulez dire », fit Mrs. Mendes avec raideur.

Sally June se mit à rire. « Maman ! Vous savez parfaitement ce que je veux dire.

— Ma sœur a toujours été un garçon manqué, dit Mrs. Mendes, sans doute à l'attention de Jennie, l'étrangère à cette table.

— Un garçon manqué ! s'exclama l'adolescente. Elle a plus de cinquante ans. Tout le monde sait qu'elle est...

— Cela suffit, coupa sa mère. J'ai dit, ça suffit ! »

Un ange passa. On n'entendait plus que l'entrechoquement des couverts sur la porcelaine. Sally June baissait la tête sur son assiette, rougissante. Elle semblait effrayée.

Ce fut Peter qui rompit le silence. « Parlant de chevaux, cela me rappelle qu'à Owing Mills ce week-end, j'ai vu Ralph qui montait. Nous l'avons dépassé en voiture. J'ignorais qu'il était maintenant à Georgetown. »

Avec quelle aisance il avait changé de sujet ! « Peut-être va-t-il, comme son frère, embrasser la carrière diplomatique, poursuivit-il.

— Et, comme lui, se faire tuer », dit la tante avant d'expliquer à Jennie : « Il s'agit de vieux amis de la famille. Leur fils aîné a trouvé la mort au cours d'une émeute au Pakistan.

— Cela doit remonter à une quinzaine d'années, dit Mrs. Mendes. Et sa mère n'a pas quitté le deuil. C'est tout à fait ridicule. Je ne supporte pas les gens qui sont incapables de regarder les choses en face, déclara-t-elle à la ronde.

— Ce fut une mort atroce, lui rappela doucement son mari.

— Cela n'empêche qu'elle devrait s'en remettre. Elle n'est pas la première à traverser pareille épreuve. » De façon tout à fait inattendue, Mrs. Mendes s'adressa à Jennie : « Peter nous dit que votre père a connu les camps de concentration... »

Ainsi donc, il leur avait parlé d'elle. « Oui, en effet, dit-elle. Il était jeune et robuste. Il a été au nombre des rares survivants.

— Que fait-il maintenant ? »

Peter ne leur leur avait donc pas dit... « Il a un magasin. Un commerce de plats à emporter. »

Il y eut un temps de flottement durant lequel le regard de Mrs. Mendes parut vaciller. « Ah bon. Donc, il s'en est remis. Il a tenu bon et a survécu.

— Oui », dit Jennie. *Survécu. Ses cauchemars. Ses angoisses muettes*. Et pour la seconde fois de la journée elle se prit à regarder les manches de son tailleur. Son père avait façonné ce vêtement avec le savoir-faire auquel il devait d'être encore en vie, et dont l'idée même lui était aujourd'hui douloureuse.

Elle considéra de nouveau Mrs. Mendes, qui venait de passer à un autre sujet. Vous n'avez pas de cœur, pensa-t-elle.

Le domestique était en train de placer devant elle une assiette où était posée une coupe de crème glacée. De part et d'autre de cette coupe se trouvaient une cuiller et un ustensile inconnu, sorte de croisement entre une fourchette et une cuiller. N'ayant pas la moindre idée de son utilisation, elle hésitait lorsque, sans changer d'expression, l'homme plaça presque subrepticement l'index sur le manche de l'étrange instrument. Elle se rappela brusquement avoir entendu parler de ce qu'était une fourchette à crème glacée. Elle aurait aimé remercier cet homme et se promit de le faire dès que la possibilité s'en présenterait. Il avait perçu son désarroi. « Peter mis à part, se dit-elle, il en sait plus sur mon compte que quiconque dans cette pièce. Je n'aime pas cet endroit. Il est plus froid que cette coupe de glace. »

Mais cette crème glacée était différente de toutes celles qu'elle avait goûtées jusqu'alors. On y reconnaissait peut-être une pointe de miel de même qu'une touche de liqueur. Elle la mangea lentement, trouvant en sa douceur un étrange réconfort, pareille à une enfant qui se console avec une sucette.

Après le dîner, Peter lui fit faire le tour du propriétaire. De l'autre côté du court de tennis, il y avait une très vaste piscine en forme d'amibe, qui pouvait à première vue passer pour une pièce d'eau. Un joli cabanon rustique lui faisait face. Des groupes de tables et de chaises en fer forgé, peintes en rose, surmontées d'un parasol à fleurs étaient disséminés sur une pelouse impeccable. Peter alluma des projecteurs et l'eau prit une fluorescence turquoise dans le crépuscule. Immobile, Jennie regardait les buissons ombreux, le profil noir des arbres lointains, elle écoutait le silence.

« J'ignorais que ta vie ressemblait à cela, finit-elle par dire. Je ne sais qu'en penser.

— N'en pense rien. Est-ce que cela importe à ce point ?

— J'imagine que non.

— Est-ce si important ?

Il était si près d'elle qu'elle sentait, ou croyait sentir, la chaleur de son corps aimé. Non, bien sûr que ce n'était pas si important. L'important c'était lui, Peter, et non ce qu'il possédait ou ne possédait pas. Cependant...

« Tu étais d'accord avec eux au sujet du Viêt-nam.

— Non, vraiment pas. Simplement, je n'ai pas exprimé mon désaccord.

— Cela revient au même.

— Non. Réfléchis une seconde.

— C'est ce que je fais.

— Vois-tu, j'ai horreur des disputes. A quoi cela aurait-il servi de lancer une longue controverse qui n'aurait abouti nulle part ? Chacun serait resté sur ses positions. Tu as bien vu quelles sont les leurs. »

Elle réfléchit aux arguments de son ami. Ils étaient fondés. A la maison aussi il y avait des sujets qu'il était préférable d'éviter. Il était par exemple vain de discuter avec son père la séparation des hommes et des femmes à la synagogue. Ce dernier considérait cette disposition juste parce qu'elle avait été ordonnée, et nul n'allait le faire changer d'avis, aussi était-il vain d'essayer. Oui, Peter avait tout à fait raison. Il optait toujours pour la voie pacifique, comme lorsqu'il avait relancé la conversation sur un autre sujet, à table, quand l'orage avait été sur le point d'éclater à propos de tante Lee. C'était une des choses qu'elle aimait chez lui.

« Je voudrais dormir avec toi, dit-il. Ce cabanon serait idéal. Il y a un sofa.

— Peter ! C'est impossible. Jamais je n'oserais.

— Je sais. Enfin, nous serons bientôt de retour chez nous. »

Elle aimait qu'il parlât du campus, de l'endroit où ils étaient ensemble, comme de leur « chez soi ». Une pensée lui traversa l'esprit.

« Tu ne m'avais pas dit qu'un bal était prévu. J'aurais apporté une robe.

— Je n'en savais rien. C'est cette cousine ridicule… Pour l'amour du Ciel, mais qui donne encore des bals habillés de nos jours ?

— Apparemment il y a encore des gens qui le font.

— Je les déteste.

— Cela ne résout pas mon problème. Je n'ai rien à mettre. »

Il la regarda d'un air incertain. « Rien, vraiment ?

— Rien que ce tailleur et l'autre, le bleu foncé, celui que je mets tout le temps, plus quelques jupes et quelques corsages. Je n'ai même pas envie d'y aller. Est-ce que c'est une obligation ? Je suppose que oui, fit-elle d'une voix à peine audible.

— On va en parler à ma mère. Elle aura peut-être quelque chose à te prêter.

— Jamais je n'oserai.

— Je vais le lui demander. Rentrons à la maison. Allez, viens. »

« Mon Dieu, dit Mrs. Mendes. Vous êtes certaine de n'avoir rien apporté ? »

Jennie secoua la tête. Comme si sa valise comportait quelque compartiment secret dans lequel, si elle cherchait avec suffisamment de détermination, elle aurait pu trouver une robe habillée et des escarpins !

« Je suis confuse de vous ennuyer avec cela, dit-elle.

— Vous ne m'ennuyez pas le moins du monde. Je monte voir ce que Sally June a dans sa penderie. Bien sûr, vous êtes plus grande qu'elle, mais enfin… »

Sally June et son amie étaient affalées sur des lits jumeaux. Mrs. Mendes ouvrit un placard contenant une longue rangée de vêtements pendus à des cintres et un râtelier à chaussures. « Nous allons devoir vous emprunter une robe, Sally June. Jennie n'en a pas apporté.

— Pas la bleue ajourée. C'est celle que je compte mettre.

— Non, bien sûr. »

Mrs. Mendes considéra Jennie d'un œil évaluateur, puis sortit une robe de la penderie. « Sur ma fille, celle-ci arrive jusqu'au sol. Elle devrait vous arriver à hauteur de cheville. Tenez, passez-la. »

Ôtant son tailleur et enfilant la robe, Jennie se sentait toute nue sous le regard silencieux des trois autres. Il s'agissait d'une robe de coton, blanche et légère, avec un liséré de dentelle aux épaules. Les manches gigot étaient lacées de rubans et de nœuds. Cette chose eût convenu à une adolescente pour une fête d'anniversaire. Sur Jennie, elle était ridicule. Consternée, elle se regardait dans le miroir.

« Une robe tout à fait charmante, dit Mrs. Mendes. Nous l'avions fait faire pour l'anniversaire de Sally June. Mais elle a pris un peu de poids depuis, dit-elle en agitant le doigt à l'adresse de sa fille. Elle vous va à ravir, ne trouvez-vous pas ?

— Tout à fait », dit Jennie. *Maman mourrait de rire si elle me voyait dans cette tenue.*

« On voit la bride de votre soutien-gorge, mais quelques épingles régleront le problème. Voyons les chaussures. Quelle pointure faites-vous ?

— Trente-huit. » *Mon Dieu, que va-t-elle me sortir ?*

« Sally fait un petit trente-sept. » Les souliers, des escarpins à talons bas, pouvaient passer, à ceci près qu'ils étaient trop courts d'une bonne pointure.

« Est-ce que vous avez mal ? s'enquit Mrs. Mendes.

— Oui, un peu. Ils sont un peu justes.

— Ma foi, je taille encore plus petit. Il faudra donc que vous fassiez avec. » Sur le point de sortir, elle se retourna. « J'ai un sac à main que je peux vous prêter. C'est une chance qu'il fasse chaud pour la saison. Ainsi, vous n'aurez pas besoin de manteau. »

Repassant la robe par-dessus sa tête, Jennie vit que les deux adolescentes riaient sous cape. Croisant son regard, Sally June détourna aussitôt les yeux. Il était étrange que ces beaux yeux, si doux et tendres chez son frère, pussent être aussi froids et moqueurs chez elle !

Elle repassa son tailleur et replia la robe. « Merci, dit-elle d'un ton égal. Je suis désolée d'être venue vous déranger.

— Aucune importance », répondit Sally June.

Elles me méprisent. Je suis tout à fait normale, j'ai autant de manières qu'elles et bien plus de cœur. Mais cela ne les empêche pas de me mépriser.

La cousine habitait la campagne. Même si elle était environnée de champs et bordée d'un ruisseau, sa maison ressemblait beaucoup à celle des Mendes, jusqu'au portrait du même aïeul trônant au-dessus de la cheminée.

Mrs. Mendes, qui se tenait près de Jennie, lui murmura : « Vous reconnaissez ce portrait ? Il est également leur arrière-grand-père, mais ce tableau est une copie. Le nôtre est l'original. Je ne sais plus qui leur a permis d'en faire une copie, ce qui, à mon sens, fut une erreur. Mais enfin... » Elle eut un haussement d'épaules et s'éloigna.

Jennie, au martyre dans ses chaussures, se dirigeait vers la pièce réservée à la toilette des dames. Cela faisait trois heures qu'ils étaient arrivés ; si ses pieds ne l'avaient pas fait autant souffrir et si elle ne s'était pas sentie aussi voyante avec cette robe invraisemblable, elle eût pris plaisir au spectacle. Car, pour elle, il s'agissait bien d'un spectacle. Cette maison gigantesque, les serviteurs, les lanternes éclairant la terrasse, les fleurs dans des jardinières en pierre, l'orchestre, toutes ces jeunes filles merveilleusement parées, tout cela était comme du théâtre.

Pour quelqu'un qui détestait ce genre d'occasions, Peter semblait prendre du bon temps. Il l'avait présentée à tout le monde et avait si souvent dansé avec elle qu'elle lui avait conseillé de prêter quelque attention aux autres jeunes filles et en particulier à sa cousine, dont c'était l'anniversaire. Elle avait elle-même eu beaucoup d'autres cavaliers, jeunes gens de bonne figure, au visage distingué, à la mise impeccable, bien différents de ceux qu'elle connaissait chez elle. Bien différente était aussi leur conversation, surtout faite de courtoises banalités. Tout en dansant et tournoyant, elle pouvait voir, par-dessus l'épaule de ses cavaliers successifs, Peter qui riait et se laissait aller à sa bonne humeur. Mais pourquoi eût-il fait grise mine ? Il se trouvait dans son monde, et cela ne lui était pas arrivé depuis Noël. Aussi avait-elle continué de danser et tournoyer jusqu'à ce que ses pauvres pieds n'en pussent plus.

Cette pièce à l'usage des dames était en fait une sorte de boudoir meublé d'un canapé, d'une paire de fauteuils et de miroirs. Une femme d'un certain âge lisait une revue dans un des fauteuils. Jennie se déchaussa et se massa les pieds en gémissant.

« Vous avez le talon en sang, remarqua la femme.

— Mon Dieu, du sang sur la chaussure de Sally June ! J'avais bien besoin de ça.

— Vous paraissez bien malheureuse.

— Je le suis. En plus, une épingle s'est défaite et on voit la bride de mon soutien-gorge.

— Approchez, je vais vous arranger cela. »

Elle se tenait devant un grand miroir. Jennie y vit une femme courtaude avec une chevelure grisonnante, coupée court, et un visage ovale aux joues affaissées. Elle portait une coûteuse robe de soie noire.

« Ça y est. J'ai remis l'épingle. Qu'allez-vous faire pour vos pieds ?

— Les laisser souffler un peu, puis leur faire endurer le reste de la soirée. Je n'ai guère le choix.

— Seriez-vous la demoiselle que Peter a invitée pour le week-end ?

— En effet, mais comment avez-vous deviné ?

— A votre accent. Tous les autres invités sont de la région. Et puis, j'ai entendu dire que vous seriez de la fête. Et enfin, je me souviens de cette robe ; Sally June la portait à son anniversaire. Même sur elle, je l'avais trouvée un rien gnangnan. »

Jennie éclata de rire. Le qualificatif était bien choisi, et puis elle aimait le franc-parler de cette femme, ce regard vif et malicieux qui rachetait son visage ingrat.

« Remarquez, c'est déjà très gentil de me l'avoir prêtée. J'aurais mauvaise grâce à me plaindre.

— Exact. Au fait, je suis tante Lee Mendes. C'est moi qui

ai offert un poulain à Cindy pour son anniversaire. Je suppose que vous en avez entendu parler, dit la tante en riant.

— Cela a été évoqué, en effet.

— J'en suis certaine. Ils m'aiment bien, chacun à sa façon, mais ils me trouvent un peu singulière, et je suppose que ce n'est pas faux. N'empêche que ce poulain est une merveille. Si vous n'aviez pas mal aux pieds et s'il ne faisait pas si noir, je vous emmènerais aux écuries pour que vous le voyiez. Pour être tout à fait franche, à la dernière minute, j'ai eu beaucoup de mal à me séparer de lui. J'adore les animaux, et vous ?

— J'en aurais si j'avais un peu d'espace. Là où j'habite, je ne pourrais même pas envisager d'avoir un chien.

— Un joli petit appartement à New York, j'imagine ?

— Non. Un pavillon dans une cité de Baltimore. » Jennie regardait cette femme droit dans les yeux. Et elle prononça une parole qu'elle n'avait pas eu l'intention de dire, qui était peut-être tout à fait incongrue. Pourtant, lorsqu'elle l'eut dite, elle se sentit beaucoup mieux. « Mes parents sont pauvres. »

L'autre hocha la tête. « En ce cas, je suppose que c'est la première fois que vous assistez à une soirée comme celle-ci.

— C'est vrai.

— Et vous ne vous sentez pas vraiment à votre place ?

— Il y a de cela. » Et Jennie se hâta de préciser : « A l'Université nous nous réunissons fréquemment et je suis plutôt quelqu'un de liant... » Elle se tut, se demandant pour quelle raison elle se répandait en confidences.

« Oui, cela se voit. Et de volontaire. Ce n'est pas le cas de Peter en revanche. Vous vous en êtes sans doute déjà aperçue. »

Les autres avaient sûrement raison quant à la singularité de cette femme. Mais peut-être l'essentiel de cette singularité résidait-elle dans le fait qu'elle disait ce qu'elle pensait, quand la plupart des autres travestissaient leurs pensées et leurs sentiments. Jennie était perplexe.

« Non, Peter n'est pas quelqu'un de volontaire, répétait tante Lee, mais il est le sel de la terre.

— C'est aussi ce qu'il dit de vous.

— J'en suis heureuse. Nous nous aimons beaucoup, lui et

moi. Je me souviens de ces étés où il venait passer des semaines entières au ranch. Je lui ai appris toutes sortes de choses, des choses importantes, je lui ai appris à monter à cheval, à conduire un tracteur, à semer et moissonner. A aimer la terre. Oui, Peter est un bon garçon. Trop bon pour son propre bien, me dis-je parfois. Trop... obligeant. Oui, obligeant, c'est le mot. »

Jennie commençait de s'impatienter. Elle n'avait pas envie de parler de Peter avec cette femme étrange. Elle se rechaussa en grimaçant et dit : « Il va falloir que j'y retourne.

— Allez-y. Je reste encore un peu ici. Le bruit des conversations me donne la migraine. »

« Où étais-tu passée ? demanda Peter. Je t'ai cherchée partout.

— Il fallait que j'enlève mes chaussures. J'ai fait la connaissance de ta fameuse tante Lee.

— Comment la trouves-tu ?

— Ça, elle n'est pas banale. Mais je l'ai trouvée sympathique. Cela t'ennuie si nous ne dansons plus ? J'en serais tout à fait incapable.

— Oh, tes pauvres pieds. Je suis navré. »

Ils allèrent s'asseoir à une petite table garnie de dentelle, près d'une porte-fenêtre donnant sur la terrasse. La musique leur arrivait assourdie. Un serveur leur apporta un rafraîchissement.

« Finalement, la soirée n'est pas si déplaisante, dit Peter.

— Tu disais ne pas supporter ce genre d'occasions.

— C'est la vérité. Mais il faut parfois composer, faire ce qu'on attend de vous... Ma pauvre chérie, dit-il tendrement, tu n'es pas très contente de cette robe.

— Je n'ai rien dit de tel.

— Il y a beaucoup de choses te concernant que tu n'as pas besoin de me dire. »

Jennie s'en voulut aussitôt. « Je suis désolée. Je ne devrais pas gâcher ton plaisir. Cette robe, ce n'est pas si important que ça. »

Il lui prit la main sous la table. « Tu n'es pas très à l'aise avec ma famille. Ils sont d'un abord un peu difficile. On peut les trouver distants. Mais, tu verras, dès que tu auras appris à les connaître, tu te sentiras tout à fait à l'aise en leur compagnie. J'en suis certain. »

Il avait sans doute raison. Comme une enfant, elle s'était fait du mauvais sang, et cela ne lui avait pas échappé.

« Demain nous ne serons que nous deux, dit-il. Ils vont tous au théâtre après le dîner. J'ai dit à maman de se faire rembourser nos billets parce que nous avons déjà vu la pièce et qu'elle est épouvantable.

— Quelle pièce ?

— Je l'ignore. Je n'en ai jamais entendu parler. »

Ils éclatèrent de rire et Jennie recouvra sa bonne humeur aussi vite qu'elle l'avait perdue.

On se serait cru au plus fort de l'été. Dans l'air du soir, des oiseaux planaient sur la longueur de la pelouse et remontaient se percher sur les plus hautes branches. Pépiant et jacassant, chassant les moucherons, ils se livrèrent à mille acrobaties jusqu'au soir. Enfin, ils allèrent se percher pour la nuit.

« Comme c'est beau », murmura Jennie. Quelques lampes brûlaient faiblement au rez-de-chaussée de la grande maison silencieuse. Seules les chambres de bonne du second étaient vivement éclairées. Caressée d'un rayon de lune, la piscine était lisse et noire comme de la soie. Après avoir longuement et silencieusement observé les reflets d'argent, les deux amants se levèrent et, toujours sans une parole, gagnèrent l'intérieur du cabanon et en refermèrent la porte.

Elle allait conserver un souvenir mitigé de ce séjour. L'amour dans la cabine de bain avait été bien différent de ce qu'il était dans un motel du bord de route avec pour fond sonore les changements de vitesse des camions négociant le carrefour. Ils avaient ensuite dénoué leur étreinte pour ressortir dans la nuit paisible et douce... Elle avait aussi en mémoire la façon dont Mrs. Mendes lui avait dit au revoir.

« Cela a été un plaisir de vous avoir parmi nous », avait-elle dit. Mais sa phrase s'était achevée sur un ton de congédiement distrait. A moins que cette interprétation ne fût encore que l'effet du malaise de Jennie ? En tout cas, l'expérience avait été enrichissante. Ils étaient maintenant de retour sur le campus. Ils avaient retrouvé leur univers commun, le travail, les camarades et l'amour le week-end. Jennie avait dix-sept ans et la vie était belle.

3

Un après-midi qu'elle travaillait à son devoir trimestriel de sociologie, elle leva les yeux vers le calendrier. En voyant la date, une pensée lui traversa subitement l'esprit. Par la suite, elle n'aurait su dire ce qui l'avait poussée à cet instant précis. Elle vérifia à nouveau la date, compta les jours, fronça les sourcils et compta de nouveau. Elle avait des périodes souvent irrégulières, aussi ne s'était-elle jamais beaucoup inquiétée de quelques jours de retard. Et puis Peter lui assurait faire très attention. Néanmoins, son pouls s'accéléra un peu avant de retrouver bientôt un rythme normal.

« Je vais attendre une semaine, se dit-elle. Ce n'est sans doute rien. »

Elle n'en parla pas à Peter et laissa passer plus de huit jours, s'efforçant de n'y pas penser. Face à un problème, elle avait toujours eu coutume de se dire : Ressaisis-toi, sers-toi de ta tête, ne te laisse pas mener par tes émotions. Reste calme. Les choses se résolvent souvent d'elles-mêmes pour peu qu'on conserve son calme.

Mais un jour de la fin de la deuxième semaine, comme elle allait s'acheter une paire d'espadrilles, elle passa devant un cabinet médical et, prise d'une inspiration subite, y entra.

Le médecin était un homme d'un certain âge, à l'air fatigué, qui par délicatesse, l'écouta sans la regarder. Il ne lui posa pas non plus de questions personnelles, ne lui demanda pas qui était le père ou quelles étaient ses intentions, ce dont elle lui fut reconnaissante. Se fût-il montré plus curieux, elle aurait sans doute fondu en larmes. Elle lui laissa un flacon d'urine et il promit de l'appeler pour lui communiquer le résultat du test de la lapine.

Elle régla le prix de la consultation à la secrétaire et se retrouva dans la rue. Là, prenant conscience de ce qui lui arrivait, elle se mit à trembler comme une feuille. Le fait d'avoir donné de l'argent, la physionomie impassible de la secrétaire avaient en quelque sorte officialisé les choses. Ne se sentant plus d'humeur à aller acheter des espadrilles, elle retourna à ses révisions, se plongeant dans des livres dont elle parcourut de longs passages sans comprendre un seul mot. Cette nuit-là, elle connut un sommeil agité, entrecoupé de rêves pénibles. Dans l'un de ceux-ci, une pitoyable lapine s'approchait d'elle les yeux noyés de larmes.

Le lendemain en fin d'après-midi, elle apprit par téléphone que le test était positif.

« Souhaitez-vous prendre rendez-vous dès maintenant ? Il est bon d'exercer la surveillance prénatale dès le début, même si vous semblez être une jeune femme en bonne santé.

— Euh, non, pas dans l'immédiat. Je vous rappellerai. »

Elle replaça délicatement le combiné et resta un moment en proie à une sorte de transe. Par la fenêtre ouverte lui parvenaient les bruits de la vie de tous les jours, qui poursuivait son cours, insoucieuse de ce qui arrivait à Jennie Rakowsky. Une voix appelait : « Booobby. » De l'autre côté de la porte, quelqu'un laissa tomber une pile de livres dans les escaliers et poussa un juron. A l'étage au-dessus, quelqu'un soufflait dans un harmonica.

Elle bondit de sa chaise. Cet après-midi, Peter devait se trouver à la bibliothèque. Elle se sentit tout à coup plus légère. Son angoisse était moins pesante. Mais non, elle n'était pas toute seule ! Peter saurait ce qu'il fallait faire. Il allait trouver une solution.

Accoudé à sa place habituelle, le menton dans les mains, il était plongé dans un livre volumineux. Elle eut le temps d'apercevoir un diagramme enserré au milieu d'un texte dense. Puis il leva la tête avec surprise et referma le gros livre.

Elle lui sourit. « Salut. Tu as terminé ?

— Si j'en décide ainsi. Qu'est-ce qui ne va pas ?

— Faut-il que quelque chose n'aille pas pour que je vienne te dire un petit bonjour ? dit-elle, satisfaite de ce que sa voix ne trahissait nulle émotion.

— Je vois bien qu'il y a quelque chose. »

Devant son air inquiet, Jennie sentit vaciller sa résolution. Elle prit sur elle. Sois forte et maîtresse de toi.

« Pourquoi ? J'ai l'air bizarre ? » persista-t-elle. Conserve ce ton léger. Tout cela n'a rien d'un désastre.

« Je le vois à tes yeux. Il est arrivé quelque chose. »

Il se leva pour rassembler ses livres et ses papiers. « Viens, allons dehors. »

Ils sortirent sous le beau soleil de cette fin d'après-midi. Des amis les accostèrent et ils restèrent un long moment à converser sous les grands arbres qui bordaient l'allée. D'autres connaissances passaient par là, les saluaient, les apostrophaient gaiement. Le cœur de Jennie battait à nouveau la chamade. Elle sentait bien que Peter cherchait à fausser compagnie au groupe, mais les autres traversaient maintenant la rue avec eux. On croisa deux filles du même bâtiment que Jennie. Elles avaient ôté leur pull et se l'étaient noué autour de la taille. Elles étaient en grande conversation. Naguère encore, Jennie était aussi gaie et insouciante que ces deux-là.

Lorsqu'on les laissa enfin seuls, ils firent un détour et revinrent s'asseoir sur les marches d'un perron. Il lui prit le menton et la força à le regarder dans les yeux.

« Alors ? Raconte. »

Elle sentit revenir l'angoisse, même sous ce regard tranquille. « Tu ne devines pas ?

— Ma foi, non.

— Je suis allée chez le médecin il y a quelques jours. » Elle le dévisagea une fraction de seconde. « Tu comprends maintenant ?

— Ah, c'est donc ça. »

Elle eut un soupir. « Peter ! Qu'allons-nous faire ? » Cette fois, sa voix se brisa en une sorte de plainte et des larmes lui vinrent, brouillant les arbres, les briques, le gazon.

Il se mit à fixer ses mains, paumes tournées vers le ciel. Suivant son regard, elle vit combien une main pouvait être quelque chose de personnel ; elle connaissait si bien celles de Peter, ses longs doigts, l'ovale parfait de ses ongles, les poils roux, si fins, de ses poignets.

Elle attendait sa réaction. Une risée soudaine agita les feuilles et la fit frissonner. Peter la regarda.

« Ce n'est peut-être pas vrai.

— Si, c'est vrai. »

Elle avait brusquement joint les mains en un geste pitoyable pour les poser sur ses genoux. Peter les sépara l'une de l'autre et en prit une entre les siennes.

« Ma foi, si tel est bien le cas, je suppose que nous allons devoir prendre une décision. »

Et il se mit à sourire. Ce sourire alla droit au cœur de Jennie.

« Quel genre de décision ? demanda-t-elle.

— Laisse-moi le temps d'y réfléchir. »

Ils demeurèrent un moment silencieux. Le vent soufflait plus fortement et Jennie croisa les bras en frissonnant. Elle se demandait à quoi pouvait penser Peter. Il regarda sa montre. « Il est déjà six heures. Viens, allons à la pizzeria. L'estomac rempli, nous aurons les idées plus claires. »

Ils ne virent personne de connaissance au restaurant et portèrent leur choix sur une table du fond, où ils ne risquaient pas d'être dérangés.

« Je n'ai pas faim, dit Jennie lorsqu'elle eut la carte familière entre les mains.

— Il faut manger. »

Une expression ridicule lui traversa l'esprit : *Manger pour deux*. Elle crut avoir un haut-le-cœur. « Je ne peux pas, vraiment pas.

— Juste une soupe. Je vais prendre comme toi. Moi non plus, je n'ai pas faim. »

A nouveau, ils ne parlèrent pas pendant plusieurs minutes.

Jennie réussit à manger un peu, puis reposa définitivement sa cuiller.

« Jennie, si tu savais comme je m'en veux. Je suis un imbécile doublé d'un maladroit. Moi qui croyais faire attention. D'ailleurs je faisais bien attention. Bon sang, je n'y comprends rien.

— Rien n'est sûr à cent pour cent. » Cela faisait mal à Jennie de le voir dans cet état-là. Hier encore, il était si insouciant. Il s'était acheté une nouvelle guitare et des partitions. « C'est aussi ma faute, reconnut-elle. J'aurais dû compter les jours. J'ai été négligente, je suis négligente. Cela remonte à plusieurs semaines maintenant. »

Il leva brusquement les yeux vers elle. « Cela fait trop longtemps ? demanda-t-il.

— Pour un avortement, tu veux dire ?

— Eh bien, oui. Évidemment, je te trouverais le meilleur endroit possible, là où tu ne courrais aucun risque. Seigneur, je ne voudrais pas qu'il t'arrive quoi que ce soit ! Ça, tu le sais. »

Elle eut un long soupir. Tout l'après-midi elle en avait poussé de semblables, comme si sa poitrine eût besoin d'être gonflée en permanence. « Je ne pourrais pas... Non, je ne veux pas... Même si la chose était possible, je ne pourrais pas. »

Il demanda d'une voix très douce : « Pourquoi pas ? Pourquoi ne pourrais-tu pas ?

— Je ne sais pas trop. » Peut-être après tout l'orthodoxie paternelle était-elle enracinée en elle, cela en dépit de son agnosticisme et de son indifférence.

« Si tu ne sais pas pourquoi, cela implique que tu pourrais l'envisager. Songe que c'est quelque chose de très banal, que cela se pratique tout le temps.

— Oui, je sais. »

Au lycée, une fille de terminale s'était fait avorter. Tout le monde était au courant. Elle avait terminé l'année scolaire comme si de rien n'était. Cependant, Jennie fut secouée d'un frisson. Elle porta machinalement les mains à son ventre, son ventre dur et plat.

Elle n'éprouvait aucun sentiment pour ce qui grandissait en

elle, et ne réfléchissait nullement à l'enfant à venir. Il s'agissait d'un intrus, indésirable et redouté, et cependant elle ne pouvait se résoudre à le tuer.

Peter avait remarqué son geste. « Ce n'est encore pas grand-chose, Jennie. Trois ou quatre centimètres, peut-être moins. »

Mais c'est une vie, solidement implantée. L'arracher de là, la jeter… quel horrible gâchis ! Elle croisa le regard interrogateur et troublé du jeune homme.

« Il faut me croire, Peter. C'est peut-être la bonne solution pour certaines femmes, je ne porte aucun jugement, mais j'en suis pour ma part incapable. »

Le silence s'établit de nouveau, tandis que Peter continuait de manger son potage. Puis il leva la tête, abattit doucement le poing sur la table et se composa une expression chaleureuse et résolue.

« Mais enfin, pourquoi tant d'histoires ? Nous allons nous marier, voilà tout ! »

Une onde de joie intense traversa Jennie, la laissant presque sans voix. Toutefois, un instant plus tard, le doute l'emporta.

« Peter, je ne veux pas être la femme d'un homme qui aura été contraint de m'épouser et qui, par la suite, m'en voudra de cela. » Elle avait cependant conscience d'espérer, d'attendre les protestations de Peter.

« Comment peux-tu penser une chose pareille quand tu sais ce qu'il y a entre nous, Jennie chérie ? Il est vrai que ce n'est pas le moment idéal, mais puisque nous finirons de toute façon par nous marier, autant prendre nos dispositions pour le faire sans attendre. Allez, n'aie plus peur. Je suis auprès de toi. » Il appela le garçon. « Pouvons-nous revoir la carte ? Finalement, nous avons plus d'appétit que nous ne le pensions. »

Et il continua de parler. Ses paroles étaient aussi réconfortantes qu'une douche tiède. « Ne m'en veux pas de ce que je vais dire. Je sais que cela va te paraître un peu débile, mais le fait est que… Oh zut, pourquoi tourner autour du pot puisque tu t'en es aperçue par toi-même ? Mes parents sont à l'aise, vraiment très à l'aise. L'argent n'est pas un problème. Jamais je n'ai pensé que cela m'importerait beaucoup. Tu me connais suffisamment pour savoir que je ne suis pas vraiment d'accord avec leur mode de vie et certaines de leurs idées. Toutefois, dans une situation comme celle-ci... — il eut un sourire — dans une situation comme celle-ci, cela fait bien notre affaire. »

Ce sourire confiant rassérénait merveilleusement Jennie. Promptement et tranquillement, Peter avait compris la situation dans laquelle elle se trouvait et s'y était adapté. Elle qui était sujette aux changements d'humeur et aux gestes impulsifs, percevait toute la force contenue dans l'attitude tranquille du jeune homme.

« Ils vont nous donner un coup de main, pas de doute là-dessus. Ça, bien sûr, les mettre au courant ne va pas être une partie de plaisir, mais une fois qu'ils en auront fini avec les sermons, ils nous aideront. Nous ne sommes pas les premiers à qui cela arrive et nous ne serons pas les derniers. Remets-toi, Jennie, et mange tes spaghetti. »

Une vision prenait forme dans l'esprit de Jennie, une vision si prégnante qu'elle était en couleur. Ils auraient un petit appartement, un deux-pièces ou peut-être seulement un studio, à l'extérieur du campus. Ils poursuivraient leurs études. Elle rembourserait ses beaux-parents avec ses premiers gains d'avocate ; elle les rembourserait avec son propre argent, non celui de Peter, car elle aurait à cœur de leur montrer qui elle était, à cœur de gagner leur estime. Oui, en dépit de tout, elle se gagnerait leur estime. Et, voyant combien elle rendait leur fils heureux, ils finiraient par avoir de l'affection pour elle.

« Je trouverai un boulot à mi-temps au labo ou ailleurs, je travaillerai le soir et le week-end, pour que nous ne soyons pas totalement dépendants d'eux. »

Ainsi, Peter se faisait lui aussi une représentation mentale de ce que serait leur avenir. Une pensée lui vint : « Tu vas aller mettre tes parents au courant ce week-end, pendant que je ferai de même de mon côté. » Cela tenait à la fois de l'affirmation et de l'interrogation.

Jennie secoua la tête. « Je vais probablement rentrer à la maison, mais je ne suis pas certaine d'être capable de leur annoncer cela avant que nous soyons mari et femme. »

Comment avoir le courage de les éprouver de la sorte, compte tenu de leur passé ? Elle avait lu tous les livres traitant des enfants de rescapés de l'holocauste et, bien qu'elle ne les eût jamais fréquentées, elle avait entendu parler de ces associations où l'on échangeait conseils et informations. On avait effectivement une vision différente de ses parents après avoir vu des documents filmés sur les horreurs de la déportation, et lorsqu'on savait que ces deux êtres, s'entretenant chaque soir à la table familiale de factures à payer et de questions ménagères, avaient traversé cette épouvantable tourmente. Ils n'étaient pas comme n'importe quels autres parents. On n'avait guère envie de mettre leurs forces à l'épreuve, leurs forces déjà si rudement minées.

« Tu n'as vraiment pas l'intention de les mettre au courant ? » demanda Peter avec un haussement de sourcils.

Elle comprit qu'il aurait la délicatesse de ne pas dire qu'au moins lui pouvait s'exprimer librement chez les siens. Elle se sentit obligée de lui fournir une explication.

« Je vais peut-être le faire. Je n'en suis pas sûre. Ils m'aiment tellement. Pour comprendre, il faudrait que tu les connaisses un peu mieux. »

Il n'insista pas. « En tout cas, je vais mettre les miens au courant. Je sais que tu les as trouvés un peu intimidants. » Il eut un petit rire sans joie. « Ma mère a pour devise ''Faire front'', expression qui me révulse un peu par son côté militaire. Mais deux qualités que tous deux respectent sont la franchise et le courage. Aussi vais-je leur parler en toute franchise. Une chose que je dois leur reconnaître, Jennie, c'est leur droiture et leur sens de l'équité. » Il lui prit la main pour lui embrasser le bout des doigts. « Nous n'avons aucune raison de nous faire du mauvais sang. »

Il semblait si certain de son affaire. Elle espérait que ses parents ne seraient pas trop durs avec lui dans leur premier mouvement de colère.

« Fais-moi confiance, Jennie.

— J'ai confiance en toi. Maintenant et pour toujours. »

« Comment va Peter ? demanda la mère de Jennie.

— Il est rentré chez lui pour le week-end.

— Il faut cela pour que tu nous offres le plaisir de ta compagnie, dit en riant Mrs. Rakowsky. Assieds-toi. J'arrive à l'instant de mes courses. Prenons le thé avant que je me mette à préparer le dîner. »

De la cuisine, on apercevait la table du salon. Le couvert y était mis pour deux personnes. Le chandelier était en place pour la prière. Chaque vendredi soir, ils dînaient au salon, rien que tous les deux, observant le rituel comme s'ils eussent été entourés d'enfants et de parents, car, Jennie le savait, tel eût été leur plus cher désir. Elle prit place en face de sa mère à la table de la cuisine.

« J'ai de superbes géraniums cette année, roses et doubles. Regarde-moi ça. »

Des pots de géraniums étaient suspendus à la rambarde du porche. Quelques mètres plus loin se voyaient les jardinières de Mrs. Danieli, mais les fleurs de la voisine étaient rouges, banalement rouges. Mrs. Rakowsky avait suivi le regard de sa fille.

« C'est sans comparaison, n'est-ce pas ?

— En effet, maman. » Cette simple question l'avait touchée. Depuis ces derniers jours, depuis l'épisode du restaurant, un rien suffisait à l'émouvoir aux larmes : un poème de Dylan Thomas qu'on avait lu en cours de littérature, le spectacle d'une vieille femme aidant son vieillard de mari à monter dans le train de Philadelphie. A présent c'étaient des géraniums, de pauvres fleurs s'élevant vers le soleil. Elle sentait sa gorge se nouer et se trouvait un peu idiote. Sa mère comptait que l'on bavarderait. A la différence de son père, elle éprouvait le besoin de combler le silence. En plus, il y avait quelque chose que Jennie désirait savoir.

« Alors, comment vont les voisins ? Les Danieli ? Les Dieter ?

— Oh, les Danieli vont bien. Ils sont très heureux avec leur bébé. Ce n'est pas comme les Dieter », fit Mrs. Rakowsky d'un air désolé.

Jenny voulait la faire parler des Dieter. L'année passée, Gloria Dieter, la fille de la maison, était tombée enceinte. Elle venait de rentrer à la maison avec son bébé non désiré.

« Est-ce que ses parents se sont un peu radoucis avec elle ? »

Mrs. Rakowsky eut un haussement d'épaules. « Va savoir. On ne les aperçoit quasiment jamais. Ils se terrent chez eux. Gloria met le landau sous le porche et se dépêche de rentrer à l'intérieur.

— Ce n'est tout de même pas comme si elle avait attaqué une banque ou tué quelqu'un », fit Jennie d'une voix altérée.

Et d'attendre avec inquiétude la réponse de sa mère.

« Bien sûr, ce n'est pas aussi grave. Mais nous vivons quand même une drôle d'époque. » Mrs. Rakowsky se saisit d'un journal, qui était plié sur la table. « Il faut voir ce qu'on lit de nos jours ! Moi, j'en suis malade. Qu'est-ce que la guerre du Viêtnam a à voir avec la façon dont tous ces jeunes se comportent, je te le demande ? C'est une sale guerre, je te l'accorde, mais qu'est-ce que l'amour libre a à voir avec ça ? C'est une honte. Tiens, jette un œil là-dessus ! » Il s'agissait d'un article sur une militante connue, qui attendait un enfant. « Non mais regarde-moi ça ! Célibataire, enceinte, et fière de l'être ! Fière, je dis bien. Une jeune personne qui a fait de longues études, qui en a dans la tête... Seulement, quand on fouille un peu, quand on fait abstraction de toutes ses belles déclarations, veux-tu me dire ce qu'elle est en réalité ? »

Jennie ne répondit pas.

« Ça, je plains ses pauvres parents ! On travaille de toute son âme pour offrir à ses enfants une existence convenable, et voilà ce qu'on récolte ! » Mrs. Rakowsky secoua la tête, pleine de commisération pour ces parents inconnus. Puis, après un profond soupir, elle laissa son visage s'éclairer. « Dieu merci, ton père et moi n'avons pas ce genre de soucis avec toi. Tu es une bonne petite, Jennie, et tu l'as toujours été. Sais-tu que, depuis le jour de ta naissance, tu ne nous as pas donné le moindre souci ? Dieu te bénisse pour cela.

— Cependant, même les "filles comme il faut" peuvent avoir des problèmes. Que peut faire une mère... ce n'est qu'une hypothèse, n'est-ce pas ?... Toi, par exemple, que ferais-tu si je venais t'annoncer... » Jennie se tut, prise d'un rire nerveux qui sonnait faux.

« Seigneur, comment veux-tu que je réponde à une question pareille ? Ton hypothèse est tellement invraisemblable. Une fille comme toi, gâcher sa propre vie ! »

Si je pouvais te mettre au courant, poser la tête sur ton épaule et tout te dire, quel soulagement ce serait...

« Je suppose que tu me mettrais à la porte, que tu me chasserais. » Et Jennie se força à rire, un rire plus convaincant, cette fois, qui signifiait : bien sûr, tout ceci est idiot.

« Te chasser ? Quelle mère serait capable de chasser son enfant ? Ce que je peux te dire, c'est que j'aimerais autant être morte. » Mrs. Rakowsky ôta ses lunettes, montrant cette expression lointaine et pleine de douceur qui lui venait chaque fois qu'elle évoquait ses parents assassinés, le jour de son mariage ou celui de la naissance de Jennie. « Cela signifierait que tout ce que nous t'avons inculqué t'est en fait passé au-dessus de la tête. Cela signifierait que toutes ces années ont été vécues en pure perte. Mais pourquoi parler de choses aussi tristes ? Prenons plutôt une crème glacée. J'ai une envie soudaine de glace au café. »

Je sais donc à quoi je peux m'attendre, se disait Jennie. La glace fondait contre son palais, sans lui dispenser le moindre plaisir. Elle se revoyait savourant de la glace à la table des Mendes ; là aussi elle avait éprouvé ce sentiment d'un gouffre entre elles et les autres. Toutefois, aujourd'hui la cause de cette impression était bien différente. Elle avait une idée assez précise de ce que devait ressentir sa mère, appartenant à la génération qui était la sienne, avec son passé et ses souvenirs. Il fallait se mettre à sa place.

De retour à l'université le lundi suivant, attendant la venue de Peter, elle eut des pensées rassurantes. Quand nous serons mariés, même si ce bébé arrive bien un peu tôt, les choses seront différentes. Maman et papa seront heureux de ce qui m'arrive. Quels parents ne se réjouiraient pas de voir leur fille mariée avec quelqu'un comme Peter ? Oui, quand nous serons mari et femme, tout ira bien.

Mais Peter manqua les cours du lundi, puis ceux du mardi. Était-ce bon signe ou non ? C'était plutôt bon signe. Évidemment, ses parents et lui avaient eu à prendre diverses dispositions.

Enfin, le mercredi en fin d'après-midi, le téléphone sonna au bout du couloir. L'appel était destiné à Jennie.

« Je viens de rentrer », dit Peter.

Le cœur de la jeune fille se mit à battre plus fort. « Alors ? Comment cela s'est-il passé ?

— Je te le dirai de vive voix. » Il parlait d'une voix blanche, dépourvue de chaleur.

L'exaltation de Jennie retomba d'un coup.

« J'ai loué une voiture. Je passe te prendre dans dix minutes.

— Tu as loué une voiture ! Où allons-nous ?

— C'est juste pour avoir un endroit où parler. Par ici, il n'y a pas un endroit où l'on soit sûr qu'un crétin ne viendra pas nous déranger.

— Mais enfin, c'est idiot... commença-t-elle.

— J'arrive dans dix minutes. » Et il raccrocha.

Il tombait une pluie battante. Revêtue de son imperméable, elle descendit attendre Peter à l'entrée du foyer. Sitôt à bord de la voiture, elle vit combien son expression était solennelle. Lorsqu'il se pencha pour l'embrasser, elle tourna la tête afin que ses lèvres ne rencontrent que sa joue.

Déjà, elle savait. Elle savait.

« Annonce-moi la mauvaise nouvelle, dit-elle.

— Ce n'est pas forcément une mauvaise nouvelle. Pourquoi dis-tu cela ?

— Parce que ça crève les yeux. Ne tourne pas autour du pot. Dis-moi tout tout de suite. »

Il remit le moteur en marche. « Attends que je trouve une rue tranquille où me garer. »

Il arrêta la voiture dans une rue écartée, en face d'une rangée de maisons tranquilles. Il n'y avait personne en vue du fait de la pluie torrentielle. Lorsque cessa le bruit du moteur, on n'entendit plus que le crépitement de l'eau sur le toit et les vitres. C'était un bruit sinistre.

« Je t'écoute, Peter.

— Ils ne veulent pas que nous nous mariions maintenant, dit le jeune homme, le regard braqué droit devant lui.

— Ah non ? fit Jennie, la bouche sèche. Que veulent-ils, alors ?

— Ils pensent que nous sommes trop jeunes.

— Nous le sommes, c'est vrai, dit-elle d'une voix posée. N'empêche que... nous avons quand même un petit problème. A moins qu'en fin de compte ce ne soit pas si important ? »

Il se tourna vers elle. Dans la grisaille, elle lui vit une expression suppliante. « Ne sois pas sarcastique, Jennie. Je t'en prie. J'ai passé plusieurs jours très pénibles. »

Elle se sentit une bouffée de tendresse. « Pardonne-moi. Alors que devons-nous faire ?

— Ils pensent qu'il faudrait que tu... que tu t'en débarrasses. Je leur ai dit ton sentiment là-dessus, mais tu sais... Écoute, Jennie, ce serait le plus raisonnable. J'y ai bien réfléchi. Ils m'ont convaincu. Ce serait vraiment la chose la plus sensée à faire.

— *Ils* t'ont convaincu. *Ils* pensent que c'est la chose la plus sensée. C'est moi qui suis au milieu de tout ça. Qu'est-ce qu'ils ont, qu'est-ce que vous avez à voir avec mon corps, avec *moi* ?

— Jennie chérie, écoute-moi. Tu n'as pas idée de ce que ça a été. Ils se sont mis dans une telle colère. Il m'a fallu deux jours pour les amener à parler calmement. Ma mère était en larmes. Jamais je ne l'avais vue dans cet état, sauf quand sa mère est morte. Tu n'imagines pas.

— Oh si, j'imagine parfaitement, mais qu'est-ce que cela change ? Ils prétendent me dire ce que je dois faire de mon corps. » Elle se mit à pleurer. « Peter, je te l'ai dit, je ne pourrais pas m'y résoudre. Je ne veux pas ce bébé, je ne l'aime pas, mais, je te le répète, je ne peux pas le tuer.

— Réfléchis un peu ! Dans quelques années, nous serons mariés et nous aurons autant de bébés que nous voudrons. Tu entends terminer tes études, non ? D'où viendra l'argent si nous nous marions maintenant ?

— Tu me disais qu'ils étaient riches et qu'ils avaient les moyens de nous aider. Tu m'as bien dit ça ?

— C'est ce que je croyais. Seulement, s'ils ne veulent pas nous le donner, je ne vais pas le leur extorquer, cet argent. » Il demeura un instant le front posé sur le volant. « Seigneur Dieu, dit-il d'un ton gémissant avant de regarder à nouveau la jeune fille. Mon père est disposé à te donner tout ce dont tu auras besoin pour régler le problème. Et plus encore. Tout ce que tu voudras, a-t-il dit. Tu pourras aller faire un voyage en Europe. Aller à Rome, à Paris. T'acheter des choses. Te reposer le temps de surmonter ça. Tout ce que tu voudras, il te le donnera. »

Jennie fut alors saisie d'une colère comme elle n'en avait jamais éprouvé. Une rage meurtrière. A cet instant, elle aurait été capable de tuer. Elle donna un violent coup de poing sur le tableau de bord.

« Mais pour qui me prend-il ? Une putain à qui on fait des cadeaux ? En Europe... Tu te rends compte de ce que tu dis ? Ils m'offrent des vacances... Mais qu'ai-je à faire de vacances, quand tout ce que je veux c'est de l'amour, de l'aide, qu'on m'accepte...

— Jennie ! L'amour, tu l'as ! Tu sais bien que je t'aime. Comment peux-tu dire des choses pareilles ?

— C'est à toi qu'il faut poser la question. Mais ils t'ont peut-être convaincu. Est-ce que je suis une putain à tes yeux ?

— N'emploie pas ce mot. Il est trop laid.

— J'emploie les mots qui me plaisent ! Je vais te dire ce qui s'est passé chez toi. Je le sais aussi clairement que si j'avais été cachée derrière la porte. Ta mère, ce bloc de glace, crois-tu que j'ignore ce qu'elle veut ? Une belle-fille dans le genre de l'autre petite pimbêche — comment s'appelle-t-elle déjà ? Annie Ruth ou Ruth Annie. "Nous sommes amis depuis plusieurs générations, vous savez. Ces jeunes gens se sont promis l'un à l'autre de la façon la plus charmante. Une passion secrète, jamais nous ne nous sommes doutés de quoi que ce soit !" Ça oui, les choses seraient bien différentes si j'étais Miss Vieille Famille au lieu de Miss Rien du tout. Il ne serait pas question d'avortement. On ferait un mariage rondement mené sous les arbres de votre parc. Que dis-je ? Dans le parc de Miss Vieille Famille. Et le bébé serait un véritable amour... » Jennie élevait de plus en plus la voix.

« Jennie, je t'en prie, calme-toi ! Les choses ne sont pas du tout comme tu les vois.

— Bien sûr que si ! Cela n'échapperait pas au premier idiot venu. Je l'ai compris dès que j'ai passé leur porte. Et toi, tu les laisses te dicter ta conduite, toi, l'homme fort et courageux qui allait prendre soin de moi. ''Ne t'en fais pas, mon amour, je m'occupe de tout.'' »

Peter actionna la clef de contact et les essuie-glaces se remirent en marche.

« Inutile de poursuivre cette conversation si tu as l'intention de continuer à hurler. Nous sommes face à un problème et crier ne résoudra rien. »

La colère de Jennie retomba d'un coup. « Éteins ces saletés d'essuie-glaces, veux-tu ? Je ne m'entends pas penser. »

Il s'exécuta aussitôt et Jennie demeura un moment immobile et silencieuse. Une pensée lui traversa l'esprit.

« As-tu vu ta tante Lee, par hasard ?

— Oui. Je suis allé la voir.

— Et qu'a-t-elle dit de tout ça ?

— Elle pense que nous devrions nous marier. Elle t'a trouvée sympathique. Elle serait prête à nous prêter de l'argent.

— Vraiment ? fit Jennie, les yeux aussitôt mouillés de larmes. C'est très chic de sa part !

— Elle est ainsi faite. Très fleur bleue sous sa carapace. C'est drôle pour une lesbienne, quand on y pense.

— Là, tu n'es pas très gentil.

— Je ne voulais pas être méchant. Simplement, cela me surprend.

— Est-ce qu'elle nous aidera suffisamment pour que nous y arrivions ?

— Jennie... il n'est pas question que j'accepte quoi que ce soit de sa part. Mes parents en seraient furieux. Ils l'ont été quand je leur en ai parlé.

— Mais enfin pourquoi ? S'ils ne veulent pas nous aider, ils devraient être contents que quelqu'un d'autre se propose de le faire à leur place.

— C'est une longue histoire. Elle a toujours eu tendance à se mêler de leurs affaires. Je n'aurais même pas dû en parler.

— A eux ou à moi ? »

Il soupira. « A personne, je suppose. »

Mais il lui en avait parlé, il avait eu l'honnêteté de la mettre au courant, et elle se radoucit.

« Mon Dieu, Peter, qu'allons-nous faire ? Qu'allons-nous devenir ?

— Je ne sais pas », fit-il en contemplant la pluie.

La nuit gagnait lentement l'intérieur de la voiture. Si seulement je pouvais dormir, se dit Jennie, dormir longtemps et qu'à mon réveil tout cela soit résolu. Elle aussi regardait la rue sombre et luisante. La façade des maisons se faisant face formait un long tunnel obscur dont l'extrémité ne laissait passer nulle lumière.

Peter rompit le silence. « Si tu voulais subir un avortement, cela résoudrait tout. »

Elle fut traversée d'une vision, une image rouge, couleur de sang. Elle vit miroiter l'éclat de l'acier et tressaillit.

« Est-ce parce que cela te fait peur ? interrogea-t-il d'une voix douce.

— La douleur, tu veux dire ? Tu sais bien qu'il ne s'agit pas de ça. »

Quelques années plus tôt, elle s'était fait une fracture ouverte à l'avant-bras et, lui avait-on dit, avait courageusement enduré la douleur. Et puis un accouchement était rarement indolore.

« En ce cas qu'est-ce qui te retient ? Est-ce que tu peux me le dire ?

— Je te l'ai dit du mieux que je pouvais.

— Cela se pratique très communément. C'est sans grand danger. Bien que cela soit illégal. Il y a des endroits tout à fait sûrs, avec des médecins compétents. »

Elle répéta d'une voix lasse : « Peut-être est-ce la façon dont cela a été amené. Je ne peux pas. Et puis mes parents sont très religieux. »

Peter lui coupa la parole. C'était son tour d'être en colère. « Tes parents ! Tu n'es même pas fichue de leur parler ! Tu as peur de les mettre au courant. Moi au moins, je suis allé parler aux miens.

— C'est quelque chose que je t'ai déjà expliqué. »

Elle revoyait sa mère en train de lui servir de la glace quelques jours plus tôt. *On travaille toute sa vie pour offrir à ses enfants une existence convenable, et voilà ce qu'on récolte.* Jennie sentit revenir sa colère. « Tu ne veux pas comprendre. Je ne peux pas en parler à mes parents. Pourquoi ne pas nous marier, Peter ? Nous nous en tirerions d'une façon ou d'une autre. Ton père sera bien obligé de nous aider. Il ne nous laissera tout de même pas mourir de faim. Mes parents nous aideront eux aussi, dans la mesure de leurs moyens...

— Mon père me dirait d'interrompre mes études et de trouver du travail.

— Il ne ferait pas ça !

— Ah tu crois ? Tu n'en sais rien. Il a ses principes.

— Ses principes ! Je voudrais bien savoir comment ils se justifient.

— Je vais te le dire. Il considérera que si un garçon est en âge d'avoir un enfant, il est aussi en âge de l'élever.

— C'est le langage qu'ils t'ont tenu, n'est-ce pas ? Et tu les as crus.

— Reconnais qu'il y a du vrai là-dedans.

— Du vrai, mais pas de cœur. Une totale absence de cœur. Des richards au cœur sec, dit Jennie en serrant les poings. Ça évidemment, si mon père était autre chose que petit commerçant... Tu crois que je n'ai pas vu la tête de ta mère quand je lui ai annoncé ça ?

— Jennie, ça suffit. Laisse ma mère en dehors de tout ça.

— Comment la laisser en dehors de tout ça, alors qu'elle a ma vie entre les mains ?

— Faux, Jennie. Notre vie, nous en étions maîtres.

— Comment peux-tu parler comme tu le fais ? Comment s'y sont-ils pris pour te laver le cerveau à ce point ? En tout cas, s'ils sont parvenus à te faire passer dans un trou de souris, je peux te dire qu'avec moi c'est une autre affaire. Ils n'y arriveront pas. Pas plus que toi.

— Cette conversation est complètement stupide. » Il mit le moteur en marche. « Tu es toute retournée et nous n'arriverons à rien.

— Stupide est le mot. Ramène-moi au foyer. »

Elle avait envie de le frapper. Ce garçon était-il bien son Peter ? Qu'étaient devenues sa force et sa tranquille assurance ? Elle avait eu foi en lui, mais peut-être ses yeux d'opale, si doux et si séduisants, étaient-ils justement trop doux. « Trop obligeant », avait dit sa tante. Il n'était qu'un garçon craintif... Et elle ne savait plus où elle en était.

Ni l'un ni l'autre ne parla jusqu'à ce qu'ils fussent garés devant le bâtiment où logeait Jennie. Il lui posa alors la main sur l'épaule. « Remets-toi, Jennie. Nous ne sommes pas dans notre état normal. C'est pour cela que nous nous disputons. Ce soir, je vais appeler mon père et lui reparler de tout ça. »

Elle s'écarta et ouvrit la portière. « Bonne chance, dit-elle avec amertume.

— Ne sois pas si amère. Nous allons bien trouver une solution. Je t'en prie, aie confiance en moi. »

Elle parvint à faire un petit sourire. « Oui, je vais essayer.

— Je t'appelle dès que je lui aurai parlé ?

— Non, attends demain matin. Je suis épuisée. Je voudrais dormir et ne plus penser à rien pendant quelques heures.

— Entendu. Je t'appelle demain matin. Et, Jennie, ne perds pas de vue que nous nous aimons. »

Peut-être suis-je injuste, se dit-elle en montant l'escalier. Ce qui nous arrive est également horrible pour lui. Elle se sentait lasse, si lasse.

De toute la semaine qui suivit, elle ne cessa de pleurer silencieusement chaque nuit, se réveillant avec la tête lourde, se forçant néanmoins à assister à ses cours et à étudier. C'était comme d'attendre un train ou un avion à ce point retardé que l'on commence à se dire qu'il ne viendra plus. Peter était dans les mêmes dispositions d'esprit. Chaque jour, il consultait son père qui, à son tour, devait consulter son entourage.

« Il s'agit sans doute de son avocat, disait Peter. Il ne fait jamais un pas sans voir préalablement un avocat. »

Chaque jour, il voyait brièvement Jennie, toujours dans un lieu public où ils ne pouvaient se toucher. De toute façon, ils n'étaient ni l'un ni l'autre d'humeur à cela. Mais une attirance informulée se lisait dans leurs regards.

« Comment te sens-tu ? » lui demandait-il invariablement.

Elle était en parfaite santé. Son corps ne trahissait nul changement. Sans doute sa silhouette ne se modifierait-elle pas de façon significative avant la fin du trimestre.

Il y eut du nouveau à la fin de la deuxième semaine. Le père de Peter avait trouvé un établissement dans le Nebraska, un home tout à fait respectable, tenu par des religieuses, qui recevait les mères célibataires. On eût dit une résurgence du siècle passé. Jennie ignorait que de tels endroits existaient encore, mais c'était apparemment le cas. Une jeune personne y était reçue anonymement jusqu'à son accouchement. Ensuite, si tel était son désir, elle pouvait confier l'enfant aux religieuses, qui se chargeaient alors de lui trouver une famille adoptive.

« Qu'est-ce que tu en penses ? » interrogea Peter.

Ils se trouvaient une nouvelle fois à bord d'une voiture, garée cette fois devant l'entrée du zoo. Une passante s'employait à calmer son bébé, couché dans un landau, tandis qu'un petit de peut-être deux ans s'accrochait à ses jupes. Cette vision resta imprimée dans l'esprit de Jennie, après que la femme eut tourné le coin de la rue. C'était une image floue et ténue, tout en courbes sous le miroitement des feuilles nouvelles : la mère, avec sa longue chevelure pendant comme un fichu desserré, penchée au-dessus du nouveau-né ; et la tête bien ronde du garçonnet, appuyée contre la jupe rouge de sa mère. C'était une image pleine d'harmonie et d'unité.

Et Jennie sut que ce serait une de ces visions de hasard qu'elle conservait, comme elle conservait imprimé dans sa mémoire le visage de la plus belle femme qu'elle ait vue, cinq ans plus tôt, un jour qu'elle se trouvait à bord d'un tramway, ou encore le souvenir de telle matinée, où, dans le silence d'une rue matelassée de neige, elle avait tout à coup entendu les cloches d'une église et s'était tenue immobile jusqu'à ce que la dernière vibration eût cessé.

Peter répéta sa question : « Qu'est-ce que tu en penses ? »

Elle put à peine remuer les lèvres, tant était grande sa lassitude.

« Je réfléchis. »

C'étaient toujours les mêmes pensées qui lui revenaient. Le petit appartement pourrait être aménagé à peu de frais. Pour la chambre, on pourrait même prendre le mobilier de sa chambre chez ses parents. Ils n'auraient donc à acheter qu'une table et deux chaises, un bureau et quelques lampes, les affaires du bébé et un peu de peinture jaune, une couleur ensoleillée pour agrémenter le coin où celui-ci dormirait. Il faudrait si peu de chose...

Mais Peter ne l'entendait pas ainsi. Sans doute me serait-il possible de lui forcer la main, se disait-elle. Dieu sait que cela arrive communément. Cependant, vivre de la sorte, à contrecœur... élever un enfant dans ces conditions... Nul doute que le petit finirait par s'en ressentir...

« Où en es-tu de tes réflexions ? » Il lui prit la main. « Tu es toute froide. Ma pauvre Jennie. Oh, ma pauvre petite Jennie. »

Elle se mit à pleurer. Elle était jusqu'alors parvenue à confiner ses larmes au secret de son lit, mais voici qu'elles se déversaient tout à coup de manière incontrôlable.

Il lui fit poser la tête sur son épaule. « Ma chérie, ma chérie, murmurait-il en lui embrassant les cheveux. Si tu savais comme je m'en veux... Quel foutu crétin je suis de t'avoir mise dans cet état... Je te le répète, Jennie, nous en aurons, des bébés. Tu seras avocate et nous aurons un chez nous. Nous aurons tout ce que nous voudrons. Ne vois-tu pas que ce sera bien mieux pour cet enfant ? Il grandira dans une famille harmonieuse... il y a tant de couples qui désirent un enfant et ne peuvent pas en avoir, des couples plus mûrs que nous et qui sont prêts à s'en occuper convenablement. Nous ne sommes pas prêts pour cela, ne le vois-tu pas ? »

Il la serrait tout contre lui et répétait, comme pour en renforcer l'exactitude, ce qu'il lui avait déjà répété tant et plus.

Une famille harmonieuse, se disait-elle. Prêts à s'en occuper convenablement. Cela n'a rien à voir avec la mort. C'est la vie. Donner la vie. Elle crut sentir la vie se mouvoir au creux de son être, quoique cela fût bien sûr absurde, puisque des mois passeraient encore avant qu'elle éprouvât quoi que ce fût. Néanmoins, la vie était là, en elle.

Au bout d'un long moment, ses pleurs s'arrêtèrent sur un long soupir final.

« Oui, murmura-t-elle, je suppose qu'il doit en être ainsi.

— Voici comment nous allons procéder, dit aussitôt Peter. Tu seras à terme, dis-tu, aux alentours du 1er novembre. Tu pourras te rendre là-bas au moment que tu jugeras préférable. J'ignore quel prétexte tu vas fournir chez toi ou comment tu expliqueras ton absence au début du semestre, mais tu trouveras bien quelque chose.

— Oui, je trouverai quelque chose, fit-elle tristement.

— Tu pourrais peut-être raconter que tu t'es inscrite pour un cursus supplémentaire ou que tu as décroché une bourse pour un séjour linguistique en France. Je ne pense pas que... je veux dire, est-ce que tes parents sont au fait de tout ce qui est matières supplémentaires, unités de valeur, etc. ?

— Non, tu sais bien que non.

— Alors tu n'auras pas de problèmes de ce côté-là.

— Oui.

— Et puis, tu seras de retour ici pour la seconde moitié de l'année. Nous serons de nouveau ensemble. »

Ainsi se parlaient-ils. Cela leur était nécessaire, comme pour replâtrer les lézardes de leur relation. Par brefs intervalles au milieu du tumulte des examens finals, ils se raccrochaient l'un à l'autre, s'assurant l'un l'autre que tout était comme avant, que tout était bien. Puis ils rentrèrent chez eux, Peter en Georgie, Jennie à Baltimore. Il était convenu qu'il reviendrait avant le commencement du second semestre afin de la voir au moment de son départ pour le Nebraska.

Les semaines passant, elle avait pris un peu de poids, ce qui faisait plaisir à sa mère.

« Tu vois comme tu es belle dès que tu es un peu remplumée ? J'espère que tu ne vas pas te remettre au régime. » Puis, changeant de sujet : « J'espère que tu ne fais pas une bêtise en allant suivre les cours d'une autre université. Je ne connais rien à ce que vous appelez des unités de valeur, mais je connais les hommes. Quand on a un petit ami comme Peter, il semble déraisonnable de s'en éloigner. Je sais bien que ce n'est que pour quelques mois, mais quand même », dit-elle tout en repassant les minijupes de Jennie, déjà un peu justes à la taille.

Mr. Rakowsky leva les yeux de son journal. « Ne t'en fais pas pour ça ; d'ici son mariage, elle aura plus d'un amoureux. »

Aux yeux de son père, Jennie était un miracle de beauté et d'intelligence. Elle était la perfection même.

« Oui, ne vous en faites pas pour moi. Tout va très bien. »

Sa mère la regarda, sourcils froncés. « Je m'en fais, figure-toi. Qui ne s'en fait pas pour son enfant ? Tu comprendras cela quand tu en auras un. » Elle paraissait soudain très âgée. « Je t'aime, ma Jennie. »

La jeune fille avait une boule dans la gorge. Elle dut se détourner et se pencher sur sa valise. « Moi aussi je t'aime, maman. Je vous aime tous les deux. »

Ils se retrouvèrent à Philadelphie, la veille du jour où partait l'avion de Jennie. Peter loua une voiture et, quittant City Line Avenue, ils prirent la grand-route pour gagner le motel où ils avaient fait l'amour la première fois. Ils dînèrent en silence dans un restaurant lugubre qui se trouvait de l'autre côté de la route. Tenant son hamburger entre ses mains agitées de tremblements, il en mangea la moitié, puis le reposa dans l'assiette.

« Comment te sens-tu, Jennie ?

— Bien. Tout à fait bien.

— Il vaut peut-être mieux que je te donne les billets et les papiers avant que je ne les égare. Tiens, mets-les dans ton sac. Tout est là, les relevés de compte et l'argent liquide. Il devrait y avoir suffisamment. Ta prise en charge là-bas est déjà payée. Aussi n'auras-tu rien à débourser. Cet argent est destiné à tes dépenses personnelles. »

Elle jeta un coup d'œil au relevé. Cinq mille dollars avaient été déposés sur un compte à son nom.

« Tout cela est ridicule, dit-elle. C'est beaucoup plus que ce dont je vais avoir besoin. Il va me falloir une paire de robes de grossesse et c'est à peu près tout. Je vais porter mes corsages en laissant déboutonnés les boutons du bas. »

Il fixait le mur derrière elle. Il était au comble de la gêne. La question des vêtements de grossesse était trop intime pour lui qui connaissait chaque partie de son corps.

« Ce qu'il peut être jeune ! » se dit-elle, se sentant tout à coup solide et mûre, pleine de fierté.

« Tu auras plus en cas de besoin, dit-il, ignorant son objection. Il faut reconnaître ça à mon père. Il est généreux, il l'a toujours été. »

Généreux ? Pas une visite, pas une lettre, pas même un petit coup de téléphone pour témoigner de sa sympathie ou la prendre en compte en tant qu'être humain.

« Bien sûr, tu as leur adresse. Contacte-les si tu as besoin de quoi que ce soit. Quoi que ce soit.

— Je t'ai dit que je n'aurai besoin de rien.

— On ne sait jamais. J'aurais aimé que tu acceptes plus, mais tu as dit trouver cela insultant.

— C'est ce que je pense. » Elle se redressa sur sa chaise. « Veux-tu me commander un autre verre de lait ? Je n'ai pas eu ma dose quotidienne. »

Il se mit à rougir. « Oui, bien sûr. »

Ainsi le régime prénatal lui était aussi source de gêne. Étrange. Non, ce n'est pas si étrange, quand on y réfléchit, se dit-elle en prenant le verre de lait. Après tout, c'était à elle qu'incombait de nourrir ce... cet être. Présentement, le petit être bougeait, se ramassant sur lui-même, étirant bras ou jambes, cherchant une position confortable. Elle eut un sourire.

Il s'en aperçut. « Qu'est-ce qu'il y a ?

— Il a bougé.

— Ah ? J'ignorais qu'ils bougeaient.

— Si, ils bougent. C'est bien connu. »

Il baissa la tête, l'air malheureux.

« Il y a du nouveau au sujet de ta grossesse ? demanda-t-il après un moment.

— Je le porte autour de la taille, a dit le médecin.

— C'est une bonne chose ?

— Oui.

— Ah, tant mieux.

— Il me faut un dessert.

— Oui.

— Un fruit. Une pomme cuite, s'ils en ont. »

Il la regardait manger sa pomme. Elle se disait qu'elle se rappellerait ce moment, cette heure, cette journée, qu'elle se souviendrait toujours de ce courant d'air frais, qui entrait dans le restaurant en même temps que le bruit du tonnerre, de l'orage approchant, de la façon dont, dans la nuit tombante, la lumière mouchetait la poussière déposée sur l'appui de la fenêtre... Un homme se leva pour aller prendre un petit pain sur le comptoir. Il revint s'asseoir et posa les pieds sur sa lourde valise de représentant de commerce, posée près de sa chaise. Elle l'entendit soupirer. Il ressemblait vaguement à son père.

« L'orage ne va plus tarder à éclater, dit Peter. Nous ferions mieux de nous dépêcher de regagner la chambre. »

Le lit, assez large pour accueillir trois personnes, était recouvert d'un abominable dessus-de-lit vert cru. Le poste de télévision lui faisait face et braquait son gros œil vide sur la chambre sans prétention. L'endroit ne leur avait pas paru aussi terne, la première fois. Et cependant, c'était bien le même. Mais rien n'importait alors que notre amour, notre désir, se dit Jennie. Nous étions peu soucieux de ce qui nous entourait. Il a déboutonné ma robe, ma robe de laine rouge, que j'avais achetée pour l'occasion. Il m'a ôté mes chaussures et dégrafé mon soutien-gorge. Je me souviens de tout, du contact des vêtements, de cet instant où je me tenais debout face à lui, fière de cette expression que je faisais naître dans ses yeux. Je me souviens de tout.

« Est-ce que j'allume la télé ? demanda-t-il. Y a-t-il quelque chose que tu veux voir ?

— Pas spécialement, non. Mais si tu as envie de regarder quelque chose, ne te gêne pas.

— Ma foi, il est encore un peu tôt pour dormir.

— Je vais prendre une douche chaude. Je suis gelée, tout à coup.

— C'est que l'été tire à sa fin. »

Bizarrement, ils semblaient incapables d'énoncer autre chose que ces propositions banales pour exprimer les sentiments qui eussent dû bouillonner en eux.

Nous avons perdu ce que nous avions. Du moins moi l'ai-je perdu. Où donc est passé notre amour ? Est-il gelé ? Cela signifie-t-il qu'il se dégèlera un jour ?

Sur le lit, pelotonnée dans sa sortie de bain, elle regarda une dramatique. Une de ces solides productions anglaises, avec une merveilleuse distribution et de superbes décors tout en prairies et chemins creux, vieilles demeures pleines de portraits, de feux ronflants dans de grandes cheminées sculptées, devant lesquelles sommeillent des chiens de chasse. Un monde de stabilité, de sécurité. Arrivait-il que des êtres s'y sentissent seuls et perdus ?

Elle avait un œil sur l'écran et l'autre sur Peter. La lueur bleutée éclairait vaguement la chambre obscure et jouait sur le visage du jeune homme. Il est si jeune, se dit-elle une nouvelle fois. Trop jeune pour avoir su tenir tête à sa famille. Mentalement, je suis plus vieille que lui. Pourquoi cela ? En va-t-il toujours ainsi entre un homme et une femme ? Tant de questions sans réponses ! Qu'est-ce que cela change ? Les choses sont ainsi. Nous sommes ainsi faits. Il est sous la coupe de sa famille. Et je le suis moi aussi, quoique pour d'autres raisons. Nous sommes en 1969 et les gens comme nous font des choses dont on n'entendait pour ainsi dire jamais parler il y a dix ans. Ces gens qui font sans crainte, sans honte ce dont ils ont envie, sont peut-être issus de ce qu'on appelle les milieux progressistes, de familles qui leur ont inculqué ces types de comportement. Je ne sais pas. En tout cas, ils sont la minorité, même s'ils sont abondamment évoqués dans la presse.

La pièce venait de prendre fin.

« Superbe, commenta Peter.

— Les Anglais sont des maîtres en la matière.

— Un jour nous irons en Angleterre. Les Cotswolds, la Région des lacs, la lande. Tu adoreras. »

Il l'enlaça et elle comprit qu'il comptait qu'elle réponde à cet élan de tendresse. Elle posa la tête sur sa poitrine. Quelques larmes refroidies tombèrent sur sa tempe. Le désir, comme le chagrin, s'était éteint en elle. Elle était comme engourdie. Tel était l'effet de la tension et de l'angoisse. Elle avait lu quelque part que les femmes enceintes éprouvaient autant de désir sexuel que les autres. Sans doute était-ce le cas lorsque leur grossesse était heureuse. Lorsqu'elles pouvaient envisager un avenir serein avec leur partenaire.

Voici qu'elle se remettait à frissonner. Il lui caressa les cheveux. « Jennie, ma Jennie, tout va bien se passer. Tu vas revenir et tout reprendra comme avant. »

Il lui avait tant de fois répété ces mots ! Elle l'avait cru, elle avait voulu y croire. Tout à coup, elle comprit que rien ne serait plus comme avant. Elle n'aurait su dire d'où lui était venue cette certitude que tout était terminé. Croyait-il réellement qu'ils iraient en Angleterre ensemble ? Sans doute cherchait-il à s'en persuader.

Quand quelque chose se meurt, on ne devrait pas en prolonger l'agonie. Peur et angoisse ont blessé ce que nous partagions. Il faut maintenant que cela s'éteigne paisiblement.

Il la serrait contre lui. Ils se tenaient embrassés. Au bout d'un moment, ils s'endormirent.

Au matin, il la conduisit à l'aéroport. Suivant la rampe d'accès après une ultime étreinte, elle se retourna pour le regarder. Il remua les lèvres pour dire : « Je t'écris. » Il leva la main pour lui faire un geste d'encouragement.

Elle sut alors qu'elle ne le reverrait jamais.

L'établissement, ancienne villégiature d'un riche Géorgien, était spacieux avec de très longues ailes. La chambre de Jennie comptait parmi les meilleures. C'était une pièce unique donnant sur un océan de frondaisons rouge et or d'érables et de chênes. Une des fenêtres donnait sur une voie latérale, en sorte qu'il lui était possible d'épier les entrées et les sorties. Certaines des pensionnaires qui, comme elle, venaient se cacher ici, étaient toutes jeunes et ne devaient pas avoir plus de quatorze ans. C'était un défilé de Lincoln, de Cadillac et de Mercedes, de parents bien mis et de bagages coûteux. Cet endroit devait être hors de prix. Il est vrai que les parents de Peter étaient des gens pleins de générosité.

Elle était si recrue de solitude ce premier soir, qu'elle dut se forcer à raccrocher le téléphone, sur lequel elle avait commencé de composer le numéro de ses parents. « Maman ! Papa ! se disait-elle. Aidez-moi, je voudrais tout vous raconter ! » Puis elle pensait à l'état de santé de son père, à ses reins malades, au loyer du magasin. Qu'adviendrait-il d'eux, s'il ne pouvait plus travailler pour cause de maladie ? Non, elle devait traverser cette épreuve par elle-même.

Mais cette ferme résolution n'était pas suffisante. Lorsqu'elle s'éveilla le lendemain, un ciel bas, tout gris, occultait le soleil. Elle aurait voulu rester au lit, couvertures ramenées sur la tête et dut se faire violence pour se lever. Où était ce courage qui, jusqu'alors, l'avait aidée à tenir ? Elle était tenaillée de vagues angoisses. L'avenir était un grand vide. Lorsque l'enfant serait né, qui serait-elle ? Quel genre de personne serait Jennie Rakowsky, et quels buts aurait-elle ?

Le cœur glacé, environnée d'un voile lugubre, elle commença cependant de se plier à une routine convenue. L'endroit était agréable et les gens plaisants. Nul ne posait de questions. Certaines des jeunes femmes qui étaient là souhaitaient engager la conversation, tandis que d'autres préféraient ne pas s'épancher. Promenant le regard à travers la salle à manger, Jennie se disait que toutes ici avaient essentiellement la même histoire, mais que chacune était cependant un cas particulier. Il s'agissait de variations sur un même thème.

Peter lui écrivait. Ses lettres étaient pleines de promesses et d'exhortations à prendre bien soin d'elle-même. Il les concluait par des séries de X en manière de baisers. Des lettres sans substance auxquelles elle répondait par des banalités : *L'endroit est plaisant, la nourriture est excellente, je vais bien.* Réponses également sans grande teneur. A la quatrième ou cinquième lettre de lui, elle ne se sentit plus la force de répondre.

Dans le courant de la seconde semaine, elle fut envoyée

devant une conseillère. Mrs. Hurt était une jeune femme réfléchie, dont le bureau était tapissé de diplômes. La première entrevue fut consacrée à des questions d'ordre pratique, le médecin, l'accouchement et les possibilités d'adoption. Lors de la séance suivante, Jennie hasarda quelques confidences.

« N'est-il pas honteux de ma part de ne pas répondre à ses lettres ? C'est que cela me paraît tellement vain. Je ne comprends pas ce qui est arrivé. Où est passé notre amour ? Je voulais vivre le reste de ma vie à ses côtés. J'aurais donné ma vie pour lui. Et aujourd'hui... » Elle s'enfouit le visage entre les mains.

« Cela fait du bien de pleurer », dit Mrs. Hurt.

Mais Jennie avait les yeux secs. « J'ai beaucoup pleuré. A présent, j'en suis incapable. Bien pire, j'ai l'impression que plus rien n'a d'importance. J'ai même arrêté de penser au bébé, alors que jusqu'ici, je faisais bien attention de m'alimenter convenablement pour qu'il soit en bonne santé. A présent, je n'ai plus d'appétit et je ne me force même pas à manger.

— Même si, présentement, plus rien ne vous semble important, il y a une chose qui importe, c'est *vous-même.* » Mrs. Hurt parlait d'un ton à la fois doux et péremptoire. « Vous êtes tout ce que vous avez, Jennie. En avez-vous bien conscience ? Le *moi*, c'est tout ce que chacun de nous possède vraiment. S'il s'effondre, alors nous n'avons plus rien à offrir à autrui. Si vous n'avez pas envie d'écrire ou de parler à quelqu'un, c'est votre décision et vous pouvez vous y tenir légitimement et sans en concevoir aucune culpabilité. »

Jennie releva la tête. Si sa mère avait été comme cette femme, peut-être aurait-elle pu lui dire la vérité. Mais cette petite dame n'avait sûrement pas été marquée des blessures de sa mère, elle n'avait pas perdu ses parents dans les chambres à gaz ni franchi les Pyrénées en compagnie d'inconnus.

« Je vous remercie, dit-elle simplement.

— Tout vous est objet de culpabilité, Jennie. Au premier chef, ce qui vous a amenée ici. Mais aussi vos parents, l'interruption de vos études. Et aussi votre colère, car vous bouillez de colère, même si vous ne voulez pas l'admettre. Reconnaissez quand même que vous avez des raisons d'être en colère ! Voilà pourquoi vous êtes déprimée.

— Cela se voit que je suis déprimée ?

— Bien sûr. Des dépressions, je ne vois que cela ici. Savez-vous, Jennie, que la dépression est une colère que l'on retourne contre soi ?

— Non, je ne savais pas.

— Si la vôtre ne se résout pas d'elle-même très bientôt, nous lui donnerons un coup de pouce. Mais j'ai le sentiment que vous allez réagir. Vous êtes quelqu'un de solide. Vous allez vous en sortir. »

Et effectivement un matin, en se réveillant, Jennie s'aperçut que le nuage gris n'était plus sur elle. Il n'était certes pas exclu qu'il revienne, mais pour lors, il avait disparu. Elle alla ouvrir la fenêtre et découvrit avec plaisir le paysage hivernal des pelouses et des arbres couverts de neige, des passereaux voletant autour du distributeur de graines. Elle avait grand appétit et eut envie d'aller se promener dans l'air vif. Nombre de pensionnaires, dont elle-même, évitaient la galerie commerciale, craignant que les gens ne les dévisagent et ne cherchent à deviner d'où elles venaient. Ce matin-là, peu lui importait.

« Essayez de mettre ce séjour à profit, évitez de perdre votre temps, lui avait dit Mrs. Hurt. Pourquoi n'achèteriez-vous pas quelques livres, pour prendre de l'avance dans les matières que vous aurez en février, quand vous retournerez en fac ? »

C'est ainsi qu'elle opéra son premier retrait sur le compte que les Mendes avaient approvisionné pour elle. Puis elle alla musarder dans une librairie. Elle y acheta le *Lincoln* de Sandburg, le théâtre de Tennessee Williams et un gros roman de parution récente. De retour dans sa chambre, elle déposa tous ces livres sur la commode pour les couver du regard, car elle n'aurait pas à les ramener à une bibliothèque. Puis elle s'assit avec une boîte de chocolats et se mit à lire.

Arriva une lettre de Peter. Il allait intégrer, en février, l'université Emory, à Atlanta. Il ne comprenait pas pourquoi elle n'avait pas répondu à ses dernières lettres. Si quelque chose n'allait pas, il fallait qu'elle le lui dise.

Ainsi, il allait se rapprocher de chez ses parents. Ceux-ci

pourraient l'avoir à l'œil. Elle tenta d'imaginer les conversations qu'ils pouvaient avoir. Autour de la grande table de la salle à manger ? Non, car Spencer, leur domestique noir, les aurait entendus. Peut-être devant la cheminée, sous le portrait de leur ancêtre. Ou peut-être ramenaient-ils leur fils à la raison dans la pièce au tapis à ramages. Le pauvre garçon. Elle n'était que mépris pour ces gens.

Se pouvait-il qu'il fût sincère lorsqu'il parlait de leurs retrouvailles, lorsqu'il disait que leur relation reprendrait comme avant, comme s'il ne s'était rien passé ? Oui, sans doute parvenait-il à y croire ; c'était bien plus facile ainsi.

Le terme de la grossesse approchait. Pensant de moins en moins au père de son enfant, elle tournait de plus en plus ses pensées vers ce dernier et tous les bébés qui, dans cet établissement, allaient naître pour être aussitôt abandonnés. Tout, dans la prime destinée de ces petits êtres, était accidentel ! Depuis leur conception même jusqu'au moment où ils étaient confiés à des étrangers dont ils hériteraient le passé, tout n'était que hasard. Mais le hasard ne présidait-il pas également à la destinée des enfants désirés ?

Un matin, elle fut appelée chez Mrs. Hurt et accueillie par un sourire exceptionnellement radieux.

« Jennie, nous avons un couple désireux d'adopter votre bébé. Des gens merveilleux, ayant vraiment le profil idéal. Voulez-vous que je vous parle d'eux ? »

Jennie croisa les bras sur son petit ventre pointu, qui faisait penser à l'extrémité d'un melon d'eau. Elle sentit l'enfant bouger sous ses mains. Était-ce une mise en garde, une supplique ?

Mrs. Hurt la fixait d'un regard pénétrant. Sans doute lut-elle sur son visage ce qu'elle disait à son enfant : *Non, je ne peux pas, je ne peux pas me séparer de toi... Seigneur, dites-moi comment j'y arriverai...*

« Êtes-vous bien sûre de vouloir aborder ce sujet aujourd'hui ? Nous pouvons très bien remettre cela à plus tard. »

Il le faut bien, non ? Tu ne peux faire machine arrière, Jennie. Tu ne veux pas le faire, mais tu sais que c'est la seule solution, tu y as réfléchi des milliers de fois.

Elle releva la tête, redressa ses épaules voûtées et dit d'une voix claire : « Non, allez-y, parlez-moi de ces gens.

— Lui est médecin. Elle est bibliothécaire et projette d'arrêter quelques années, le temps que l'enfant soit d'âge scolaire. Ils n'ont pas la trentaine, mais cela fait sept ans qu'ils sont mariés et ils ne sont pas parvenus à avoir un enfant. Ils forment un couple très tendre. Ils voyagent, ils aiment les sports d'hiver et les randonnées en montagne. » Mrs. Hurt marqua une pause.

« Poursuivez », dit Jennie. *Une bibliothécaire. Il y aura des livres chez eux.*

« Comme vous savez, nous nous efforçons d'assortir l'enfant et sa famille d'adoption, cela, si possible, jusque dans l'apparence physique et le milieu socio-culturel. Ces gens ont les cheveux bruns. Elle les a bouclés, comme vous. Ils sont de taille moyenne et, bien sûr, en bonne santé. Tous deux sont juifs. Voulez-vous en savoir plus ?

— S'il vous plaît.

— Ils vivent dans l'Ouest. Ils ont une très belle maison. Ils ne sont pas milliardaires, mais l'enfant ne manquera de rien. Le jardin est vaste, l'école voisine est très bien. Ils ont une grande famille, très soudée — grands-parents, oncles et tantes, cousins. Nous avons fait une enquête très poussée.

— Je suppose qu'ils se sont renseignés sur mon compte et sur celui du... père ?

— Bien évidemment. Et ils sont très désireux d'accueillir votre enfant. »

Jennie acquiesça de la tête. Comme c'était étrange. Ils vont l'emporter avec eux, et nos neuf mois passés ensemble s'évanouiront comme s'ils n'avaient jamais été.

« Si vous le souhaitez, vous aurez tout le temps de vous raviser après la naissance.

— Non. Il ne peut pas en être autrement. Vous le savez bien.

— Il peut toujours en être autrement. Cependant, je pense que nous sommes convenues que c'était la meilleure solution.

— Je pense que... » Jennie avala sa salive. De façon inattendue, sa gorge se nouait. « Vous direz au médecin que je ne veux pas voir l'enfant. »

Le regard de Mrs. Hurt était plein de bonté. « C'est sans doute préférable, dit-elle d'une voix très douce. C'est souvent ce que nous conseillons en pareilles circonstances.

— Oui. Donc, vous veillerez à en avertir le médecin ?

— Oui, Jennie, je le lui dirai. »

Jennie se surprit plusieurs fois, dans la galerie marchande, à glisser un œil à l'intérieur des landaus, à engager la conversation avec quelque jeune maman, simplement afin de regarder à loisir son nouveau-né. Et de s'abîmer dans la contemplation d'un petit être de quatre kilos endormi ou gigotant sous les couvertures. Chaque fois, elle oscillait entre sa résolution, à laquelle elle était si douloureusement arrivée, et le terrible chagrin de devoir se séparer de ce qui, pour l'instant, faisait aussi étroitement partie de son être que ses bras ou ses jambes.

Un jour, sur le chemin de la librairie, elle entra dans un magasin pour acheter un molleton jaune et une capote de poussette assortie.

« C'est pour une amie, dit-elle, aussitôt frappée par cette négation criante de son propre état. Je voudrais qu'elle l'ait avant la naissance du bébé. Le jaune conviendra quel que soit le sexe, non ? Et je voudrais aussi ce bonnet, celui qui est brodé. »

La vendeuse considéra le vieux manteau de Jennie, qui maintenant fermait à peine sur le devant. « Celui-ci n'est pas donné. Il est brodé à la main.

— Je vais le prendre. »

Une pensée amère traversa l'esprit de la jeune femme. Ce qu'il y avait de plus cher — pourquoi pas ? — pour le petit-enfant des Mendes. Elle réprima cette pensée. C'est mesquin, Jennie, et indigne de toi.

Ce soir-là, elle examina longuement son visage dans le miroir. Celui de l'enfant aurait-il quelque chose d'elle ? Peut-être serait-il ovale comme le sien ou bien carré comme celui de sa mère, avec des yeux de myope, ou les yeux d'opale de Peter, ou encore — à Dieu ne plaise — les yeux acérés de la mère de ce dernier...

Puis elle prit du papier et se mit à écrire.

Mon cher enfant.

J'espère que tes parents nourriciers te remettront ceci quand tu seras en âge de comprendre. Celle qui va te mettre au monde et — elle écrivit d'abord « l'homme », mais préféra mettre « le garçon » — *qui t'a engendré ne sont pas de mauvaises personnes, mais ils se sont montrés irréfléchis, ce que, je l'espère, tu ne seras jamais. Nous étions trop jeunes pour te trouver une place dans notre existence. Peut-être aussi étions-nous égoïstes et soucieux de ce que rien ne vienne déranger nos projets. Certaines personnes voulaient que je me débarrasse de toi, que j'avorte, mais cela je ne l'aurais pas pu. Tu grandissais déjà en moi, et il fallait que je te laisse vivre et te développer. Ta vie ne m'appartenait pas. J'espère de tout mon cœur qu'elle sera merveilleuse. Je vais te confier à des gens merveilleux, qui te désirent et feront plus pour toi que je ne le pourrais. J'espère que tu comprendras que je fais cela par amour pour toi, même si cela ne ressemble guère à une preuve d'amour. Crois-moi, mon fils ou ma fille, ce n'est rien d'autre que cela. Rien d'autre.*

Puis, sans l'avoir signé, elle déposa le billet sur le bonnet brodé, referma la boîte et renoua le ruban de taffetas.

Elle fut conduite en salle d'accouchement au milieu de la nuit. La délivrance eut lieu rapidement. Peu avant l'aube, au terme de quatre heures d'une souffrance de plus en plus intense, après de longues minutes d'agonie au cours desquelles elle se mordait les lèvres jusqu'au sang et agrippait de ses mains moites le rebord du lit, elle eut une ultime et atroce contraction. Puis, abruptement, elle se sentit soulagée. Et, gisant là, libérée et pantelante, elle entendit un cri qui était comme une plainte, puis très haut au-dessus d'elle, à ce qu'il lui sembla, une voix lointaine qui disait : « C'est une fille, Jennie, une jolie petite fille. Elle fait trois kilos deux. »

Recrue de fatigue, elle se haussa sur un coude pour distinguer une forme vague qu'une sage-femme ou un médecin, quelqu'un en blanc, emportait enveloppée dans un linge.

« Est-ce qu'elle a tout ce qu'il lui faut ? interrogea-t-elle dans un souffle.

— Tout ce qu'il lui faut. Dix doigts, dix orteils et de bons poumons. Vous l'avez entendue pleurer.

— Aucun défaut ?

— Pas le moindre. Elle est parfaite. Vous avez bien travaillé, Jennie. »

Elle rentra chez ses parents. Elle retira l'argent de la banque, plus de quatre mille dollars, n'en ayant jusqu'alors dépensé que cinq cents. Elle songea d'abord à retourner ce solde accompagné d'une lettre pleine de courtoisie et de froideur afin d'exprimer son indépendance et son mépris, puis elle se ravisa. Sois pragmatique ! s'intima-t-elle. Sa mère lui avait toujours recommandé d'avoir le sens des réalités, et cet enseignement n'avait pas été tout à fait vain. Cet argent lui servirait à mener à bien ses études. L'été prochain et les suivants, elle travaillerait et mettrait de côté tout ce qu'elle pourrait. Et, en y ajoutant le peu que ses parents lui donneraient, elle parviendrait à son but. Il fallait qu'elle y arrive. Elle y tenait plus qu'à toute autre chose.

Elle rentra chez elle en car, ce moyen de transport étant le moins coûteux. On était en novembre. Elle roula pendant deux jours à travers la froidure, suivant, entre deux étapes de rase campagne, les rues anonymes de localités décrépites. Dans le bruit des pneus sur l'asphalte mouillé, on longeait des bas-côtés jonchés de détritus, des paysages d'arbres rabougris et de décharges couleur de rouille.

Il advint que, dans un terrain vague à côté d'une habitation délabrée, elle aperçut soudain deux chevaux contre une clôture. L'un d'eux leva haut sa belle tête de bronze satiné, s'ébroua et se mit à galoper. L'autre l'imita et ils firent joyeusement la course autour de ce terrain désert et nu.

« Je me rappellerai cela, se dit-elle. C'est une de ces visions singulières qui s'impriment dans la mémoire. Peut-être est-ce un présage. »

A la maison, rien n'avait changé. Elle avait bien répété son histoire ; ses parents n'y virent que du feu.

« Nous sommes contents de te savoir désormais plus près d'ici, dit son père.

— Ce n'est pas que nous te voyions si souvent, ajouta sa mère, mais il est agréable de te savoir à à peine deux heures de route d'ici. »

Son père fit remarquer qu'elle avait perdu du poids et sa mère dit que c'était bien triste, mais qu'il n'y avait pas à raisonner les filles d'aujourd'hui, qu'elles voulaient toutes être comme des planches à pain.

« Il y a quelque chose qui me chagrine, dit encore Mrs. Rakowsky. Tu as rompu avec Peter, n'est-ce pas ? As-tu rencontré quelqu'un d'autre ?

— Oui à la première question, non à la seconde. J'ai tout mon temps, maman. Rien ne presse.

— Qui parle de te presser ? Je faisais seulement ma curieuse.

— Il ne me plaît plus, voilà tout. S'il appelle, vous lui dites que je suis sortie. Que je suis au Mexique ou en Afghanistan. »

Peter n'appela pas, mais il écrivit encore, lui demandant pourquoi elle n'avait pas répondu à sa dernière lettre. Il voulait savoir ce qui n'allait pas. Avait-elle tiré un trait sur lui ? Il se faisait du souci pour sa santé ! Il l'aimait. Et il regrettait de ne plus fréquenter la même université, même s'il espérait pouvoir faire un tour dans le Nord pendant les fêtes. En dehors de cette perspective, il n'évoquait toutefois aucun projet d'avenir.

On était bien loin des mois de bonheur et des belles promesses ! Fallait-il, pour s'achever ainsi, que toute cette histoire ait été puérile et sans force ! La nuit, le visage enfoui dans l'oreiller, elle refoulait ses larmes afin de ne pas montrer, au matin, des yeux gonflés à ses parents.

Lentement, très lentement, son chagrin faisait place à une sourde colère. Pas une fois il ne s'était inquiété du bébé ; il ne s'était enquis que de son état de santé, comme si elle eût subi une banale opération chirurgicale. Non, les Mendes ne voulaient pas entendre parler du bébé. Ils avaient fait subir un lavage de cerveau à leur fils. Pauvre et faible Peter. Pauvre bébé...

Non, la petite n'était pas malheureuse. Elle était l'objet d'amour et de soins quelque part dans cet Ouest qu'elle ne connaissait pas. Jennie jeta un coup d'œil au globe terrestre qui trônait sur sa table de travail depuis l'époque de l'école primaire. L'Ouest était immense. San Diego, les palmiers, l'océan Pacifique. Salt Lake City, entourée de montagnes enneigées. Portland, qu'on appelait aussi la Ville des roses. Il eût été plaisant de penser que la petite grandissait dans un endroit si joliment nommé.

Un jour, elle déchira les lettres de Peter en petits morceaux, donna tous les cadeaux qu'il lui avait offerts, puis s'assit à son bureau pour lui écrire une dernière lettre. Elle s'étonna d'être capable de rompre sans se répandre en récriminations. Elle ne lui dit pas un mot de l'enfant ; puisqu'il avait apparemment craint de s'enquérir de lui, il ne méritait pas d'en savoir quoi que ce fût.

L'enveloppe fermée et timbrée, elle se sentit fière et sûre d'elle. Le passé était le passé. Elle pouvait maintenant se tourner vers l'avenir. Plus de Peter, plus de bébé. Tout cela n'était jamais arrivé.

C'était cependant bien arrivé.

Que faire ? Je suis sur le point de me marier et ma vie est organisée. Pourquoi faut-il que cela me tombe dessus juste maintenant ? Pourquoi faut-il que cela m'arrive tout court ? Je t'en prie, Seigneur, fais que cela ne soit qu'un mauvais rêve...

Elle se prit la tête entre les mains et fondit en sanglots.

Après un moment, elle se leva, passa un pantalon et un blouson et sortit. Une bise glacée soufflait de l'East River, à moins que, traversant tout Manhattan, elle ne vînt de l'Hudson. Elle referma le col du blouson et se mit à marcher puis à courir. Elle allait sans but, incapable de demeurer sur place. Quand tu seras épuisée, Jennie, tu pourras rentrer.

Les rues étaient désertes. De temps en temps une voiture passait dans un chuintement de pneus et un éclaboussement de lumière, deux phares menaçants bientôt remplacés par l'éclat morne d'une paire de feux rouges. Rares étaient les fenêtres éclairées, les immeubles étaient de noires forteresses où les dormeurs s'entassaient sur trente étages. Minuit était passé depuis longtemps.

Seul le grand hôpital, masse sombre sous le ciel de nuages agités, était éveillé. Tandis qu'elle courait, la vision de toutes ces fenêtres illuminées, à une distance de deux pâtés de maisons, la distrayait de son angoisse. Lorsque, rentrant chez elle à la nuit, il lui arrivait de passer par là, elle se demandait toujours ce qu'il pouvait se passer derrière chacune de ces fenêtres.

Se dirigeant vers l'entrée des urgences, elle dut tout à coup ralentir sa course. Des voitures de police, des ambulances et un rassemblement de badauds — d'où venaient tous ces gens à pareille heure ? — encombraient le trottoir. Elle vit que l'on soulevait une civière. Des formes en blouse blanche allaient et venaient. Une nouvelle ambulance s'arrêta dans un crissement de pneus. Elle entraperçut sur une autre civière de longs cheveux noirs et, à l'endroit du visage, un épouvantable masque ensanglanté.

Le souffle brûlant, un goût de sel, celui du sang dans la bouche, Jennie détourna les yeux et, malgré elle, regarda de nouveau.

« Allez, circulez », ordonnait un policier pour disperser la foule des badauds.

Une femme pleurait, une main sur les yeux. Un homme s'éloignait en maudissant le système pénal.

« Il était en conditionnelle. Ça faisait pas dix jours qu'il était dehors. Il pénètre dans l'appartement et il égorge tout le monde. Il l'a violée d'abord. Paraît que le mari est mort... »

Ne pouvant en entendre plus, Jennie se remit à courir. Ce visage ensanglanté... Elle se mit à courir au milieu de la chaussée, loin des portes d'immeuble et des entrées de ruelle, courant comme si elle était poursuivie.

Épuisée, hors d'haleine après avoir gravi les escaliers quatre à quatre, elle referma sa porte au verrou. L'horrible spectacle entrevu devant l'hôpital avait toutefois relativisé les choses.

Comparé à cette scène macabre, à tous ces cris et ce sang, ce coup de téléphone n'était rien.

La raison reprenait ses droits. Victoria Jill Miller avait vécu dix-neuf années sans elle et pourrait certainement continuer de même. Il valait mieux pour elle qu'elle ne connaisse pas Jennie. Même si elle croyait avoir envie de rencontrer sa mère naturelle, cela n'amènerait en fin de compte qu'une crise émotionnelle. Ces associations n'étaient qu'un ramassis de mêle-tout. Que pouvaient-ils savoir de ce désespoir, de cette souffrance qu'elle avait traversés à l'époque ? Tout cela ne les regardait pas. De quel droit encourageaient-ils maintenant cette intrusion dans sa vie privée ?

J'ai tant à faire, se dit-elle. Cette affaire est d'une telle importance. Jay se sent responsable de moi. Il leur a dit que j'étais celle qu'il leur fallait ; à moi maintenant de faire mes preuves. Cela ne va pas être facile. D'après Jay, ces promoteurs forment un groupe puissant. Ils vont se battre bec et ongles. Il faut que je constitue un dossier en béton. Il n'y a pas une minute à perdre. Je m'y mets dès demain matin. Il faut que je contacte toutes sortes d'experts et d'ingénieurs, que je fasse une étude sur la circulation, les voies d'accès, les expropriations. Je vais me mettre au travail. Pas question de laisser quoi que ce soit d'autre m'occuper l'esprit.

Maintenant que j'ai refusé de la rencontrer, elle va renoncer. Sans doute ne rappelleront-ils pas. Et s'ils rappellent, je n'aurai qu'à réitérer mon refus jusqu'à ce qu'ils comprennent que c'est exclu. Mais je ne pense pas qu'ils rappelleront.

4

Deux semaines plus tard, Jennie retourna dans le centre de l'État pour la réunion de la commission pour le développement et l'aménagement. Quoiqu'elle eût le sentiment d'avoir bien préparé son dossier, elle eut du mal à se séparer de Jay.

« Je voudrais que tu m'accompagnes. Tu es certain de ne pouvoir venir ?

— Tout à fait certain. Je dois passer toute la semaine au tribunal. Tu vas très bien te débrouiller sans moi. Préalablement à la réunion, papa organise un dîner au restaurant afin de te présenter à tout le monde et d'avoir le temps d'aborder d'éventuels nouveaux aspects de la question. Tu vas tous les mettre sous le charme, ma Jennie.

— Ce n'est pas vraiment ce dont ils ont besoin. Ce qu'ils attendent, ce sont des résultats.

— Fais aussi bien que dans ton affaire de Long Island, et tu leur offriras des résultats. Allez, ne t'en fais pas. Tu vas les laisser sur le carreau, tes adversaires. »

Le *New York Times* rapportait pour le centre de l'État des températures de cinq à dix degrés au-dessous de zéro. Son manteau le plus chaud avait déjà deux ans, mais il était toujours mettable, quoique légèrement usé aux poignets. Après avoir débattu un moment de la question devant sa penderie, elle jeta brusquement le manteau à terre et sortit s'en acheter un autre. Elle eut tout à coup envie de faire une folie, ce qui ne lui arrivait que très rarement. Elle se rendit sur la Cinquième Avenue, où elle ne mit pas longtemps à trouver un superbe manteau de laine feuille morte, bordé de fourrure, et une jupe assortie. Elle fit également l'emplette d'un pull crème en cachemire et d'un corsage de soie dans les mêmes tons. Avant de rentrer, elle fit un long détour jusqu'à un glacier, un de ces magasins alors en vogue, avec une décoration fin de siècle. Elle s'y offrit une seconde folie, une montagne de glace au chocolat entourée de crème fouettée.

Si quelqu'un a besoin de réconfort, se dit-elle, c'est bien moi. Depuis deux semaines, l'angoisse n'avait jamais été bien loin. Vont-ils ou ne vont-ils pas rappeler ? De plus, elle revivait ces minutes éprouvantes qui précèdent le moment où l'on rend sa copie d'examen. Vais-je réussir ? Elle termina sa glace et rentra faire ses bagages.

Shirley, sa voisine, la regardait faire. « Cet ensemble est de toute beauté. Il faut que tu mettes tes perles.

— Mes perles ? Je me rends à une réunion d'affaires dans une petite ville.

— Tu les enlèveras pour la réunion. Elles vont parfaitement avec et le corsage et le pull. Et puis ne penses-tu pas qu'il serait bienvenu de montrer à ta belle-mère...

— Elle n'est pas ma belle-mère.

— Ne joue pas sur les mots. Elle le sera dans deux mois. Il serait bien que tu lui montres combien tu apprécies son cadeau.

— Oui, peut-être. »

Mais Jennie savait qu'elle n'en ferait rien. Pourquoi cela ? Parce que quelque chose la gênait, le fait d'avoir donné une fausse image d'elle-même, le sentiment de n'avoir pas mérité ces perles.

Le père de Jay vint la prendre à la gare et elle fit le reste du trajet à bord de sa voiture. Les champs étaient recouverts d'un linceul d'un blanc intense qui barrait de longs doigts le sommet des collines.

« La neige est en avance cette année, dit le vieil homme. Le paysage est bien différent de ce que vous avez vu la dernière fois. » Puis, lançant un coup d'œil à la jeune femme : « Vous êtes ravissante aujourd'hui.

— Merci. » Elle accepta ce compliment qui renfermait de l'approbation et n'avait rien d'une banale flatterie.

Une image fausse. Je ne suis pas ce que je parais être. Une intruse, voilà ce que je suis. Comme en Georgie, il y a dix-neuf ans.

Dix-neuf années durant lesquelles elle avait occulté tout souvenir de Peter. Cependant, un jour que quelqu'un avait laissé ouvert sur la table de quelque bibliothèque un annuaire des universitaires américains, aiguillonnée par un accès de simple curiosité et nullement émue, elle avait cherché à la lettre M. Elle était tombée sur son nom, Peter Algernon Mendes, suivi de la liste de ses diplômes et de ses travaux. Ainsi qu'il l'avait projeté, il s'était fait un nom dans le domaine de l'archéologie et enseignait maintenant, ou du moins était-ce le cas trois ou quatre ans plus tôt, à Chicago. Ainsi, se dit-elle sur le moment, comme elle se le répétait encore aujourd'hui, chacun de nous a obtenu ce qu'il désirait. Sans toutefois rien conserver de cette délicieuse passade de quelques mois. Mais était-ce bien de l'amour ? Si nous avions pu rester ensemble à l'époque, le serions-nous toujours ? En ce cas, cette fille, cette Victoria Jill — drôle de nom — vivrait avec nous au lieu de chercher à nous retrouver.

« Enid attend pas mal de monde, disait Arthur Wolfe. Notre association s'est considérablement étoffée. J'ai moi-même été étonné de voir comme ce problème a mobilisé les gens. Il y a eu un battage fou depuis la dernière fois que vous êtes venue. Les deux camps ont couvert la ville d'affiches. Bien sûr, les journaux ont pris position. Il y a une chaîne de journaux, plutôt de gauche, et qui diffuse une demi-douzaine de titres à travers tout le pays ; ceux-là se prononcent pour l'annulation du projet, mais le journal local y est favorable. Il est triste de voir que la campagne de presse ne recule pas devant les coups bas.

On a l'impression que les gens ne parlent plus que de cela et que la Russie, le désarmement ou les élections sont passés au second plan. »

La nuit était tombée lorsqu'ils arrivèrent. Des voitures étaient garées dans l'allée de la maison et sur une grande longueur de trottoir. Toutes les fenêtres étaient éclairées, ce qui conférait à la maison un air de chaleur et de confort qui contrastait avec les grands arbres sombres, agités par le vent.

Une telle maison est un havre sûr... comme il ferait bon y habiter...

On entendait du dehors un agréable bourdonnement de conversations. Enid ouvrit la porte avec une exclamation de plaisir. « Vous voilà, Jennie ! Entrez. Tout le monde est impatient de faire votre connaissance. »

Il y avait là quarante ou cinquante personnes. Jennie se dit que ces gens étaient sans doute la crème de la ville. Lui furent présentés deux médecins, le principal du collège, plusieurs professeurs, le propriétaire du grand magasin, un pépiniériste, des éleveurs. Ces personnes, qui représentaient une vaste palette professionnelle, s'accordaient sur un principe, celui de préserver pour l'avenir un cadre naturel.

De présentations en présentations, Jennie fut dirigée par le père de Jay jusqu'à la salle à manger, où un grand buffet avait été dressé devant le feu de bois.

« Comme vous l'avez remarqué, pas un seul avocat, dit Arthur Wolfe, tandis qu'ils garnissaient leur assiette de dinde, de maïs et de salade. Comme je vous l'ai dit, ils se gardent bien d'épouser notre cause. Ils n'y voient pas d'argent à gagner. »

Jennie eut un sourire. « Et c'est pour cela que vous avez dû aller en chercher un aussi loin que New York.

— Oui, et nous nous réjouissons de vous avoir trouvée. Jay m'a dit que vous avez travaillé d'arrache-pied pour réunir des avis d'experts.

— Cela n'a pas été trop difficile. Par bonheur, les ingénieurs auxquels je m'étais adressée pour l'affaire de Long Island se sont montrés très coopératifs. Ils seront là ce soir. »

Un air admiratif passa sur le visage du vieil homme. « Il va falloir que je félicite mon fils. Il a toujours su juger les êtres. Venez, j'aimerais que vous passiez quelques minutes avec notre meilleur ami au conseil municipal. Je vous ai présentés lorsque vous êtes arrivée, vous vous souvenez ? George Cromwell, c'est lui là-bas, auprès de la femme en jupe écossaise. Il est dentiste. Il a l'énergie que je possédais il y a encore quelques années. »

Vêtu comme tout le monde ici d'un pantalon de laine, d'un pull et de chaussures à grosses semelles, Cromwell avait une opulente chevelure blanche qui contrastait avec un visage rond et lisse, trop jeune pour son âge.

« Je pense qu'il serait bon que vous vous entreteniez de questions de stratégie, dit Arthur Wolfe. Pourquoi n'iriez-vous pas dans la véranda ? Je vais veiller à ce qu'on ne vous dérange pas.

— Puis-je vous appeler Jennie ? commença Cromwell. Moi, ce sera George.

— Bien sûr.

— Je crois que des félicitations sont de mise. Il paraît que cela n'a encore rien d'officiel, mais comme je suis un vieil ami, les Wolfe m'ont mis dans la confidence. Ce sont des gens merveilleux, vous savez. Ils n'ont rien d'estivants. Non que nous ayons beaucoup d'estivants par ici, étant trop loin pour les attirer. Ils ont su se faire adopter par la population et ont fait montre d'une grande générosité envers les œuvres de la police et le corps des pompiers volontaires. D'ailleurs lorsqu'il était plus jeune, Arthur a fait partie de ces derniers. »

Jennie regarda sa montre, ce qui n'échappa pas à Cromwell.

« Oui, passons aux choses sérieuses. Y a-t-il quelque chose que vous vouliez me demander ?

— J'aimerais en savoir plus sur les personnes qu'il me faudra tout spécialement tenter de persuader.

— Eh bien, il y a le maire, bien évidemment. Ça, il ne serait pas mauvais que nous l'ayons de notre côté. La plupart des autres se soumettent à ses décisions. »

Jennie eut un hochement de tête. « Parce qu'il fait la pluie et le beau temps, nomme le chef de la police, etc.

— Je vois que vous êtes au fait de ces choses. Cependant

il faut que vous sachiez que notre maire... enfin je dois vous avouer que je ne l'apprécie pas beaucoup. Il ne m'a jamais plu. Chuck Anderson — c'est comme cela qu'il s'appelle — possède deux stations-service, une en ville, l'autre du côté du lac. Il ressemble à son prénom. Je ne sais pas pourquoi ce nom de "Chuck" m'évoque toujours quelqu'un de buté. Mais on peut toujours se tromper. Tenez, ce nom de "Jennie" me fait penser à un petit oiseau, et vous n'avez certes rien d'un petit oiseau. »

Jennie maîtrisait son impatience. « Parlez-moi des membres de la commission pour le développement et l'aménagement.

— Ils seront tous là ce soir. La commission est un panachage. Elle est composée pour une part des personnes les plus fortunées du coin et pour une autre des partisans d'Anderson. Mais il ne s'est jamais beaucoup fait de soucis à propos de la commission, parce que ses membres sont tous des bénévoles. Voyons voir, il y a un libraire, il y a Jack Fuller, qui a la plus importante exploitation laitière du coin. Ceux-là seront de notre côté.

— Et les autres ?

— Eh bien, pour être franc, cela va dépendre de vous. Saurez-vous les convaincre, les mobiliser ? Je crois que vous avez déjà connu ce genre de situation. Dans un premier temps, ils vont être surpris de voir une femme. Dans cette ville, nous n'avons jamais eu d'avocate. »

Oh ! là ! là ! se dit Jennie, non sans amusement.

« Vous savez, le conseil municipal peut annuler toute décision prise par la commission. Aussi, même si vous vous gagnez cette dernière, il vous faudra encore compter avec le conseil. Il sera là au grand complet. »

Arthur Wolfe ouvrit la porte et passa la tête à l'intérieur. « C'est l'heure. Il paraît qu'il y a foule et qu'on a dû transporter la réunion dans l'auditorium du lycée.

— Sapristi ! fit Cromwell en secouant la tête. Eh bien, Jennie, vous allez avoir une salle à votre mesure. »

L'aire de stationnement était presque entièrement occupée, et une foule importante de gens en bottes et bonnet de laine était déjà en train de gravir le perron d'un lycée en briques rouges et crépi blanc, typique des petites villes de ce pays.

Arthur Wolfe se mit à rire. « Non, mais regardez-moi ça ! » Il montrait, garée dans le passage, une vieille voiture toute cabossée, maculée de neige sale et placardée d'écriteaux : *Je me fous des canards. Je choisis le parti des gens et au diable les ratons laveurs.*

Enid s'en inquiéta. « Tout cela prend un tour qui ne me plaît pas. On m'a dit que les promoteurs avaient fait venir à cette réunion des gens qui n'appartiennent même pas à la commune.

— Cela prend un sale tour, c'est vrai. Mais il faut aussi voir l'autre côté des choses. Il n'est pas facile d'expliquer à quelqu'un qui entrevoit plusieurs années de promesses d'emplois qu'il faut aussi envisager l'avenir plus lointain et penser aux générations futures. Il faut essayer de se mettre à la place de ces gens. »

Jennie laissa échapper un soupir. « Je sais ce que c'est. Je travaille quotidiennement avec des gens qui manquent de tout. Je pourrais moi aussi balancer sur cette question, sauf que je me dis, et j'en suis convaincue, qu'il faut voir les choses à plus longue échéance. Mais, comme vous venez de le dire, ce n'est pas facile à faire entendre à des gens qui ont des besoins à satisfaire sans attendre. »

Et Arthur Wolfe, tout en aidant les deux femmes à marcher sur le trottoir verglacé, de répéter l'amicale mise en garde de Cromwell : « Vous allez affronter une salle à votre mesure, Jennie. »

A l'aide d'une baguette, quelqu'un expliqua le projet sur une grande carte de la région. Cinq cents appartements, soixante-quinze maisons individuelles, un barrage, un lac, un terrain de golf, des courts de tennis, des piscines et des pistes de ski.

Les membres de la commission siégeaient sur l'estrade du haut de laquelle le principal, flanqué d'un côté par la bannière étoilée et de l'autre par les couleurs du lycée, présidait habituellement les assemblées des élèves. Ils affichaient le même air empreint d'autorité. De temps en temps, Jennie surprenait le regard que l'un d'eux lui lançait. Sans doute ces quadragénaires de sexe masculin pensaient-ils qu'elle aurait dû être à la maison, en train de préparer pour le lendemain le sac du déjeuner de ses enfants.

La réunion allait entrer dans sa troisième heure. Après les habituels échanges de vues entre experts, les exposés techniques des ingénieurs de l'environnement et des géomètres, l'énoncé des estimations de coût, au terme d'une série de questions minutieuses posées d'une part par Jennie et d'autre part par le fondé de pouvoir des promoteurs, le public, dont une bonne part n'avait pas trouvé à s'asseoir, commença de s'agiter. Les gens comptaient se faire entendre. Ils désiraient un peu plus d'animation.

« Nous devons faire les choses dans l'ordre, déclara le président. Je crois que nous avons quelques lettres à verser au dossier. Mr. McVee, si vous voulez bien en donner lecture.

— Il n'y en a qu'une. De David et Rebecca Pyle, datée du 4 septembre. »

Cher monsieur, nous prenons la plume pour vous faire part de notre inquiétude quant au projet d'aménagement du Marais Vert. Notre exploitation s'étend en contrebas de l'extrémité septentrionale de la zone concernée et nous craignons, si le marais est asséché et le lac agrandi, que l'approvisionnement en eau, dont dépend notre élevage laitier, ne se trouve amoindri et contaminé. Nous avons un lac d'une grande pureté et il ne faut pas qu'il devienne un foyer de maladies.

Si les promoteurs pensent vraiment que tel ne sera pas le cas, il leur incombera, estimons-nous, de consigner par écrit que les modifications ne causeront aucune nuisance, et de s'engager à verser des dédommagements si tel n'était pas le cas.

Nous vous faisons confiance pour prendre la meilleure décision et protéger nos intérêts. Nous vous prions de croire, etc. David et Rebecca Pyle.

A voir la façon dont cette lettre est tournée, se dit Jennie, ils ont déjà pris conseil d'un avocat.

Un des membres du conseil posa une question : « Mr. Schultz, avez-vous un commentaire à faire là-dessus ? »

Le représentant du promoteur s'était levé avant que la question fût à demi formulée. Dans les âges de Jennie, il portait un costume dont le choix avait été habilement pensé, un costume campagnard, usagé mais sans excès, avec un pull bien visible sous le veston. Ses manières étaient engageantes.

« Pour ce qui est des garanties écrites, monsieur le président ?

— Oui, si vous le voulez bien. »

Mr. Schultz haussa les sourcils en souriant d'un air légèrement étonné. « Ma foi, monsieur, nous savons tous que ce n'est pas l'usage. Nous avons derrière nous un ensemble de réalisations qui devrait suffire à apaiser toute crainte. Baker Development a construit des appartements en Pennsylvanie, dans le New Jersey, un peu partout en Nouvelle-Angleterre et en Floride. Notre réputation s'est constituée sur la qualité de notre travail. »

Jennie réagit aussitôt. « Puis-je intervenir, monsieur le président ? Cela ne constitue par une réponse à la demande tout à fait légitime contenue dans cette lettre. Nous soulevons ici une question préoccupante, question que j'ai assurément cherché à soulever ce soir. Nous avons besoin d'informations spécifiques sur des points précis tels que les problèmes de crue et d'élévation du niveau des eaux. Je remarque que Mr. Schultz ne s'est pas fait accompagner d'un expert en la matière.

— Je vous fais observer que Mr. Bailey s'est exprimé sur la question. Il est ingénieur qualifié.

— Mais il n'est pas hydrologiste », persista Jennie.

Schultz eut un léger haussement d'épaules. « J'estime pour ma part qu'il est amplement au fait de ces questions. Nous ne nous attendions pas à rencontrer des objections aussi, disons, vétilleuses. Nous pensions recevoir un accueil enthousiaste, et je pense que ce sera bientôt le cas, car nous allons apporter un plus à cette ville, et la plupart de ses citoyens le comprennent. »

S'adressant toujours au président, Jennie secoua la tête. « Il y a cependant des citoyens qui ne voient pas les choses de cette façon. Et il y en a d'autres, non moins intelligents, qui, pour leur malheur, pourraient se laisser dorer la pilule. Outre la lettre qui vient d'être lue, nombre de doutes et d'objections ont été soulevés, en particulier dans des courriers adressés aux journaux... »

Une voix rauque se fit entendre, suffisamment forte pour faire sursauter toute l'assemblée. « Ils ne défendent pas mes intérêts, ni vous non plus ! »

Les têtes se tournèrent avec ensemble. Un homme s'était levé au troisième rang. Il se dressait crânement, comme s'il venait de lancer une balle tendue et attendait de voir qui allait s'en saisir. Agé d'environ quarante-cinq ans, il avait des traits plutôt harmonieux, avec d'épais cheveux noirs et une barbe de plusieurs jours. Il portait un cuir noir de motard. L'échancrure de son blouson révélait une chemise douteuse sur un torse puissant.

Revenant de sa surprise, le président le réprimanda. « Adressez-vous à la tribune et à nul autre.

— D'accord. Je vais vous dire ce que j'en pense. Eux et leur association pour l'environnement ! Et une poignée d'étrangers débarqués de New York. Qu'on puisse gagner un peu d'argent, ils s'en balancent. Ben tiens, ils ont ce qu'ils veulent. Le reste, ils s'en foutent ! »

Des voix s'élevèrent d'un bout à l'autre de la salle.

« Des étrangers ? Depuis quand New York est-il en pays étranger ?

— Silence là-bas !

— Il sait de quoi il cause !

— Pour ça, oui !

— Il faut le sortir, ce crétin !

— Bien parlé, Bruce !

— Vos gueules !

— Silence ! Ayez un peu de tenue !

— Vous vous oubliez, Mr. Fisher. S'il vous plaît, modérez vos propos ou asseyez-vous. »

Avec force coups de maillet sur la table, le président parvint à obtenir le calme et les discussions purent reprendre.

Quelqu'un posa une question au sujet des aménagements sportifs, ce à quoi Mr. Schultz répondit qu'étaient prévus un club-house, un terrain de base-ball et que toutes sortes d'activités nautiques seraient envisageables sur le lac agrandi.

« Tout cela à la disposition des seuls propriétaires ? interrogea Jennie.

— Euh, oui, ce sera un club-house privé, comme cela se passe généralement.

— Alors qu'actuellement, fit tranquillement Jennie, ces terres sont accessibles à tous. Tous les citoyens peuvent venir s'y détendre. Votre projet leur en enlèvera la jouissance et je pense que cela doit être souligné. »

Fisher vociféra de nouveau : « A tous ? Une poignée de dingues de la nature, oui ! Une bande de communistes qui débarquent de la grande ville et nous font la leçon sur la nature. Ça ne serait pas fichu de reconnaître une chouette d'un putois. Un ramassis de communistes ! Ils sont contre le progrès, contre la propriété privée. Les gens veulent investir. Ils ont le droit de placer leur argent. Ce pays a été bâti par des types comme ce Barker et sa boîte. »

Le jeune Mr. Schultz affichait une expression bon enfant, comme pour montrer que cet éloge le touchait. De plus en plus fou, se dit Jennie.

Le président éleva la voix. « Mr. Fisher, je vous demande une nouvelle fois de vous asseoir. »

Mais l'autre l'ignora. « Vous êtes un homme de main, miss Belusky, avec votre nom à coucher dehors. Moi, je suis pas un richard comme ceux qui vous ont engagée. »

Cela déclencha des huées mais aussi quelques applaudissements.

« Je rappelle la salle au calme, criait le président, la face empourprée.

— Je représente un groupe de citoyens et je ne suis pas plus un homme de main que ne l'est Mr. Schultz, dit Jennie en ayant soin, selon l'usage, de regarder la tribune plutôt que celui qui l'avait prise à partie.

— Un homme de main ! » répéta ce dernier.

Le président se leva de sa chaise.« Mr. Fisher ! Si vous ne vous calmez pas, nous allons devoir vous faire sortir. »

Fisher se rassit. Jennie l'observait du coin de l'œil. Elle voyait un concentré de haine. Pourquoi ? Cette voix... Il lui semblait plus grand que nature... Et ce blouson de cuir noir était comme l'emblème même de la violence... Elle réprima un tressaillement. Idiote... Ce type était la brute locale, une sorte de malade mental.

« Il se fait tard, déclara le président. La commission va étudier la question et rendra ses conclusions à la fin du mois. Si les parties souhaitent ajouter quelque chose, je leur laisse la parole. Mr. Schultz ?

— Je n'ai rien à ajouter. Baker Development s'en remet à sa réputation et à son désir de faire de substantiels investissements dans cette ville, démontrant ainsi sa foi en l'avenir de la région à l'aube du prochain millénaire. Nous espérons qu'un souci excessif pour l'environnement ne sera pas un obstacle au bien-être de la population. Ce serait une attitude élitiste et sentimentale, témoignant d'une préférence pour les cerfs et les oiseaux migrateurs au détriment des êtres humains. Je remercie la commission pour sa courtoisie et je me retire avec la certitude qu'elle se prononcera en faveur du progrès. »

Jennie avait prévu une conclusion factuelle et concise. Mais la rouerie tranquille de son adversaire, faisant suite à la prise à partie dont elle avait été l'objet, l'avait violemment ébranlée et, lorsqu'elle se leva, sa voix tremblait.

« Monsieur le président, votre ville est en train de vivre un moment crucial de son histoire. Je pense que chacun ici aura des raisons de se souvenir de la décision que vous allez prendre quant à la question débattue ce soir.

« Je suis parfaitement consciente des pensées contradictoires qui doivent s'agiter en certains d'entre vous. Vous voulez des emplois et ces gens se proposent d'en créer. Je vous rappelle toutefois que ces emplois seront de courte durée. Cela ne résoudra pas vraiment vos problèmes. Ces entrepreneurs repartiront dans les deux ans.

« Je sais aussi que si le Marais Vert est rayé de la carte, ce ne sera pas la fin du monde. Mais ce sera la fin de votre monde à vous. »

La salle était assez silencieuse. Les gens écoutaient. Les membres de la commission se tenaient penchés en avant et regardaient attentivement la jeune femme.

« Quand bien même il serait exact — ce que je ne crois pas — que ce projet n'affectera pas la nappe aquifère, maints autres chamboulements sont à prendre en compte. Réfléchissez ! Ces terres magnifiques et toutes les créatures qui l'occupent depuis des milliers d'années disparaîtraient à jamais. Tout cet espace, cette tranquillité dont vous et vos enfants avez toujours bénéficié... » Elle était la première surprise par le ton passionné qui était le sien. Elle se vit au côté de Jay, au sommet de la hauteur qui dominait le marais, le lac, les bois, cette immensité d'un vert brumeux qui s'étendait aussi loin que portait le regard.

Son esprit divaguait. Elle avait eu un tel sentiment de liberté ce fameux matin. Aucun poids ne pesait sur elle, aucun nuage lourd de menace. Mais voici que la nuée s'amoncelait de nouveau au-dessus de sa tête, qu'un poids sinistre pesait sur sa poitrine... Elle se troubla, puis, paniquée, reprit conscience de l'endroit où elle se trouvait... On attendait qu'elle poursuive...

Par bonheur, elle put retrouver le fil de son propos.

« Ce serait une erreur de renoncer à tout cela, de le brader en échange de quelques malheureux dollars. Offrons au moins la possibilité à l'Administration d'inclure cette région dans son programme de parcs naturels, en sorte que, dans des années d'ici, nos descendants puissent venir s'y promener, pêcher, se baigner et observer le passage des oiseaux et des saisons. Messieurs, je vous demande, conclut-elle, je vous supplie de rejeter ce projet. »

Pendant plusieurs secondes après qu'elle se fut tue, il y eut un silence étonnant, que nul raclement de gorge, bruissement de papier ou battement de semelle ne vint troubler. Sur l'estrade, tous les visages étaient tournés dans sa direction. Tous ont l'air surpris ! réalisa-t-elle soudain.

Puis le président se leva et dit : « Merci beaucoup. Merci à tous. La séance est close. »

Lentement, Jennie se faufila à travers la foule qui gagnait

la sortie. Des gens la félicitaient au passage. « Je fais la classe à des sixièmes et j'essaie d'inculquer à mes élèves les valeurs que vous venez de défendre. » « Vous avez dit ce qu'il fallait dire. » « Je suis tout à fait d'accord avec vous. » Mais d'autres visages étaient fermés, la fixaient d'un air désapprobateur, puis se détournaient ostensiblement.

Elle aperçut les Wolfe qui l'attendaient au pied de l'escalier donnant sur le hall d'entrée. Elle se sentit tout à coup très lasse, incertaine de la qualité de sa prestation. C'est alors que, comme elle abordait les marches, on la poussa violemment dans le dos. Elle partit en avant, trébucha et ne dut de ne pas tomber qu'à un homme qui la précédait et la rattrapa. Choquée, furieuse, elle poussa un cri et se retourna vivement. Elle vit, tout près, l'expression hilare, les lèvres rouges et humides, les dents jaunes et cariées de l'homme au blouson noir.

« Non mais, qu'est-ce qui vous prend ? » s'écria-t-elle.

L'autre, riant toujours, lui donna un coup de coude dans le flanc, se glissa à travers la cohue et courut vers la sortie.

Le cœur de la jeune femme battait toujours à se rompre lorsqu'elle retrouva les Wolfe. Ils étaient en joie et, sans qu'elle sût bien pourquoi, elle leur cacha son angoisse.

« Jennie ! Vous avez été splendide ! s'écria Enid. Vraiment splendide. Quand Jay va savoir cela ! »

Il s'était mis à neiger. De gros flocons humides tombaient lentement dans l'air immobile. Trottoirs et voitures étaient recouverts d'une couche ouatée. Les deux femmes s'installèrent tandis qu'Arthur déblayait vitres et pare-brise.

« Je suis certaine que vous avez ému les gens de la commission, dit Enid. Je les ai bien regardés. Pour certains, cela ne fait aucun doute. En particulier le président.

— Sans doute était-il déjà acquis à nos thèses, lui rappela Jennie.

— Oui, c'est possible, mais il y en a d'autres qui, avant ce soir, se réservaient. Ainsi, Mr. Sands ne cessait d'opiner à ce que vous disiez. »

Arthur mit le moteur en marche et ils se joignirent à la file de véhicules qui quittaient lentement l'aire de stationnement.

« Oui, renchérit le vieil homme, vous les avez amenés à se poser des questions. Vous vous êtes fort bien défendue face à Schultz. Ah, il sait enrober les choses, celui-là. »

Jennie aperçut à travers le rideau de neige la vieille guimbarde placardée de slogans. Au volant, elle crut reconnaître son agresseur. Sa tête énorme, ses épaules massives... mais peut-être se méprenait-elle.

« Qui est ce personnage qui a fait du scandale ? » interrogea-t-elle.

Arthur Wolfe eut un soupir. « Un mauvais élément. Il se nomme Bruce Fisher. C'est un cousin du maire. Il habite une cahute sur un hectare de terrain, de ce côté-ci du marais. Selon moi, et cela paraît évident, comme son terrain permet un accès direct à ce côté du lac — dans le cas contraire, la route devrait épouser une pente très raide —, on lui aura fait une proposition alléchante et il n'est pas question que quelque chose vienne le priver de la chance de sa vie. »

Il a vraiment essayé de me faire tomber dans l'escalier ! se dit Jennie. C'est complètement fou ! Il est vrai qu'il y a même des gens qui précipitent de parfaits inconnus sous le métro. Alors pourquoi pas cela ?

« Il a eu au moins une douzaine de fois des démêlés avec la justice, poursuivait Arthur Wolfe. Et il a fait quelques années de prison. Je crois que Chuck lui a obtenu une réduction de peine. Le plus bizarre est qu'ils ne sont pas proches, en tout cas en apparence. Bruce n'est pas précisément le genre de personnage que Chuck inviterait à une soirée. Et cependant ils se serrent les coudes. Un jour, il a menacé de son fusil de chasse des gosses qui avaient pris un raccourci à travers son terrain pour se rendre au lac. Chuck a étouffé l'affaire. Fisher vivait avec une femme jusqu'au jour où il l'a battue une fois de trop. A présent il vit seul. Ou plutôt, devrais-je préciser, il vit avec un couple de pitbulls qu'il a dressés à tuer. Bref, ce n'est pas un type sympathique.

— Est-ce que je n'ai pas fait passer un peu trop d'émotion dans ma déclaration finale ? demanda Jennie, désireuse de changer de sujet. Je passe en revue l'ensemble de ma déclaration.

— Grand Dieu, non, dit Enid. Vous avez été parfaite.

— Gardez-vous cependant d'un optimisme excessif, dit Arthur. Même si vous avez convaincu la commission, il reste encore le conseil municipal pour la deuxième lecture et l'arrêt définitif. Ce seront eux les plus coriaces. Il ne faut pas sous-estimer notre maire. Chuck adore l'argent.

— Comme la plupart de nos semblables, dit Jennie.

— Oui, mais j'ai le sentiment qu'il l'aime plus qu'aucun d'entre nous. Il serait tout à fait capable de se faire acheter, tout comme certains de ses acolytes dont je tairai les noms. »

Jennie pensa à voix haute. « Baker Development jouit d'une bonne réputation. Je ne suis pas certaine qu'ils la mettraient en péril pour verser un pot-de-vin au maire d'une petite municipalité. Ils ont des projets bien plus importants que celui-ci.

— Cela ne prendrait pas la forme d'un pot-de-vin. Comme j'ai dit, ce serait peut-être une offre énorme faite à son cousin. Dix fois la valeur du terrain, par exemple. Une offre tout ce qu'il y a de régulier.

— J'aurais dû y penser par moi-même. »

Arthur arrêta la voiture devant la porte d'entrée, que flanquaient deux arbustes à feuilles persistantes dans leur bac en bois.

« Je vais rentrer la voiture. Enid, tu vas peut-être nous préparer un grog. C'est de saison. »

« Peut-être allez-vous vous spécialiser dans ce genre d'affaire, Jennie, dit le vieil homme, tandis que tous trois se réchauffaient les mains autour de leur bol d'étain. Vous pourriez vous y faire un nom. Vous vous y entendez, et Dieu sait qu'au fur et à mesure que la planète va devenir de plus en plus peuplée, les litiges de cette sorte vont se multiplier. Il n'est pas évident de mettre en balance le profit immédiat et les visions à long terme. La plupart des gens ne veulent pas s'interroger sur ce que sera le monde lorsqu'ils n'y seront plus.

— Arthur, ne la force pas à veiller, intervint Enid. Ses yeux se ferment. Montez donc vous coucher, Jennie. »

Ses yeux n'étaient toutefois pas tout à fait prêts à se fermer. Couchée dans la confortable petite mansarde, Jennie écouta les ultimes bruits de la soirée, le chien que l'on sortait pour qu'il aboie à la moindre anomalie troublant la paix des environs, le chien que l'on faisait ensuite rentrer, la porte que l'on refermait et, enfin, les pas dans l'escalier. Les bruits de la maison, la rassurante routine familiale. C'était la première fois que Jennie se trouvait chez les parents de Jay en l'absence de celuici. Et, bien plus que le collier de perles, bien plus que toute déclaration solennelle, le simple fait de se trouver là, non pas en invitée, mais comme un membre de la famille qui s'asseyait avec eux dans la cuisine et dormait sous leur toit, signifiait qu'ils l'avaient complètement acceptée comme une des leurs.

Et tout à coup, dispersant la délicieuse chaleur de cette pensée, l'angoisse descendit sur elle, glacée et tenace.

Elle est à New York.. Elle désire vous rencontrer...

5

D'ordinaire, chaque fois que retentissait le soir la sonnerie du téléphone, Jennie se précipitait avec l'espoir, rarement déçu, qu'il s'agissait de Jay. Mais les choses avaient quelque peu changé ces derniers temps, car il était déraisonnable, elle le savait, d'espérer que Mr. Riley ne la rappellerait pas.

Ce soir-là, cependant, il s'agissait bien de Jay.

«Je viens d'avoir papa au téléphone. Il m'a aussi passé George Cromwell. Tout le monde là-bas est ravi de la façon dont tu t'es comportée. Ils sont ravis et, moi, je suis fier de toi.

— J'en suis très heureuse, Jay.

— Écoute, j'ai décidé que demain serait le grand jour. Nous allons te choisir une bague. Je veux que tu viennes me retrouver à trois heures au bas de l'immeuble où je travaille. Et je ne veux pas d'atermoiements. Nous irons chez Cartier à pied.»

Lorsqu'il eut raccroché, elle demeura un moment immobile devant le téléphone, faisant le point sur les sentiments qui s'agitaient en elle. Cartier. Une bague officialisant ce lien si étroit et solide les unissant. Elle aurait dû en éprouver une joie sans mélange. Elle était la plus heureuse des femmes! Il n'était pas juste, il était absurde de laisser quelque crainte, de laisser quoi que ce soit assombrir son bonheur...

Le téléphone sonna de nouveau.

« Miss Rakowsky ? » fit une voix féminine.

Même si le correspondant avait changé, Jennie sut immédiatement, avant qu'un autre mot fût prononcé, la nature de cet appel.

« Je m'appelle Emma Dunn. Mr. Riley vous a contactée il y a quelque temps. Il m'a chargée de m'occuper de votre dossier. »

Mon dossier. Je suis un dossier dans le bureau d'un travailleur social.

« Il n'y a pas de dossier, dit Jennie.

— Le terme est peut-être malheureux, j'en conviens. Mais nous sommes face à un problème. Y avez-vous réfléchi depuis notre dernier appel ? »

Aie l'air sûre de toi. Ne lui donne pas à penser que tu balances ou que tu es intimidée.

« J'ai réfléchi, en effet. J'ai répondu à Mr. Riley et n'ai pas changé d'avis depuis.

— Nous avions bon espoir que vous reconsidéreriez votre position.

— Je pensais avoir été suffisamment claire, dit Jennie d'une voix dure. Cette... cette question a été réglée il y a des années. Il devait s'agir de dispositions confidentielles et à caractère définitif. J'entends que cela demeure ainsi.

— Elle est une jeune personne si délicieuse. Si vous la voyiez...

— Savez-vous ce que vous êtes en train de faire en ce moment ? Vous êtes en train de rouvrir une ancienne blessure, et je trouve cela cruel de votre part. » Elle aurait dû raccrocher au nez de cette étrangère. Mais cela n'aurait servi à rien. Ils auraient continué d'appeler. Peut-être même qu'un soir en rentrant chez elle, elle les auraient trouvés à sa porte. Peut-être Jay serait-il avec elle ce soir-là. Elle frissonna. Sa voix se mit à trembler. « J'avais dix-huit ans. J'étais toute seule. Sa famille ne voulait pas de moi. Je n'étais pas assez bonne pour eux. Et lui n'était qu'un gosse désemparé, il ne pouvait pas grand-chose pour moi. Quant à mes parents... les pauvres... Écoutez, il a fallu que je me tire d'affaire sans l'aide de quiconque ! Et je suis prête à me battre si nécessaire. Aussi, j'exige que vous me laissiez tranquille, si ce n'est trop vous demander. »

La voix se fit conciliante. « Personne n'a l'intention d'engager de procédure contre vous, miss Rakowsky. Bien au contraire. C'est avec amour que votre fille souhaite venir vers vous. Elle éprouve comme un manque...

— Mr. Riley m'avait dit qu'elle ne manquait de rien. Je n'ai pas d'argent, vous savez. » Jennie regretta aussitôt cette parole. Cela semblait si grossier. Ce n'était pas du tout ce qu'elle avait voulu dire.

« Ce que veut Jill n'a rien à voir avec de l'argent. »

Jennie ne voulait pas en savoir plus. Elle n'avait qu'un désir, celui de fuir toute cette histoire. Cependant quelque chose la poussa à demander : « N'est-elle pas heureuse avec les siens ?

— Oh, ce n'est pas du tout le problème. D'ailleurs, ceux-ci comprennent tout à fait son désir de rencontrer ses parents naturels.

— Ils comprennent ! Et ce que moi, je désire, qu'est-ce que vous en faites ? Ce chapitre de ma vie était clos... » La voix de Jennie se brisait.

Cela n'échappa point à l'autre femme, qui répondit avec compassion : « Pourquoi ne passeriez-vous pas nous voir ? Ce genre d'entretien téléphonique ne conduit nulle part. Face à face, nous nous comprendrons plus facilement. Passez nous voir. Nous ne demandons qu'à vous aider.

— Mais je n'ai pas besoin qu'on m'aide ! » A présent Jennie pleurait ouvertement. « Je n'ai sollicité aucune aide, que je sache. Je me débrouille très bien comme ça, ou du moins était-ce le cas avant que vous n'ouvriez cette boîte de Pandore qui, selon la loi, devait rester fermée.

— La loi est en train d'évoluer. Les gens souhaitent connaître leurs origines. Ils ont le droit de savoir...

— Moi aussi, j'ai des droits ! C'est de ma vie privée que vous êtes en train de parler. Je me moque de savoir que les lois sont en train de changer, je suis avocate et je...

— Nous savons que vous êtes avocate, miss Rakowsky. Vous êtes bien placée pour savoir que les lois suivent souvent l'évolution des mentalités. »

Jennie était épuisée. Tenir le combiné était un trop grand effort. « Écoutez, je vais mettre un terme à cette communication. J'ai dit ce que j'avais à dire. Je vous demande de me laisser tranquille. Je vais raccrocher. Laissez-moi tranquille.

— Je crains que ce ne soit impossible », fit l'autre de sa voix doucereuse.

Ces larmes n'étaient pas de chagrin, mais de colère et de peur. Jennie en avait conscience, tout en les sentant rouler, froides et poisseuses comme de la glycérine. Derrière ses paupières closes, une rancune amère était en train de naître, tournoyait comme une fumée noire, rougeoyait comme braise, prenait forme tel un mauvais génie. De quel droit la pourchassaient-ils ? Comme s'ils étaient des policiers et qu'elle eût commis un crime.

Et cependant... Pauvre petite. Peut-être est-elle désespérée. Non, puisqu'ils m'ont dit qu'elle allait bien, qu'elle suivait des cours à Barnard. A ceci près qu'elle pense avoir besoin de moi. Non, c'est plutôt moi qui suis dans une horrible situation.

Il faisait sombre dans la pièce, éclairée d'une unique lampe d'angle. Les fauteuils prenaient la forme de personnages, d'un tribunal siégeant pour la juger. Les rideaux semblaient des hommes à la figure austère, attendant le moment de l'emmener. Puis la lumière frappa la potiche de cuivre où poussait une fougère, imprimant une face goguenarde sur la surface rebondie. Lorsque Jennie se déplaça un peu, changeant son angle de vision, ce visage bougea aussi et tordit, comme pour pleurer, une horrible bouche.

Suis-je en train de perdre la raison ?

« Son désir de rencontrer ses parents naturels », telle avait été la formule de cette femme. Oui, c'était bien les mots qu'elle avait employés. Se pouvait-il, en ce cas, qu'ils eussent également retrouvé Peter ? Elle essaya de se souvenir si elle avait donné le nom du jeune homme à l'administration du home. Elle réalisa soudain qu'il y avait eu constitution d'un dossier.

Le nom du père de Peter devait y figurer, puisque c'était lui qui avait réglé les frais d'hébergement.

Eh bien, si elle cherchait à le retrouver en passant par les Mendes, il était fort peu probable qu'elle reçoive un meilleur accueil. A l'heure actuelle, Peter avait peut-être une demi-douzaine d'enfants. Tu ferais mieux de rester à l'écart de ces gens-là, Victoria Jill.

Puis arriva la douleur. Cela la prit comme un point de côté pendant une course à pied. Un élancement si violent qu'elle en eut le souffle momentanément coupé. Victoria Jill. « Tout le monde l'appelle Jill. » Je me demande à qui elle ressemble. Elle doit avoir quelque chose de moi, au moins un petit quelque chose.

Les yeux secs maintenant, Jennie posa la tête sur le bureau, auprès du téléphone. Si seulement elle avait eu quelqu'un à qui parler ! Mais elle n'avait personne, pas même Shirley, sa voisine, qui eût cherché à la consoler et eût fini par lui dire de ne pas prendre les choses au tragique. De longues minutes s'écoulèrent avant qu'elle pût se redresser et se mettre au lit.

Un vent glacé balayait l'avenue. Jennie alla attendre Jay dans le hall de l'immeuble. La porte en filigrane de bronze d'un bureau de courtage y faisait face aux doubles vantaux de l'entrée d'une banque. Plus loin, près des ascenseurs, il y avait un magasin de fleurs, dont les vitrines, garnies de corolles pastel, hors de saison, apportaient une gaieté incongrue à cette atmosphère austère de la finance et des affaires. Mais peut-être cette incongruité n'était-elle qu'apparente. Les gens qui parcouraient le quartier d'un pas vif semblaient satisfaits de l'existence ; ils étaient exactement le genre de personnes susceptibles de célébrer avec des fleurs les moments heureux de la vie. Ne sois pas si amère, se dit-elle. Même s'ils paraissent insouciants, cela ne signifie pas qu'ils le sont plus que toi. Quiconque te voyant avec ce manteau n'imaginerait pas que tu as des soucis. Pour cette visite chez Cartier, elle avait en effet choisi de mettre son nouveau manteau et les perles d'Enid.

Rien n'échappait à Jay. Il arriva à grands pas, embrassa Jennie, puis recula avec un léger froncement de sourcils.

« Ce que tu as l'air fatiguée ! Quelque chose ne va pas ?

— Non, simplement j'ai mal dormi.

— Des soucis ?

— Non, cela m'arrive de temps à autre. »

Ils partirent vers l'ouest, en direction de la cathédrale Saint-Patrick. De l'autre côté de la Cinquième Avenue se succédaient les bureaux de plusieurs compagnies aériennes. On apercevait, même à cette distance, les couleurs vives de leurs placards et affiches. Jay, qui regardait dans cette direction, déclara : « Je me disais que ces deux semaines à Cancel Bay vont être bien courtes pour une lune de miel. L'été prochain, mes parents pourraient emmener les enfants à la campagne, et toi et moi pourrions aller passer un mois en Europe. Nous louerons une voiture, une décapotable. Nous descendrons dans des châteaux, nous boirons du vin et dégusterons du foie gras. Ce sera un vrai voyage de noces. » Il lui prit plus fermement le bras pour traverser une intersection. « Cela n'empêche que j'ai quand même hâte de prendre ces deux semaines. »

Elle ne répondit pas. Au carrefour, les feux passèrent au rouge ; les stops des voitures s'allumèrent. Ce n'était partout que signaux rouge sang. Ce séjour aux Antilles ne lui souriait guère. Elle avait certes feuilleté des dépliants pleins de cocotiers, de plages immaculées, de pélicans, de voiliers et de parasols, mais, du fait de la sombre tournure des choses, elle n'avait guère envie de partir en laissant derrière elle un problème irrésolu et menaçant qu'il lui faudrait affronter à son retour. Il eût été moins risqué de ne pas bouger de son cabinet pour faire face aux ennuis lorsqu'ils arriveraient, ce qu'ils ne manqueraient pas de faire. Oui, ce serait préférable.

« Nous y sommes », dit Jay.

Même l'extérieur de l'immeuble était un joyau, un véritable palais Renaissance en pierre de taille. Précédant Jay à l'intérieur, Jennie eut le sentiment que les gens savaient qu'elle entrait ici pour la première fois.

Il gagna directement le fond du magasin. Un homme bien mis se leva du bureau où il était assis.

« Mr. Wolfe ? C'est un plaisir de vous revoir. J'ai sélectionné pour vous quelques très jolies choses. »

Jay fit les présentations, ajoutant : « Chaque fois que nous nous voyons, c'est en d'heureuses circonstances.

— Oui. La dernière fois remonte, me semble-t-il, à l'année dernière, lorsque votre père est venu choisir le cadeau qu'il souhaitait faire à votre mère pour leurs noces d'or. Bien, comme vous ne m'avez pas précisé vos souhaits, j'ai sélectionné diverses choses. »

Sur un plateau de velours, une demi-douzaine de diamants tremblotaient à la lumière du lustre. Le magasin même était un coffret tendu de velours, isolé du tumulte grondant de la ville.

Il y eut une minute de silence, durant laquelle Jennie était censée considérer les bagues. Au lieu de cela, mains jointes, chapeau posé sur les genoux, elle réfléchissait. *Si seulement je l'avais mis au courant dès le début... Mais maintenant, après plus d'un an, alors qu'il croit me connaître... Je lui ai tout dit de ma famille, de mon enfance, de ce que j'attends de la vie. Je me suis ouverte à lui, je lui ai tout dit. Tout, sauf... Et lui aussi s'est confié. Compte tenu des choses intimes et secrètes qu'il m'a dites, je sais qu'il ne m'a rien caché. Il a été parfaitement honnête avec moi...*

Jay la regardait d'un air intrigué, la croyant peut-être impressionnée ou incertaine de ce que l'on attendait d'elle.

« Prends tout ton temps, Jen, dit-il. Je tiens à ce que tu sois folle amoureuse de celle que tu choisiras.

— C'est qu'elles sont toutes tellement belles...

— Vous avez de longs doigts, dit le vendeur. Celle-ci vous irait bien. Ce n'est pas le cas de toutes les femmes. »

Jay prit une des bagues. « Un blanc-bleu ? »

L'homme hocha la tête. « Je vois que vous vous y connaissez, Mr. Wolfe. »

Jay connaissait les diamants. Sans doute en avait-il offert à sa première femme. Phyllis. Une fille qui n'avait pas à rougir de son passé. Une femme faite pour un homme comme lui.

« Tiens, Jennie, essaie celle-ci. »

Pour l'amour du Ciel, se dit-elle, essaie de montrer un peu d'enthousiasme !

« Oh, Jay, elle est superbe. Réellement magnifique. »

L'anneau glissa aisément le long de son doigt.

« Tenez-la à la lumière », dit le vendeur.

Toutes les couleurs de l'arc-en-ciel étaient rassemblées dans cette pierre, et cependant c'était un feu d'une blancheur intense qui flamboyait sur sa main.

« Alors, qu'en dis-tu ? » demanda Jay.

Ce bijou valait à l'évidence une petite fortune ! Face à un objet moins coûteux, sans doute se serait-elle sentie moins crispée.

« Tu ne crois pas que… quelque chose de plus petit conviendrait mieux ?

— Pourquoi ? Tu trouves celle-ci un peu voyante ?

— Non, ce n'est pas ça…

— Si. Je te connais, tu sais. Mais toi aussi, tu me connais. Je ne te ferais pas porter quelque chose de trop voyant. Non, les dimensions de ce diamant sont parfaites. Maintenant, essaie les autres formes. »

Elle s'exécuta, passant les bagues les unes après les autres. Quelle tristesse de ne pas être aux anges en un tel moment !

Conscient de sa timidité, Jay prit les choses en main. « Celle-ci te va moins bien », dit-il, ce à quoi acquiesça le vendeur.

Les deux hommes s'interrogeaient. Un losange jaune fut examiné, puis écarté, de même qu'une autre pierre, ronde celle-là. Le choix se réduisait maintenant à un diamant oblong et deux autres de taille émeraude. Le vendeur ne cessait de les passer successivement au doigt de Jennie. Deux paires d'yeux étaient braquées sur elle.

« Je ne sais lequel choisir, murmura-t-elle.

— Veux-tu que je m'en charge ? demanda Jay.

— Oui, choisis, dit-elle avec un sourire. Après tout c'est toi qui l'auras constamment sous les yeux. »

Jay opta donc pour la première taille émeraude et pour un anneau serti de minuscules diamants, suffisamment étroit pour être porté sur le même doigt, et que l'on mit de côté pour le resserrer un peu. Puis Jay établit un chèque, dont elle ne put voir le montant. Enfin ils se retrouvèrent dans la rue.

« Tu vois, Jennie, cela n'a finalement pas été si douloureux que cela. Es-tu heureuse, ma chérie ?

— Tu sais que je le suis.

— C'est qu'on t'a si peu entendue.

— J'étais gênée. J'avais des traces d'encre sur les doigts. Tu n'as pas remarqué ?

— Et alors ? Ce sont les signes d'un travail honnête, dit-il dans un rire. Je ne t'ai pas dit, je ne rentre pas chez moi ce soir. Les gosses sont chez les parents de Phyllis. C'est l'anniversaire de leur grand-père. Te voilà donc avec un invité pour la nuit. Cela ne t'embête pas au moins ? »

Elle eut une brusque bouffée de désir. Trop rares étaient les nuits qu'ils pouvaient passer ensemble. Sans répondre, elle leva vers lui un regard éloquent.

« Ma Jennie », dit-il.

Ils avaient pris vers l'est. Le froid augmentait avec la tombée de la nuit. On sentait dans l'air comme l'annonce d'une tempête de neige. Il soufflait une bise mordante qui rendait la conversation malaisée. « L'endroit habituel ? interrogea Jay.

— Pourquoi pas ? »

Cet « endroit habituel » était un restaurant situé à deux rues de chez Jennie. Cet établissement, modeste et sans prétention, servait une délicieuse cuisine italienne. Le Lutèce, le Côte Basque et les restaurants de ce genre étaient plutôt réservés au week-end, au terme d'une journée de loisir, de loisir relatif pour être exact, car Jay travaillait toujours un peu pendant ses jours de repos.

« Tout le monde aime la cuisine italienne », observa-t-il en dépliant sa serviette.

Des années plus tôt, à Philadelphie, Jennie avait connu un autre « petit Italien », restaurant bon marché avec des nappes à carreaux rouges. De telles réminiscences n'avaient cessé de la hanter depuis le matin.

Cette table était couverte d'une nappe blanche et propre.

Il y avait des œillets dans un vase. Nous sommes en 1988, à New York, se morigénait-elle.

En face de la table était accrochée une toile dans des bleus huileux, encadrée de dorures hideuses.

« Épouvantable, non ? C'est plutôt sévère pour la baie de Naples. Nous irons y faire un tour, Jen.

— Oh oui, cela me ferait très plaisir.

— Pour en revenir à ton affaire, la commission ne devrait pas tarder à rendre ses conclusions. »

Cela fit aussitôt revenir le nuage noir. Elle aurait voulu le chasser au loin, elle avait besoin qu'on la réconforte, de même qu'un enfant qui a envie d'être rassuré fait semblant d'avoir un chagrin. Aussi, parce qu'elle se sentait incapable de le mettre au courant de ce qui la torturait, lui parla-t-elle d'un tracas secondaire.

« Il m'est arrivé quelque chose d'atroce, Jay, de vraiment atroce. » Et de lui raconter comment l'homme au blouson de cuir l'avait poussée dans les escaliers.

« Bon sang ! fit Jay. Est-ce que tu en as parlé à mon père ?

— Non. Je ne sais pas pourquoi, mais je ne lui ai rien dit.

— Tu aurais dû.

— Qu'aurait-il pu y faire ? Rien du tout. Je ne pouvais rien prouver.

— C'est vrai. Mais la prochaine fois que tu vas devant la commission, je serai là. Non que je m'attende à de quelconques violences, se hâta-t-il d'ajouter. Ce type est un sournois. Une brute psychopathe.

— Ton père suppose qu'on lui a fait une offre importante pour son terrain, offre qu'il partagerait avec le maire.

— Ça se tient. Et qui sait combien d'autres membres du conseil municipal sont également intéressés ? Du fait de l'emplacement, ces quelques hectares valent de l'or. Tu sais, Jen, pour un peu je regretterais de t'avoir fait accepter cette affaire. Tu prends les choses tellement à cœur ! Je crains que tu ne sois terriblement perturbée si tu n'as pas gain de cause.

— Tu penses que cela me pend au nez, n'est-ce-pas ?

— Il ne faut pas se leurrer. Pour l'emporter, le maire n'a

besoin que de cinq voix. Simplement, je ne voudrais pas que tu y croies trop.

— Autant de magouilles dans une si petite ville !

— Tu n'as pas idée. Quand ils saturent, les citadins se plaisent à imaginer une existence à la campagne, une vie qui serait plus tranquille et plus propre. Les pauvres, s'ils se doutaient... » Jay eut un sourire plein d'amertume. « Chuck Anderson s'est fait élire en se présentant comme quelqu'un qui avait les mains propres. "Chuck l'intègre." Finis les pots-de-vin sur l'entretien de la voirie, finis les dessous de table pour l'obtention des permis de construire, le truc habituel, quoi. Et puis, il y a six ou sept ans, on a ressorti une affaire sordide, une histoire de viol collectif du côté du lac, auquel Bruce Fisher — ton copain — avait été mêlé. Un truc très moche ; la victime était une adolescente de quatorze ans. C'est une histoire embrouillée et je ne m'en rappelle pas tous les détails, mais j'en ai retenu que Chuck était au courant de l'implication de Fisher et qu'il a menti pour le protéger. Les nouvelles élections approchant, le voilà qui fait son autocritique publique et se livre à un grand numéro de repentir du genre : "J'ai eu tort, j'aurais dû vous mettre tous au courant dès le début, je vous demande de me pardonner." Tout le monde admire son courage et il est réélu.

— C'est vrai qu'il fallait du courage, dit Jennie. Rien ne l'obligeait à tout raconter.

— Peut-être. Seulement quand quelqu'un a mis si longtemps avant de révéler la vérité, on est en droit de se demander ce qu'il cache encore. Après cela, je ne peux plus avoir confiance en un tel individu, quelles que soient par ailleurs ses qualités. Simplement, je n'ai plus confiance. »

Jennie ne dit rien. Dans son assiette, la viande et les pâtes faisaient un tas qu'elle trouvait tout à coup répugnant.

« Et en dépit de son excellente gestion de ces dernières années, le voilà qui, à nouveau, s'écarte du droit chemin. Nous le savons, même si nous ne pouvons rien prouver. Du moins pour le moment. »

Jennie prit une bouchée de viande. Elle eut l'impression de

mastiquer un morceau de caoutchouc. Jay, lui, mangeait avec un plaisir évident.

« Oui, reprit-il d'un air pensif, il est parfois trop tard pour tout avouer.

— Trop tard ?

— Oui, lorsqu'on a trop attendu, les autres ne peuvent plus avoir confiance.

— C'est vrai, acquiesça Jennie.

— Tu ne manges pas. Tu ne te sens pas bien ?

— Ça doit être la fatigue.

— Peut-être vaudrait-il mieux que je ne reste pas ce soir.

— Oh, non ! J'y tiens. Je ne suis pas fatiguée à ce point ! »

Aie le regard un peu plus pétillant, montre-lui que tu as besoin de lui. Tu as terriblement envie de sa présence à côté de toi, même si, aujourd'hui, ce n'est pas le désir amoureux qui te tenaille, mais le besoin d'être rassurée.

Jay, Jay, ne me quitte pas. Je ne veux pas te perdre...

« Est-ce que ma mère t'a appelée au sujet de la semaine prochaine ?

— Non. Que se passe-t-il la semaine prochaine ?

— Elle va t'appeler. Ils viennent ici la semaine prochaine ou peut-être celle d'après. Elle a pensé que tu aimerais peut-être passer un samedi après-midi à faire les magasins avec elle et les filles. C'est elle qui habille Sue et Emily depuis la mort de leur mère et elle a pensé que tu serais heureuse de prendre la relève.

— Je m'en chargerai volontiers.

— Te voici déjà avec des devoirs familiaux, la taquina-t-il avec un sourire.

— Cela ne me fait pas peur. »

Cette parole lui parut bien nette et catégorique, comparée aux pensées qui s'agitaient sous son crâne. Si seulement il n'avait pas de famille, pas d'enfants ni Dieu sait combien d'autres parents susceptibles de porter un jugement sur elle ! S'ils n'étaient pas, elle et lui, ce qu'ils étaient, si Jay était un rien du tout, sans maison, sans emploi, dépourvu de nom et d'attaches, ils pourraient s'enfuir vers quelque endroit retiré où nul ne pourrait les retrouver et où, faisant table rase du passé, ils se bâtiraient une nouvelle existence !

Élucubrations, fantasmes absurdes. Elle repensa à cette nuit, encore si récente, où elle avait mis les deux fillettes au lit et s'était sentie inondée de gratitude, de confiance et d'amour.

Ils ressortirent dans le vent, qui soufflait maintenant en tempête. Ils marchaient courbés en avant, tête baissée. De retour à l'appartement, ils se frictionnèrent leurs mains glacées.

« Et maintenant, une douche brûlante, dit Jay.

— Et un café brûlant ? Avant ou après ?

— Pas de café. Une douche et au lit. Nous saurons bien nous réchauffer entre les draps. »

Ils se tenaient ensemble sous le crépitement de la douche, ils se savonnèrent et se frottèrent mutuellement le dos, puis, dans ce réduit embué qu'était la salle de bains de Jennie, ils se séchèrent.

Il lui posa les mains sur les seins. « Regarde, c'est exactement la bonne contenance. »

Et elle sentit la douceur familière l'envahir, ruisseler en elle comme un épais sirop dans sa gorge, et ses genoux fléchirent au point qu'elle pouvait à peine tenir debout. Il y avait une telle force en lui, mais différente de celle des autres hommes. Avec les autres, il fallait toujours maintenir une certaine distance, leur opposer sa propre force afin de se défendre à la fois physiquement et émotionnellement contre leur domination. Avec Jay, c'était un don de soi, un don total et réciproque, tant sa force était douce.

Mais elle connaissait aussi l'empire qu'elle exerçait sur lui. Il la désirait. Elle sentit s'effectuer le miracle de ce désir, elle le vit dans ses yeux agrandis par l'attente et pleins d'une sorte de joyeuse espièglerie.

Il la souleva de terre, l'emporta jusqu'au lit et éteignit la lumière. La nuit se referma sur eux.

Elle se leva de bonne heure pour préparer le petit déjeuner. Jus d'orange fraîchement pressé, crêpes et café.

« Le matin, j'ai horreur de courir, dit-elle. Je préfère me lever une heure plus tôt et prendre mon temps.

— C'est marrant, moi aussi. Jennie, ne trouves-tu pas merveilleux que nous ne cessions de nous trouver des points communs ?

— En revanche, ne va pas imaginer que je mange des crêpes tous les matins. Sache que c'est uniquement en l'honneur d'hier soir.

— Tes crêpes sont à se damner. »

Une étroite bande de soleil tombait sur la petite table. Dans une demi-heure le soleil aurait contourné le coin de l'immeuble et il serait nécessaire d'allumer dans la kitchenette. Mais pour l'instant ce rayon de soleil avait un air de célébration. Et Jennie goûtait l'odeur de café frais, le flamboiement des gloxinias sur le rebord de la fenêtre, la cravate à rayures jaunes et noires que Jay portait sur sa chemise blanche, ces instants de rare et paisible intimité.

« Tu sais que la date approche, dit Jay. Je me suis même acheté un nouveau costume.

— Et moi un nouveau tailleur. Très jeune mariée. Tu ne vas pas en croire tes yeux.

— Attends que je devine. Il est rose ?

— C'est un secret. Mais il va te plaire. Shirley m'a aidée à le choisir.

— Aïe ! fit-il avec une drôle de mimique.

— Sois sans crainte, elle sait ce qui est chic. Il me suffit de la tempérer un peu.

— Jennie chérie, tout ce que tu mettras sera... »

Le téléphone sonna dans le séjour. Elle alla répondre.

« Bonjour, fit la voix de Mrs. Dunn. Désolée de vous appeler de si bonne heure, mais j'ai essayé de le faire ces derniers soirs et vous étiez sortie. »

Jennie eut en quelques secondes les mains complètement moites.

« Je ne peux pas vous parler, parvint-elle à dire d'une voix calme. Je pars travailler.

— Je ne vous demande qu'un tout petit moment. Dites-moi

quand vous pouvez passer me voir. A vous de fixer le jour et l'heure.

— C'est tout à fait impossible. Il faut que je raccroche.

— Cela ne résoudra pas le problème, miss Rakowsky. Je dois vous prévenir que Jill ne va pas renoncer. Aussi serait-il préférable que vous vous résolviez à... »

Jennie raccrocha, s'essuya les mains à un mouchoir et s'efforça de se composer une expression normale. Mais ses joues étaient en feu, son cœur battait la chamade.

« Des embêtements ? s'enquit Jay.

— Non, pourquoi ?

— Tu as l'air contrarié.

— Oh, c'est cette cliente... la pauvre, elle a une vie d'une tristesse, c'est horrible.

— Tu devrais établir un cloisonnement entre ta vie privée et ta vie professionnelle, dit gentiment Jay. Peut-être devrais-tu mettre ton téléphone privé sur la liste rouge. Mais il est vrai que tu n'es plus ici pour bien longtemps. »

Il se leva et prit sa mallette. Jennie fut saisie de tremblements lorsqu'il se pencha pour l'embrasser. En dépit des efforts qu'elle faisait pour se contrôler, ses yeux se noyèrent de larmes.

Jay eut une expression étonnée. « Que se passe-t-il ? Mais tu pleures !

— Non. Simplement... je... j'étais en train de penser à nous deux. Je ne sais ce qui m'a prise... c'est une bouffée de bonheur.

— Seigneur Dieu ! Les femmes ! » Il éclata de rire, tournant en dérision sa propre réaction : celle, stéréotypée, de l'homme protecteur. « Sommes-nous jamais capables de les comprendre ? Hé, il faut que je file, et toi de même. Je t'appelle dans l'après-midi. »

Jill ne va pas renoncer. Une jeune personne tenace, dirait-on. Et avec de la suite dans les idées. Un peu comme toi, Jennie ?

Elle fit la petite vaisselle, se maquilla légèrement et, toujours bouleversée, s'en fut travailler. Il lui était réconfortant de penser que sa journée se passerait au cabinet et non au tribunal. Tel un animal dans son repaire, se dit-elle, je trouve refuge entre mon bureau, mes deux fauteuils, mes livres, la fenêtre et la porte close. La secrétaire répond au téléphone. Si je le lui demande, elle répondra que je ne suis pas là. Voilà une chose que je n'ai encore jamais faite ; je ne suis pas encore tout à fait au bout du rouleau.

Jill ne va pas renoncer.

Ce fut tout au long de la journée un défilé de clientes venues avec leurs enfants et leurs nouveau-nés. Ces pauvres femmes, perdues dans la grande ville indifférente, n'avaient pas d'endroit où les mettre en garde.

« Ça, c'est mon Ramon. Il a eu deux ans la semaine dernière. Ramon, dis bonjour à la dame. »

Le garçonnet ouvre de grands yeux noirs, puis enfouit son nez morveux dans les jupes de sa mère.

« Il est grand pour deux ans, dit Jennie sans trop savoir quelle est la taille normale d'un enfant de cet âge.

— Oui, et costaud. Et voici Celia. Elle a huit mois. »

Le bébé, que sa mère tient dans le creux de son bras, est d'une extraordinaire beauté, avec des traits délicats, et ne présente aucune ressemblance avec sa mère ou son frère. Elle gratifie Jennie d'un grand sourire et lui tend sa menotte, comme si toutes deux partageaient quelque heureux secret. Jennie avance la main et les petits doigts se referment autour de son index.

« Elle est adorable. »

La femme hoche la tête. « Ces deux-là sont mes seuls trésors. »

A l'université, Jennie a suivi pendant deux semestres un cours d'histoire de l'Antiquité. Cette remarque lui évoque Cornelia, au temps de la Rome antique, montrant ses enfants et déclarant : « Voici mes joyaux. »

Mais cette femme, lasse et déshéritée, prend une expression intriguée, se demandant peut-être pourquoi Jennie tient toujours la main du bébé. Celle-ci retourne s'asseoir à son bureau.

« Bien, Mrs. Alsina, voyons ce que nous pouvons faire pour vous. »

En fin d'après-midi, Jay appela comme il avait l'habitude de le faire. Il avait deux nouvelles à annoncer.

« Bonnes ou mauvaises ?

— Les deux. La bonne, c'est que la commission s'est prononcée contre le projet Barker. Et tout le mérite t'en revient. »

Satisfaite, Jennie éprouva toutefois le besoin de considérer les choses avec objectivité. « Ils étaient déjà au départ dans de bonnes dispositions. Comme je l'ai dit à tes parents, tous avaient sans doute pratiquement pris leur décision avant que j'ouvre la bouche.

— Ce n'est vrai qu'en partie. Plusieurs ont été sensibles à ce que tu leur as dit chez mes parents, avant l'assemblée. Et plusieurs n'ont changé d'avis qu'après t'avoir entendue à la réunion. Ils t'ont trouvée vraiment meilleure que l'autre partie.

— Et la mauvaise nouvelle ?

— Elle est moins mauvaise que simplement désagréable. Mon père et une poignée d'autres membres de l'association ont reçu une série de lettres d'injures, anonymes bien sûr et postées dans un rayon de vingt ou trente kilomètres autour de la ville. Papa m'en a lu une au téléphone. C'est assez lamentable.

— Des menaces ? demanda Jennie en repensant à l'agression dont elle avait été victime.

— Oui, mais voilées. C'est astucieusement fait ; rien qui permette une action en justice, mais quand même très injurieux. Tu es évoquée dans certaines d'entre elles.

— Je suis donc si importante ? J'en suis flattée.

— C'est en tout cas leur sentiment. Ceux qui sont derrière tout cela s'inquiètent à l'évidence du vote du conseil municipal le mois prochain, et craignent que tu n'arrives à faire pencher la balance. George Cromwell, que tu connais et qui fait partie du conseil, dit que les gens de chez Barker ont ajouté au dossier des tas de nouvelles pièces, des études sur les eaux menées, cette fois, par des spécialistes, ainsi que tout un tas d'autres documents. D'après lui, ils sont sur les dents.

— Mais ce ne sont tout de même pas eux qui sont derrière ces lettres ?

— Cela se pourrait, mais je ne le pense pas. Ce n'est pas dans leur manière. Va savoir. Il y a une telle bande d'excités dans cette ville — Fisher en est un beau spécimen. Et notre maire pourrait bien se servir de lui. N'oublie pas qu'il y a beaucoup d'argent en jeu. Beaucoup d'argent. Toujours est-il que, quand tu retourneras là-bas, plus question de te promener toute seule. Je ne te quitterai pas d'une semelle. » Jay changea de sujet. « Que dirais-tu d'aller au cinéma ce soir ? Il y a un bon film qui passe au coin de chez toi. »

En temps normal, se dit Jennie après avoir reposé le combiné, cette affaire du Marais Vert n'aurait rien de très préoccupant. Cette bande d'autochtones mécontents écrivant des lettres anonymes ne lui eût semblé qu'une tempête dans un verre d'eau. Mais elle était si anxieuse ces temps derniers. Cela ne lui ressemblait pourtant pas d'être aussi tendue.

Un verre de lait lui ferait du bien. Il paraît que cela apaise. Lorsqu'elle sortit le carton de lait du réfrigérateur, il lui échappa des mains et une flaque blanche se répandit sur le sol. Elle s'agenouilla pour éponger. Il suffirait d'un rien pour que je fasse une dépression nerveuse, se dit-elle. Même si Mrs. Dunn n'avait pas rappelé, Jennie s'attendait à ce qu'elle le fît à tout moment, en sorte que chaque sonnerie du téléphone lui faisait l'effet d'un signal d'alarme.

Cette attente angoissée avait quelque chose d'un vertige. Un jour, il y avait très longtemps, elle avait vu un film dans lequel un train, détaché de sa locomotive, commençait de dévaler une voie en pente. Ferraillant horriblement, il prenait de la vitesse, tandis que les passagers impuissants, incrédules et figés sur leurs sièges, trop horrifiés pour hurler, regardaient défiler les sapins, les falaises et les champs de neige, regardaient à des centaines de mètres en contrebas le fond du précipice où les attendait leur destin. Il était étrange qu'elle n'eût gardé aucun souvenir de la façon dont le film se terminait, et ne se rappelât que cette épouvantable sensation d'impuissance.

Le samedi fut une journée pénible et décousue, dont les événements n'avaient aucun lien logique.

La matinée avait été consacrée aux essais de sa toilette de

mariée, commandée chez Saks. Debout devant le miroir du salon d'essayage, elle avait de la peine à se reconnaître. Le velours rubis lui rosissait le visage et ressortait sur le jais de sa chevelure. Des plis de dentelle écrue lui entouraient épaules et poignets. La jupe épousait étroitement ses hanches pour ensuite s'évaser gracieusement.

« On ne pourrait pas rêver mieux, dit la vendeuse avec satisfaction. Avec cela, je verrais bien des escarpins noirs à très fines lanières. Et à très hauts talons, à moins que le marié ne soit... » Elle hésitait.

Jennie eut un sourire. « Il est très grand.

— En ce cas, pas de problème. Et un minuscule sac noir. De préférence en velours. Mais un joli daim ferait aussi bien l'affaire.

— Vous avez été d'une aide précieuse, dit Jennie. Je tiens à vous en remercier.

— Oh, vous êtes une cliente facile. C'est un plaisir de travailler avec vous. Tant de femmes ne savent pas ce qu'elles veulent. »

Jennie se considérait dans le grand miroir. Toi que je vois devant moi, vêtue de velours rouge pour ton mariage, tu es un imposteur. Tu t'es présentée sous un faux jour, tu as caché la vérité, toi qui, entre tous, as fait serment de respecter la loi. Tu as menti. Tu es un imposteur !

Sous un ciel lumineux et agité par une brise d'hiver qui faisait claquer fanions et drapeaux sur toute la longueur de la Cinquième Avenue, à travers un air vif et chargé d'énergie, elle se rendit chez Bergdorf Goodman, où les fillettes devaient trouver de quoi porter aux fêtes d'anniversaire et à leur cours de danse. Enid allait devoir lui apprendre comment s'occuper de ces enfants. Elle entrevoyait tout à coup l'importance des responsabilités qu'elle allait devoir endosser.

Elle les retrouva au rez-de-chaussée du magasin. Enid Wolfe portait un sage tailleur gris. Sue et Emily se mirent sur la pointe des pieds pour recevoir le baiser de la jeune femme.

« Bonjour, Jennie.

— Ah, fit Enid, c'est donc comme cela qu'elles vous appellent ?

— Mais oui, dit Jennie, quelque peu étonnée. Comment voulez-vous qu'elles m'appellent ?

— Je me serais attendue à "tante Jennie".

— Ma foi, c'est comme elles l'entendent. Cela ne me dérange pas. »

Pourquoi fallait-il que cet échange sans conséquence entraîne un enchaînement de pensées aussi funestes ? Dans l'ascenseur, au rayon enfants, où elles firent l'emplette de robes de taffetas bleu marine et de batiste à ramages, puis lorsque l'on traversa la rue pour aller déjeuner au Palm Court, Jennie fut envahie d'images fulgurantes de son séjour à Atlanta, qui toutes la ramenaient à cette conclusion glacée : *Tu es une intruse. Tu n'es pas de ce monde-là*. Pourquoi cela ? Il n'y avait aucune ressemblance entre les Mendes et les Wolfe, entre la mère de Peter et celle de Jay. Les Wolfe l'avaient accueillie à bras ouverts ! Et cependant ils avaient une chose en commun, un code, des valeurs rigides. Leur libéralisme était destiné aux plus défavorisés, à ces gens dont on ne pouvait attendre grand-chose « parce qu'ils n'ont pas eu les mêmes chances que nous ».

Attablée devant une salade au poulet, tandis que les deux fillettes louchaient déjà sur les desserts, Jennie prenait une nouvelle fois conscience de cette élégance supérieure et pleine d'assurance qui avait été sa première impression des Wolfe et plus particulièrement d'Enid.

Non, si généreux qu'ils fussent, ils seraient immanquablement très choqués. Ils auraient du mal à lui pardonner d'être entrée dans la vie de leur fils sous le signe du mensonge et de la tromperie.

Autour de la petite table, la conversation était légère et plaisante. Enid n'évoqua que très brièvement l'affaire du Marais Vert pour dire que c'était apparemment la seule chose dont on parlât en ville et que les tensions se faisaient plus vives que prévu. A part cela, la conversation était dominée par les enfants, auxquels la journée était consacrée.

Après le déjeuner, on traversa une nouvelle fois l'avenue pour entrer chez Schwartz, où Emily et Sue choisirent un cadeau d'anniversaire pour Donnie, un raton laveur en peluche, grandeur nature et fidèle jusqu'à la queue annelée.

« Mes enfants, dit enfin Enid, je crois que vous avez passé une excellente journée. Et je pense qu'il est temps de vous ramener à la maison. Jennie, vous devez avoir des projets pour la fin de l'après-midi. Je suis certaine qu'avec un emploi du temps aussi serré que le vôtre vous n'avez guère de temps libre.

— C'est exact. Je ne suis jamais désœuvrée.

— En ce cas, nous allons vous quitter ici. » Enid embrassa Jennie sur la joue. « Mes chéries, dites au revoir à votre tante Jennie.

— Au revoir, tante Jennie », s'exécutèrent les fillettes.

Jennie les regarda se diriger vers un taxi. Elles ont des tantes, mais je ne suis pas du nombre. Elle a quand même obtenu que les filles m'appellent leur tante. Qu'importe. Cela ne fait aucune différence.

J'ai dit que j'avais à faire, et rien n'est plus vrai ; seulement je n'ai pas envie de m'y mettre. J'ai envie de rester assise à ne rien faire.

Elle retraversa l'avenue pour aller s'asseoir sur un banc public et se chauffer au soleil. Emmitouflée dans son manteau, les mains dans les poches, elle demeura un long moment sans penser à rien de précis, se contentant de contempler le flux de la circulation, les voitures s'arrêtant au feu, puis repartant.

Elle n'aurait su dire comment ni de quelle circonvolution de son cerveau venait l'impulsion qui commençait de se faire jour en elle, mais, mue par un processus inconscient, un élan quelque peu insensé qui la prit au dépourvu, elle se leva après une brève hésitation et partit vers l'ouest en direction du métro. N'ayant jamais pris cet itinéraire, elle dut se renseigner. A la station qui se trouvait au niveau de l'intersection de la 116e Rue et de Broadway, elle descendit et regagna la surface. L'université Barnard n'était plus qu'à quelques minutes à pied. Sans doute personne ne ferait-il attention à une jeune femme attendant ostensiblement quelqu'un sur un des bancs du campus.

Une fois assise, cependant, elle sentit toute l'absurdité de sa démarche. D'accord, je suis idiote. Je ne la reconnaîtrais pas même si elle venait se planter sous mon nez. Peut-être est-ce elle là-bas, qui lit tout en marchant, celle qui porte une casquette de skieur norvégien. Peut-être une de celles qui bavardent là-bas près de l'entrée. Mais peut-être la reconnaîtrais-je par quelque ressemblance — plaise au Ciel que ce ne soit pas avec son père. Si je la voyais et que je sois certaine qu'il s'agit bien d'elle, ma curiosité serait satisfaite et je m'en irais. N'est-elle pas la dernière personne au monde que je souhaite rencontrer ?

Jennie attendit une heure. Rien ne se produisit. Elle ne disposait d'aucun indice. Gracieuses, gauches, négligées, élégantes, incolores ou pétillantes, tantôt belles et tantôt laides, des étudiantes passaient dans l'allée. Toutes avaient un point commun : la jeunesse. Allez savoir ce que chacune d'elles allait faire des années à venir, ou ce que les années allaient lui faire, car le monde des années quatre-vingt et la place qu'y occupait la femme étaient plus complexes et difficiles que jamais. Jennie était pleine de pitié et de nostalgie.

Le gris du ciel se faisait plus sombre. Ce bref après-midi d'hiver avançait. Ç'avait été une erreur, une aberration de venir ici, et il était heureux qu'elle n'eût pas reconnu la jeune fille. Parcourue de frissons, elle quitta son banc et reprit la direction du métro. Elle aurait juste le temps de prendre une douche et de se changer avant d'aller dîner avec Jay.

Quelle tristesse de n'être plus la même en sa présence ! Elle se rappela de quelle façon, il y avait encore peu de temps, elle fixait les aiguilles de la pendule et comptait les minutes qui restaient avant qu'il sonne à la porte.

Ce soir-là, toutefois, il téléphona. « Je suis obligé de me décommander, Jennie chérie. J'ai de la fièvre, une saleté de rhume qui s'annonce. Je suis au lit.

— Chéri, quelle tristesse. Je voudrais être auprès de toi et te soigner.

— Tu vas avoir très bientôt ce privilège. Il paraît que tu as passé une bonne journée avec Sue et Emily. Elles t'aiment vraiment beaucoup, Jennie. J'en suis si heureux.

— Oui, moi aussi.

— Jennie ?

— Oui ?

— Je veux que nous en ayons un qui soit de nous. Tu es d'accord ? »

Si je suis d'accord ? « Je ne rêve que de ça, Jay. Avec une fossette au menton, et tes yeux...

— Cependant, chérie, s'il devait s'avérer que tu ne peux en avoir, cela ne changerait rien entre nous, tu le sais. Nous serons ensemble, et c'est ça le plus important. Mais tu ferais une maman merveilleuse... Que vas-tu faire de ta soirée, maintenant que je t'ai fait faux bond ?

— Oh, je vais mettre le nez dans des dossiers que j'ai rapportés du cabinet. Et me coucher de bonne heure.

— Bonne idée. Il faut que tu sois en forme pour les Antilles. Est-ce que tu as ta nouvelle raquette ?

— La semaine prochaine. Ne t'en fais pas. Ma valise est pratiquement bouclée.

— Je ne m'en fais pas. Dis donc, je n'arrête pas d'éternuer. Je vais raccrocher. »

En fait de valise, rien n'était prêt. Elle n'avait cessé de remettre à plus tard ses listes de courses et de préparatifs. Elle avait été trop angoissée, ces dernières semaines, pour faire quoi que ce soit dans ce sens. Mais le départ approchait et cette soirée semblait tout indiquée.

Bloc et stylo en main, elle fit son inventaire. Maillots de bain. Trois, le bleu de l'année dernière, plus les deux nouveaux. Robes de plage — à porter pour le déjeuner, avait précisé Jay. Un sac de plage, celui à fleurs qu'elle avait vu dans une vitrine et qui irait avec tout. Un cardigan blanc pour le cas où les soirées seraient fraîches. Une nouvelle ombrelle. La vieille était en piteux état. Des souliers pour mettre avec le tailleur de voyage, des souliers bleus. Des chaussures pour...

On sonna à la porte. Étrange. Elle n'attendait personne. Les gens téléphonaient toujours avant de passer.

Elle gagna la porte à pas feutrés et regarda par l'œilleton. Le palier n'était guère éclairé, en sorte qu'elle put à peine distinguer la silhouette rapetissée et déformée qui occupait le petit cercle de verre.

« Qui est-ce ? » s'enquit-elle d'une voix altérée.

Il y eut une seconde de flottement avant qu'une voix jeune et manifestement tendue réponde :

« Jill. Est-ce que je peux entrer ?

— Non », balbutia Jennie, glacée d'effroi.

Et cependant, à l'instar des passagers du train, elle avait su que cela devait nécessairement arriver.

6

La maison était à plus de trois mille cinq cents kilomètres de la ville étonnante qui grondait à l'extérieur du foyer. C'était avec satisfaction et non sans une certaine dose de bravoure que Jill était venue vivre ici. Il arrivait toutefois que le souvenir de la maison familiale s'imposât à son esprit de façon tout à fait inattendue et avec une telle force qu'elle pouvait alors entendre les voix dans le jardin, sentir l'odeur du dîner en préparation, ou encore éprouver sous ses pieds nus la fraîcheur des carreaux du palier. Curieusement, la chambre dont elle avait conservé le souvenir le plus vivace n'était pas sa petite chambre rose, aux rayonnages garnis de peluches et plus tard de livres, et dont, à l'heure du coucher, la fenêtre encadrait les étoiles, mais celle, plus grande, située au bout du couloir, où dormaient ses parents.

Là, dans le tiroir supérieur de la commode, il y avait une boîte de chocolats. Chaque soir, entre le bain et le brossage des dents, elle avait droit à une friandise. Deux larges fauteuils étaient disposés devant la baie vitrée. Celui de gauche était celui de son père ; c'était là que, le dimanche matin lorsqu'il n'avait pas de consultations à l'hôpital, il s'asseyait pour lire son journal, dont il essaimait les feuilles à ses pieds. L'autre fauteuil, le « fauteuil aux histoires », était assez large pour que Jill et sa mère pussent y prendre place.

Chaque fois qu'un nouveau bébé arrivait dans la famille, un moïse était placé au pied de l'immense lit. Regarni chaque fois de nouveaux rubans et d'un filet tout neuf, il restait là jusqu'à ce que le bébé fût en âge de dormir dans un lit d'enfant, dans une chambre à lui.

« Les tout petits bébés aiment les tout petits espaces, expliquait maman, parce que, tu comprends, ils viennent d'un endroit tout petit et tout tiède. »

Cela devait se passer dans les temps de la naissance de Lucille. Jill avait alors quatre ans et elle se souvenait de la façon dont sa mère avait grossi pour retrouver tout à coup sa minceur dès que Lucille était sortie de son ventre. Elle n'avait pas deux ans à la naissance de Jerry, aussi n'en avait-elle gardé aucun souvenir. L'arrivée de Lucille était en revanche bien claire dans son esprit.

Un endroit tout petit et tout tiède. Cela l'avait laissée interdite. Le bébé semblait en effet bien trop gros pour avoir été à l'intérieur de qui que ce fût.

« Moi aussi, j'étais dans toi ? avait-elle interrogé.

— Non, avait répondu sa mère. Toi, tu étais dans le ventre d'une autre dame. »

La petite Jill s'était accommodée de cette réponse. Le détail ne lui avait pas paru important. Elle n'y avait plus repensé pendant longtemps, quoiqu'il fût étrange que, lorsqu'elle se remit bien plus tard à y penser, cette scène lui reparût avec netteté et dans ses moindres détails : Lucille emmaillotée dans un cocon de flanelle, Jill debout à la tête du berceau, et leur mère vêtue de quelque chose de long à motifs noirs sur fond blanc.

Des années plus tard elle demanda : « Maman, as-tu jamais eu un peignoir ou une chemise de nuit, quelque chose de noir et blanc, écossais ou peut-être à ramages ?

— Mais oui. Un kimono que ton père m'avait offert lors de notre voyage au Japon, juste avant que nous t'ayons. Des pivoines noires sur fond blanc. Il était splendide. Je l'ai porté jusqu'à ce qu'il tombe en charpie. Pourquoi me demandes-tu cela ?

— Je ne sais pas trop. Tout à coup cela m'a traversé l'esprit. »

Mais cela se passait bien plus tard. Sa petite enfance avait été une galerie de visages aimants. Les journées étaient bien remplies. Il y avait plein d'enfants dans le voisinage et, l'après-midi, c'était un défilé incessant de parents et d'amis. Elle supposa, lorsqu'elle fut plus âgée et apprit les rivalités et jalousies ayant opposé les enfants de la famille, que si elle n'en avait guère souffert, c'était grâce à l'importance de leur parentèle. Quand ses parents étaient momentanément trop occupés avec un autre enfant pour jouer avec elle ou l'emmener quelque part, il y avait toujours tante Fay, l'un ou l'autre de ses grands-parents ou de sa pléthore de cousins et cousines.

Les gens lui souriaient et s'extasiaient devant la beauté de sa chevelure rousse. Lorsqu'elle commença d'aller à l'école, sa mère se mit à lui parer les cheveux de rubans assortis à son pull ou sa jupe. Un jour qu'elle sortait du séjour, où sa mère prenait le café avec une amie, elle entendit cette dernière qui disait : « Quelle adorable enfant, Irene. Et comme elle vous a porté chance ! Quand on pense qu'après l'avoir adoptée, vous avez mis vos trois enfants au monde !

— C'est vrai, reconnut sa mère, elle nous a porté chance. »

« Vos trois enfants. » Ainsi, si l'on était adopté, on n'était pas vraiment l'enfant de papa et maman ? A l'époque, bien sûr, Jill connaissait le sens du mot « adopté ». Et ce soir-là, lorsque sa mère vint la border, Jill la fit asseoir sur le bord du lit. « Reste un peu », dit-elle.

Sa mère lui prit la main. « Tu veux que je te lise une histoire ? Pas très longue alors, un chapitre de *Winnie-the-Pooh*, parce que demain il y a de l'école.

— Non. » La question qu'elle voulait poser semblait un peu niaise de la part d'une fillette qui était en cours élémentaire et faisait partie du groupe de lecture avancée.

« Qu'est-ce qui te ferait plaisir, alors ? »

Étreignant toujours la main de sa mère, Jill secoua la tête.

« Ma chérie, si quelque chose te tracasse, il faut me le dire. Cela te fera du bien. »

La fillette ne put contenir plus longtemps sa question. « Est-ce que je suis à vous ? Comme Jerry et Lucille et le bébé ?

— Ça alors ! fit maman en la prenant dans ses bras pour la bercer. Pourquoi me demandes-tu cela ? Est-ce que quelqu'un t'aurait dit ?... » Et sans attendre de réponse, elle se hâta de poursuivre : « Si tu es à nous ? Mais tu es notre grande fille adorée... Tu sais bien que tout le monde t'aime, ton grand-père et ta grand-mère, tante Fay... tu sais bien que papa et moi t'aimons plus que tout... Mais bien sûr que tu es notre fille chérie. A qui donc voudrais-tu être ? »

Elle nicha son visage dans le cou de sa mère et murmura : « Je me disais... que j'étais peut-être à la dame qui m'a portée dans son ventre.

— Oh », fit sa mère d'une voix très douce. Et elle mit si longtemps avant de répondre, que Jill redressa la tête pour la regarder dans les yeux. L'instant était empreint de gravité, comme la fois où elles avaient eu une conversation à propos de l'armoire à pharmacie, où il lui était interdit de mettre le nez.

« Non, ma chérie. Tu n'es plus à elle.

— Comment est-ce qu'elle s'appelait ?

— Je l'ignore.

— Est-ce qu'elle était gentille ?

— Je suis certaine qu'elle l'était, puisqu'elle t'a eue.

— Mais pourquoi est-ce qu'elle m'a donnée à vous ?

— Euh, eh bien, c'est assez difficile à expliquer. Vois-tu, il peut arriver que les gens aient des problèmes, comme par exemple de n'avoir pas beaucoup d'argent ou de ne pas avoir une belle maison avec de la place pour une petite fille. Alors, tu comprends, parce qu'elle t'aimait et qu'elle voulait que tu aies tout cela, et comme nous avions très très envie d'une petite fille... Bref, voilà comment c'est arrivé. Est-ce que tu comprends ? »

Jill parut se satisfaire de ces explications. « Oui, mais est-ce qu'il y a autre chose ?

— Autre chose à t'apprendre ? Oh, mais oui ! Nous étions tellement heureux, ton papa et moi. Nous avons couru acheter le berceau. Tu as été le premier bébé à y dormir. Tu avais un jour quand nous t'avons ramenée à la maison, tu étais plus jeune que Jerry, Lucille et Sharon. Tu te rappelles comme Sharon était petite il y a un an ? Eh bien, tu étais encore plus petite.

— Et j'étais rousse ? »

Maman se mit à rire. « Pas tout de suite. Tu étais chauve, comme tous mes autres bébés. »

Mes autres bébés. La voix de maman avait quelque chose de chaud et de doux, quelque chose d'apaisant. Au bout d'un moment, elle la recoucha, remonta les couvertures. Elle alla fermer les rideaux, déposa un baiser sur la joue de Jill, fit deux pas dans la chambre, revint l'embrasser à nouveau et, enfin, referma la porte.

Mes bébés. Nous avions très envie d'une petite fille. C'était donc une bonne chose que d'être un enfant adoptif. Cela voulait dire que l'on avait été vraiment désiré. S'ils ne voulaient pas d'un enfant, les gens ne s'embarrasseraient pas de tous ces détails, acheter une maison, une chaise haute, une poussette.

Tout le monde étant au courant de ce qu'elle était une enfant adoptive, nul dans le voisinage n'interrogeait jamais Jill à ce sujet, mais l'eussent-ils fait, cela ne l'aurait pas dérangée. D'un certain côté, cela pouvait être considéré comme une distinction, comme de rapporter à la maison un excellent bulletin trimestriel, ou de s'entendre à préparer le dîner pendant toute la semaine où maman venait de se casser un os du pied. Être une enfant adoptive n'était qu'une caractéristique de plus, de même qu'elle avait des taches de rousseur sur les bras ou se débrouillait bien à skis — toutes choses considérées comme naturelles et, par conséquent, rarement objets de réflexion.

Un jour, un professeur de sixième leur avait donné un exercice à faire. On venait de voir comment l'Amérique était constituée de gens venus de toutes sortes de pays et ayant apporté avec eux leurs coutumes et expériences. Il s'agissait pour les enfants de rassembler tous les renseignements possibles sur leurs ancêtres et de dessiner un arbre généalogique.

« Essayez de remonter le plus loin possible », leur demanda le professeur.

Un garçon de la classe avait un arrière-grand-père indien et se montrait très fier d'être « américain de souche ». Un autre avait encore son arrière-arrière-grand-mère, qui était âgée de quatre-vingt-dix-sept ans et se souvenait de son arrivée au Nouveau-Mexique, quand ce n'était encore qu'une étendue sauvage.

« C'est un exercice passionnant, leur dit le professeur. En apprenant des choses sur vos ancêtres, vous allez être étonnés de tout ce que vous apprendrez sur vous-mêmes. Aussi, posez des tas de questions autour de vous ! »

Ce soir-là après le dîner, Jill se rendit chez ses grands-parents. Les parents de sa mère étaient décédés quelques années plus tôt, mais ceux de son père étaient en bonne santé et pleins de vie. Ils furent aussitôt intéressés par le projet de Jill.

« Tu aurais bien aimé mon père, dit son grand-père. Il était excellent danseur. A la fin de sa vie, il était toujours capable de danser les danses qu'il avait apprises dans son enfance, en Hongrie. Il fallait le voir ! Il avait le cœur solide et un caractère heureux. »

Sa grand-mère lui écrivit le nom de ses parents et jusqu'au nom de jeune fille de ses grand-mères. Elle lui raconta plusieurs anecdotes. Jill s'aperçut que tous deux prenaient grand plaisir à cet exercice. Peu désireux de la voir s'en aller, ils la firent s'asseoir à table pour lui donner du gâteau et de la limonade. Un soudain rayon de soleil couchant vint éclairer l'autre côté de la table, éclairer la tête grisonnante du vieillard, les ongles soignés et le visage animé, hâlé et rebondi de sa femme. C'est à cet instant que Jill fut saisie d'une vive sensation d'isolement.

Tout ceci n'a rien à voir avec moi. Ce n'est pas mon histoire.

Au bout d'un moment, soucieuse de ne pas leur faire de peine en prenant trop abruptement congé, elle les remercia et rentra à la maison. Des grands du lycée jouaient au base-ball sur le terrain de jeux. Au coin de la rue, un homme prenait soin de sa pelouse irriguée ; quoi qu'il fasse, elle aurait jauni d'ici le mois de juin. Quelqu'un jouait du piano dans la maison d'en face. Le décor était parfaitement normal et familier, et cependant elle s'en sentait très éloignée et vaguement triste.

Toute la famille était rassemblée sous la véranda, de l'autre côté de la maison. Elle aperçut, depuis l'entrée et en contre-jour, leurs petites têtes penchées au-dessus de quelque chose posé sur la table, journal ou carte routière. Elle monta directement dans sa chambre et se planta devant le grand miroir. Elle avait un visage haut et étroit, sans ressemblance avec aucun des leurs. Déjà, elle était plus grande que sa mère. Jerry et Sharon ressemblaient à cette dernière, tandis que Lucille avait quelque chose du père de papa. Elle se ramena les cheveux sur les épaules. Le soleil avait décoloré des mèches d'or au milieu de sa chevelure cuivrée. De qui tenait-elle ces cheveux ? Ou encore cette dentition qu'un appareil s'efforçait de redresser, quand tous les autres membres de la famille avaient les dents parfaitement rangées ?

Sur son bureau était posé un modèle d'arbre généalogique. Elle s'assit et entreprit d'en dessiner une réplique, puis elle remplit les vides. Mère : Irene Miller, père : Jonas Miller... Mais elle reposa bientôt son crayon et se mit à contempler d'un œil morne le ciel d'un gris uniforme. La nuit tombait d'un coup, comme si l'on eût abaissé un grand store. Des bruits montaient du rez-de-chaussée ; on appelait le chat, on fermait les portes. Son frère et ses sœurs montaient l'escalier en se disputant pour savoir qui serait le premier à utiliser la douche. Parce qu'aucune lumière ne brûlait dans la chambre de Jill, nul ne vint l'y chercher, et elle restait là, immobile sur sa chaise, pas exactement au bord des larmes, mais très troublée par cette étrange tristesse, nouvelle pour elle.

Quelqu'un manœuvra l'interrupteur. « Jill ! s'écria sa mère. Nous nous demandions où tu étais passée. Ton père vient de passer un coup de fil chez Mamie. Elle lui a dit que cela faisait une heure que tu étais partie. Tu nous as fait peur. » Elle jeta un coup d'œil à la feuille de papier posée devant Jill. « Dis-moi ce qui ne va pas. »

Jill fit pivoter sa chaise. « Il y a que je ne peux pas faire ça. »

A présent, ses yeux se mouillaient de larmes. « Si je mets ce que je sais, ce ne sera rien d'autre que des mensonges.

— Je ne pense pas que ce genre de mensonge, si tu tiens à employer ce mot, soit très répréhensible. Tu peux bien utiliser ce que tu sais de notre famille. Tu en fais partie. Fais comme si tu étais Jerry, Lucille ou Sharon. Ou le bébé.

— Mais ce n'est pas le cas, balbutia Jill. Je suis moi. »

Sa mère alla refermer la porte. « Assieds-toi confortablement, dit-elle. Il faut que nous parlions, toi et moi. »

A présent que le moment était apparemment arrivé de quelque révélation, voici que Jill prenait peur. C'était comme d'ouvrir un paquet reçu des mains d'un inconnu ; on ne savait ce qui, bombe ou serpent, allait vous sauter au visage.

Toute tremblante, elle demanda : « De quoi ?

— De ce qui à l'évidence te tracasse. Je promets de te dire tout ce que je sais.

— Comment était-elle physiquement ? murmura Jill.

— On m'a dit, répondit sa mère d'une voix tranquille, qu'elle était brune et bouclée, comme moi. Ils s'efforcent de choisir des gens dont le physique diffère le moins possible. Aussi peut-être était-elle assez semblable à moi.

— Et mon père ?

— On ne nous a jamais rien dit de lui.

— Je voudrais connaître leur nom.

— C'est impossible, ma chérie.

— Je suppose qu'ils n'étaient pas mariés ?

— Non, en effet.

— Tu sais, maman, j'ai douze ans. Je ne suis pas tout à fait ignorante de ces choses. Elle est tombée enceinte, et il n'a pas voulu l'épouser.

— J'ignore si les choses se sont passées comme tu le dis. Peut-être était-il dans l'impossibilité de le faire. Tous deux étaient si jeunes, ils n'étaient pas encore à mi-chemin de leurs études. Cela a dû être très difficile, très douloureux pour l'un comme pour l'autre.

— Ils auraient dû y penser avant de... faire des choses, dit Jill, saisie d'une irritation inattendue.

— On ne réfléchit pas toujours, Jill.

— Tu me dis toujours qu'il ne faut pas laisser les garçons agir à leur guise.

— Je sais. Bien sûr qu'il ne faut pas. Mais il n'empêche que quand les gens font des bêtises, nous nous efforçons de les comprendre et de leur pardonner, tu ne penses pas ? »

Une vision s'imposa à Jill, celle d'une fille allongée dans les hautes herbes, regardant dans les yeux un garçon penché au-dessus d'elle. L'image avait à la fois quelque chose d'attrayant et de repoussant. Au cinéma, l'on attendait de voir ce qui allait suivre, sans toutefois être vraiment certain de le vouloir. Et si ce garçon et cette fille étaient appelés à devenir le père et la mère de quelqu'un...

Mrs. Miller observait sa fille. Les coins de sa bouche ébauchaient un sourire, mais ses yeux étaient inquiets. Elle avait la même expression lorsqu'un enfant se faisait mal et avait besoin de réconfort, expression devenue familière avec les années, tout comme les plis de son front et les petits clous d'or dont elle se parait les oreilles.

« Tu n'es pas de mon avis ? répéta-t-elle. Il ne faut pas lui en vouloir. Elle n'a rien fait de mal. Simplement, elle a commis une erreur.

— Est-ce que je peux entrer ? demanda Mr. Miller en frappant à la porte. Ou bien ceci est-il une conversation privée ?

— Non, entre. Jill et moi sommes en train de parler de sa naissance.

— Ah bon ? » Il s'assit en fronçant légèrement les sourcils, comme s'apprêtant à écouter avec la plus grande attention ce qui allait se dire.

« Il me semble que Jill est contrariée de ce que sa mère naturelle n'était pas mariée, dit Mrs. Miller. Je crois qu'elle pense que cela la rend différente des autres enfants, de ses petites amies. Est-ce que c'est ça, Jill ? »

Mr. Miller enleva ses lunettes et les remit en place. Ce geste lui conférait un air de sérieux et de sagesse. Jill se dit qu'il devait arborer une semblable expression dans son cabinet lorsqu'il s'entretenait avec ses patients.

« Écoute, coccinelle, dit-il. Ce que je vais dire va te paraître très égoïste. Si cette malheureuse jeune personne n'avait pas connu autant de difficultés, jamais nous ne t'aurions eue. Et tu es au nombre des meilleures choses qui nous soient arrivées, à ta mère et à moi. Est-ce que tu sais cela ? Est-ce que tu le sais ? »

Jill hocha la tête.

« Oui, je sais », fit-elle au bord des larmes. A présent que ses parents lui accordaient leur attention la plus soutenue, elle s'efforçait de refouler ses pleurs. « Seulement ce que je voudrais savoir, c'est... Oui, je sais bien que, comme maman me l'a dit, elle était dans l'impossibilité de s'occuper de moi, et je crois pouvoir comprendre ça. Cependant, comment a-t-elle pu s'y résoudre ? Seriez-vous capable d'abandonner Mark ? »

Ses parents échangèrent un regard. Sans doute pensaient-ils au bébé, présentement couché dans son berceau. Il dormait avec un ours en peluche de chaque côté de lui, en sorte que trois petites têtes reposaient sur son oreiller. Lorsqu'on allait le voir dormir, cela sentait le talc.

Mrs. Miller prit la parole. « Oui. Si nous n'avions pas de foyer, si nous ne pouvions pas lui offrir ce dont il a besoin, nous l'aimons tant que nous serions prêt à le confier à qui pourrait s'en occuper.

— Pense à tout l'amour qu'elle devait te porter pour faire ce qu'elle a fait, reprit Mr. Miller. Réfléchis bien à cela. Ensuite, essaie de n'y plus penser, si tu le peux. Tu as devant toi des tas de choses à faire, une vie merveilleuse qui s'offre à toi. » Il posa la main sur le genou de Jill. Cette main exerça une forte pression, comme pour exprimer qu'elle était sa possession, et cela réchauffa le cœur de l'adolescente. Elle voulait être à eux. Lorsqu'elle posa la main sur celle de son père, elle sentit se défaire la boule qui lui serrait la gorge.

« Autre chose qui te tracasse, coccinelle ?

— Eh bien, il faut que je termine l'arbre généalogique.

— Voyons cela. » Il examina la feuille. « Tu as le choix entre deux choses. Soit tu dis à ton professeur pour quelle raison tu ne veux pas le faire, soit tu...

— Je pourrais écrire un mot d'explication, interrompit sa femme.

— Oui. Soit tu remplis les vides avec les renseignements dont tu disposes. Tu fais à ton idée. »

Debout devant elle, souriants, ses deux parents haussaient des sourcils interrogateurs. Elle eut le sentiment qu'ils attendaient qu'elle sourie en retour ; et, les sentant si unis et proches l'un de l'autre, elle se sentit plus inclinée à le faire.

« Il se fait tard, dit sa mère. Dépêche-toi de terminer tes devoirs. » Ce ton quelque peu sévère avait lui aussi quelque chose de rassurant. « Tu vas laisser tomber la douche pour une fois. Le sommeil est beaucoup plus important. »

De nouveau seule, Jill reprit son stylo. Elle avait le choix entre deux possibilités. Après une minute de profonde réflexion, elle arriva à une décision. Une des solutions ne menait nulle part, comme ces combes en cul-de-sac que l'on apercevait parfois lors de randonnées par les monts Jerez. L'autre était une route droite à suivre par un jour limpide.

Elle reprit son stylo et se mit à remplir les espaces. Père : John Miller, né en 1918 à Phoenix. Mère : Irene Stone, née en 1920 à Albuquerque. Grand-père : Otto J. Miller, né en 1888...

Il serait faux de dire que, tandis qu'elle devenait une adolescente, Jill fut très préoccupée par les circonstances de sa naissance. Elle était trop active, elle avait trop de réussite et était trop sécurisée par sa famille pour cela. Mais il serait tout aussi faux de prétendre qu'elle ne continua pas de s'interroger à ce sujet.

Il arrivait parfois que la question, par l'effet de circonstances extérieures, revînt d'un coup affleurer sa conscience et la tourmenter jusqu'à ce qu'elle parvînt, à force de raisonnements, à la chasser de son esprit. Au fur et à mesure qu'elle vieillissait, cela lui devenait toutefois de plus en plus difficile.

Un jour qu'elle était partie camper avec des amis pour le week-end, un soleil trompeur, filtrant à travers les nuages, lui valut un coup de soleil et de douloureuses ampoules.

« Les gens qui ont ce type de peau doivent se méfier du soleil, la prévint gentiment le médecin. Si vous avez des frères et sœurs, mettez-les en garde contre les risques de cancer de la peau. C'est le prix que les familles de roux paient pour leur beauté. »

Elle se prenait parfois à regretter de posséder cette belle chevelure rousse. Si elle avait été brune comme le reste de la famille, peut-être eût-elle été moins obsédée par le mystère de ses origines... A présent, chaque fois qu'elle croisait dans la rue une grande femme rousse, entre trente et quarante ans, elle se disait : se pourrait-il que ce soit elle ? Pendant un court instant, son cœur battait à se rompre, puis elle se souvenait que sa mère adoptive lui avait parlé d'une brune bouclée. En ce cas, sans doute cette rousseur lui venait-elle de son père ?

Le pire était que ce questionnement lui inspirait non seulement une vague et sempiternelle tristesse, mais aussi quelque culpabilité. Pourquoi n'était-elle pas capable de se satisfaire de l'existence confortable qui lui était offerte ?

L'été précédant son entrée en classe de terminale, sa grand-mère, qui avait jadis enseigné le français, les emmena, elle et Lucille, en France. Elles étaient convenues de ne pas, si possible, prononcer un seul mot d'anglais, même entre elles. Elles voyagèrent de village en village, en autocar ou en micheline, loin des circuits touristiques. Elles se promenèrent à pied sur des routes de campagne, pique-niquant à l'ombre des platanes. La grand-mère était assez alerte pour épouser l'ardeur de ses petites-filles, et celles-ci étaient suffisamment mûres pour prendre plaisir à visiter les musées et cathédrales que leur aïeule connaissait si bien.

Elles passèrent les derniers jours de leur séjour à se délasser à Èze-sur-Mer. L'hôtel était plein d'Allemands, d'Anglais et d'Américains. Un soir, alors que ses deux compagnes avaient regagné leur chambre, Jill lia conversation avec une jeune fille de son âge, qui, comme elle, était en train d'observer l'immense volière pleine d'oiseaux exotiques qui se trouvait au centre du jardin. Elles commandèrent des crèmes glacées et allèrent s'asseoir à la terrasse.

Cette jeune personne, Harriet, se montrait aimable et directe. « Tu es ici avec ta famille ?

— Ma grand-mère et ma sœur.

— Ah, c'est ta sœur ? Tu ne lui ressembles vraiment pas. »

Jill n'aurait su dire ce qui la poussa à répondre : « C'est que j'ai été adoptée.

— C'est vrai ? Moi aussi. »

Après un silence, Jill dit : « Tu es la première personne que je rencontre qui soit dans le même cas que moi.

— Tu en as probablement rencontré des quantités sans t'en douter. En général les gens ne s'en vantent pas. Je le sais, je suis comme ça.

— C'est vrai. C'est la première fois que j'en parle.

— Selon moi, cela ne regarde personne, tu ne crois pas ?

— Oui, mais je ne crois pas que ce soit la vraie raison.

— Ah non ? Alors quelle est-elle ?

— Je pense que c'est parce que nous n'avons pas envie d'y penser — du moins est-ce mon cas. »

Harriet rapprocha sa chaise, et Jill réalisa que cette inconnue éprouvait la même émotion qu'elle, un sentiment d'étroite compréhension qu'elle n'avait jamais connu avec qui que ce fût.

« Je dis que je ne veux pas y penser, reprit-elle. Et cependant j'y pense souvent.

— Moi je n'y pense pas. Je n'y pense plus.

— Ne désires-tu pas au moins savoir qui était ta mère ?

— Je sais qui elle était — qui elle est. J'ai fait sa connaissance. »

Jill n'en crut pas ses oreilles. « Comment est-ce arrivé ? Raconte, dit-elle d'un ton suppliant.

— Je suis née dans le Connecticut. C'est un des quatre seuls États qui permettent l'accès aux dossiers d'adoption.

— En va-t-il de même pour le Nebraska ?

— Non. Et, crois-moi, quand un dossier est scellé, il est scellé. Tu n'arriveras à rien, alors autant ne plus y penser.

— Cela m'est impossible. J'ai l'impression que plus j'avance en âge, plus j'ai besoin de savoir... » La voix manqua à Jill et elle se tut.

L'autre jeune fille attendait qu'elle pût poursuivre.

« Dis-moi, reprit Jill. Qu'est-ce que cela t'a fait de la rencontrer ? Comment était-elle ? »

Harriet regarda au loin, vers la volière, vers la mer par-delà les rochers. « Elle était ivre, dit-elle, reportant brusquement le regard sur Jill. En dehors de mes parents, je ne l'ai jamais dit à personne, mais je peux bien te le dire, à toi, puisque je ne te reverrai jamais, et aussi parce que… parce que j'ai envie que tu saches. Elle était dans un état pitoyable. Quelque chose de tragique, de sordide. Elle est mariée. Lui non plus n'avait pas l'air de cracher sur l'alcool. Ils avaient deux garçons, mes demi-frères. Quand je suis arrivée, ils étaient en train de se disputer violemment. La maison était mal tenue, crasseuse même. Je ne sais ce qu'est devenu mon vrai père et je doute qu'elle le sache. Elle s'est accrochée à moi en pleurant, en me suppliant de revenir la voir. Mais je ne crois pas qu'elle le voulait vraiment. Je pense qu'elle avait honte. Nous n'avions rien à nous dire. » Harriet marqua une pause. « C'était un autre monde. »

Cette description brutale avait assombri l'humeur de Jill. « Est-ce que vous vous êtes revues ?

— Oui, il y a trois ans. Depuis, j'y retourne chaque année pendant les vacances de Noël. J'habite Washington et ne suis pas mécontente de la distance qui nous sépare. Nous correspondons, même si nous n'avons pas grand-chose à nous écrire. Ce sont des gens… elle n'est pas une mauvaise personne. Elle m'inspire… je ne sais pas exactement ce qu'elle m'inspire comme sentiments, sinon que je suis vraiment désolée pour elle et rudement contente d'avoir les parents que j'ai. Comme j'ai dit, c'est un autre monde.

— Je présume que tu préférerais ne l'avoir jamais rencontrée.

— A vrai dire, non. C'est beaucoup mieux ainsi. Cela ne me tracasse plus, je n'en rêve plus la nuit. Maintenant, je sais. »

Quand Jill monta se coucher, sa grand-mère lisait dans la chambre voisine. « Je t'ai aperçue de ma fenêtre en grande conversation avec une jeune demoiselle. Est-ce qu'elle est sympathique ?

— Très. Elle est une enfant adoptive. C'est de cela que nous parlions. »

La grand-mère gardait le silence.

« Elle a fait la connaissance de sa mère. De sa mère naturelle. »

La vieille femme considéra Jill par-dessus le bord de ses lunettes. Un long regard teinté de commisération.

« Je ne pense pas que ce soit une bonne chose », dit-elle.

C'était au tour de Jill d'être silencieuse. « T'a-t-elle dit si cela avait été une expérience bénéfique pour elle ? »

Peu désireuse de trahir une confidence, Jill se borna à répondre : « Elle ne s'est pas étendue là-dessus.

— Il y a le risque que cela détruise une autre famille. Que se passerait-il si la femme était mariée et n'avait rien dit à son mari de cet enfant abandonné des années plus tôt ? Quel effet cela aurait-il sur les enfants qu'elle pourrait avoir ? Ou sur ses propres parents ? Cela pourrait faire de terribles dégâts.

— Il conviendrait de procéder avec prudence. »

Quand sa grand-mère ôta ses lunettes, Jill s'aperçut que son regard était troublé.

« Si c'est à toi que tu penses en disant cela — et je suppose que c'est le cas —, songe qu'il se pourrait que tu sois totalement rejetée. Jill, nous ne voulons pas que tu souffres de cette façon.

— Je crois que j'aimerais courir le risque », fit Jill à voix basse.

Sa grand-mère soupira. « Ce n'est pas tout. As-tu songé que cela pourrait faire souffrir tes parents ?

— Je commencerais par leur en parler. Je leur dirais combien je les aime et leur expliquerais que cela n'a rien à voir avec l'amour que je leur porte. » Jill traversa la pièce pour poser la main sur l'épaule de sa grand-mère. « Est-ce que tu es fâchée après moi ?

— Non. Mais je suis triste de te savoir triste. Je voudrais que tu réfléchisses bien à tout cela, Jill. Réfléchis bien, et si tu persistes dans ton idée, parles-en à tes parents lorsque nous rentrerons à la maison. »

Elle continua donc d'y penser. Elle ne put cependant se résoudre à en parler à ses parents. Son débat intérieur la confrontait à des éventualités opposées. La femme qui l'avait mise au monde pouvait la décevoir amèrement, comme cela avait été le cas pour Harriet et sa mère alcoolique. D'un autre côté, Harriet avait précisé qu'en dépit de tout elle s'était sentie soulagée de savoir enfin... Et puis cette mère naturelle pouvait se révéler la femme la plus charmante qui soit, gentille, pleine de sagesse et très belle... Elle vivait et respirait quelque part — ça, elle était trop jeune pour n'être plus ! —, mais où ?

Par un samedi après-midi sombre et pluvieux, Jill et sa mère, seules à la maison, s'activaient dans la cuisine, préparant du pain et des tartes pour le dîner du lendemain, pour lequel on aurait des invités. C'était une charmante tradition. Mrs. Miller avait pris des cours auprès d'un chef-pâtissier et transmettait maintenant son savoir à ses filles.

Maman pelait des pommes tout en fredonnant à voix basse. Elle n'était pas comme d'habitude et paraissait penser à autre chose qu'à ce qu'elle faisait. Perplexe, Jill lui jetait de fréquents coups d'œil. Lorsque leurs regards se rencontrèrent, sa mère demanda :

« Il y a quelque chose qui te tracasse depuis quelque temps, n'est-ce pas ?

— Je ne vois pas de quoi tu veux parler, éluda Jill.

— Ta grand-mère nous a parlé d'une conversation que vous avez eue, elle et toi. Nous attendions que tu nous en parles, mais tu ne l'as pas fait. Sans doute aurions-nous dû faire le premier pas. Mais peut-être espérions-nous que cela te passerait. Je vois qu'il n'en est rien.

— J'ai essayé de ne plus y penser », murmura Jill.

Sa mère alla du côté de la cuisinière, déplaça une casserole qui n'avait nul besoin de l'être, puis revint s'asseoir.

« Il y a quelque chose que ton père et moi comptions te remettre le jour de tes dix-huit ans. Hier soir, nous avons décidé de te le donner sans attendre. Je monte le chercher. »

Elle reparut un moment plus tard et tendit une lettre à sa fille. « Allons nous asseoir sur le canapé du bureau. »

L'écriture était féminine et non dénuée de personnalité.

Dévorée de curiosité et remplie d'appréhension par l'air solennel de sa mère, Jill commença sa lecture. Il n'y avait qu'une seule page d'écriture et elle la parcourut à toute allure.

Mon cher enfant,

J'espère que tes parents nourriciers te remettront ceci quand tu seras en âge de comprendre. Celle qui va te mettre au monde et le garçon qui t'a engendré ne sont pas de mauvaises personnes, mais ils se sont montrés irréfléchis, ce que, je l'espère, tu ne seras jamais. Nous étions trop jeunes pour te trouver une place dans notre existence. Peut-être aussi étions-nous égoïstes et soucieux de ce que rien ne vienne déranger nos projets. Certaines personnes voulaient que je me débarrasse de toi, que j'avorte, mais cela je ne l'aurais pas pu. Tu grandissais déjà en moi, et il fallait que je te laisse vivre et te développer. Ta vie ne m'appartenait pas. J'espère de tout mon cœur qu'elle sera merveilleuse. Je vais te confier à des gens merveilleux, qui te désirent et feront plus pour toi que je ne le pourrais. J'espère que tu comprendras que je fais cela par amour pour toi, même si cela ne ressemble guère à une preuve d'amour. Crois-moi, mon fils ou ma fille, ce n'est rien d'autre que cela. Rien d'autre.

« Oh, mon Dieu », balbutia Jill. Elle se plaqua les mains sur le visage et se mit à pleurer en se balançant d'avant en arrière.

« Je sais, je sais », lui soufflait sa mère. Elle la prit dans ses bras et lui posa la tête sur son épaule. Elle demeurèrent un long moment embrassées.

Enfin, Jill se redressa en se tamponnant les yeux. « Je t'ai mouillé toute l'épaule.

— Ce n'est rien, ma chérie. Est-ce que cela va mieux ?

— C'est une très belle lettre... Je n'arrive pas à croire que je l'aie vraiment entre les mains... Quelle belle lettre...

— Oui, j'ai pleuré, moi aussi, la première fois que je l'ai lue.

— Si seulement elle l'avait signée !

— Ma chérie, comprends que c'est bien la dernière chose qu'elle aurait faite. Elle tenait avant tout à ce que cela reste confidentiel. Elle avait peur. Elle se sentait comme menacée. »

Jill réfléchit un moment. Elle s'imaginait dans une situation semblable, mais ne parvenait pas à se la représenter.

« Après si longtemps, dit-elle, peut-être a-t-elle changé d'avis, peut-être aimerait-elle me rencontrer.

— C'est possible. Cependant, si tel est le cas, je ne vois pas ce qu'elle ou toi pouvez y faire. La loi est ainsi faite.

— Eh bien, je la trouve mal faite, et je ne suis pas la seule à être de cet avis. J'ai lu que beaucoup de gens et d'organisations très actives s'employaient à changer les choses. Ne penses-tu pas que ce serait un bienfait ?

— Je n'en suis pas persuadée. Il est essentiel que l'enfant soit en sécurité au sein de sa famille d'adoption, qu'il soit préservé de tout conflit et ne soit pas tiraillé entre plusieurs parents.

— Un enfant, oui, dit Jill, qui se sentait plus que jamais portée à l'action. Mais pas un adulte. Maman… encore quelques mois et j'aurai dix-huit ans.

— Je sais », fit Mrs. Miller d'une voix teintée de tristesse.

S'en apercevant aussitôt, Jill la prit dans ses bras. « Tu resteras toujours ma mère, maman. Tu as tout fait pour moi, tu as été…

— Ah, quand je pense à tout ce que nous avons dû traverser pour t'avoir ! » A présent, la tristesse se changeait en rire. « Fournir des références, se prêter à des enquêtes, répondre à des milliers de questions. Nous vivions dans la crainte que l'administration ne nous trouve pas aussi irréprochables et parfaits qu'elle l'exigeait. Et ce jour de novembre où nous sommes enfin venus te chercher… Il neigeait et nous t'avons emmitouflée comme une petite Esquimaude… »

Elles restèrent tout l'après-midi à converser. La pluie dégouttait du bord du toit, ruisselait sur les vitres, et la préparation du dîner n'avançait pas.

On prit une décision : Mr. Miller se rendrait au Nebraska en compagnie de Jill afin de voir ce que l'on pourrait faire.

« Ça n'a pas changé, dit-il à bord de la voiture qu'ils avaient louée à l'aéroport. Je me demande si Mrs. Hurt est toujours là. »

Ils suivaient à présent le long couloir séparant la bibliothèque du solarium. Jill marchait derrière son père. Ma mère est passée ici, se disait-elle.

« Ça va, coccinelle ?

— Oui, ça va très bien. »

Mr. Miller se rendit directement chez la directrice de l'établissement. « Je vais préparer le terrain, avait-il dit à sa fille, faire état de ma qualité de médecin. Cela va peut-être aider, qui sait ? Et je vais aussi leur expliquer que tu entreprends cette démarche avec la bénédiction de tes parents. »

Jill s'assit dans l'antichambre, pièce agréable, de couleur beige, meublée de fauteuils confortables et d'une table basse chargée de magazines. C'était la salle d'attente d'un médecin ou d'un avocat prospère. On a toujours le cœur qui bat un peu vite dans ce genre d'endroit, se dit-elle.

Son père reparut au bout d'un long moment. « Mrs. Hurt a pris sa retraite il y a deux ans, lui souffla-t-il. Sa remplaçante n'est pas un parangon d'amabilité. Viens quand même la voir et fais ton possible. »

La jeune femme assise au bureau possédait un physique agréable, mais elle ne sourit pas lorsque Jill entra. Elle avait tout du fonctionnaire déshumanisé.

« Votre père m'a fait part de votre désir, dit-elle. Vous savez sûrement que c'est chose impossible.

— J'avais espoir, murmura Jill.

— Les dossiers sont scellés. L'acte de naissance — je ne parle pas de la nouvelle pièce, établie à l'enregistrement de votre adoption — est entre les mains de l'État, du service des statistiques démographiques. Et il est scellé. »

Jill avait l'impression qu'on venait de lui claquer une porte au nez. Néanmoins, elle insista : « Cependant, ici même, vous avez des archives... Je me disais que peut-être... Oh, si vous saviez combien j'ai envie de savoir qui elle est ! » Réalisant qu'elle avait joint les mains comme pour une prière, elle les abaissa et reprit d'un ton plus raisonnable : « J'avais espoir que vous comprendriez et seriez disposée à m'aider.

— Vous deviez bien vous douter de notre réponse, docteur, dit la jeune femme d'un ton de reproche qui, toutefois, se voulait respectueux.

— Je m'y attendais en effet. Mais il s'agit ici d'un besoin

d'ordre psychologique, un besoin que l'on doit prendre en compte.

— C'est de la curiosité, docteur. Rien de plus.

— Je ne suis pas d'accord avec vous. Il s'agit de bien plus que cela.

— Si nous devions accéder à toutes les requêtes de ce type, la promesse faite aux mères naturelles serait sans valeur. »

Durant cet échange, Jill avait fixé le dessus du bureau. Y était posé un rectangle de plexiglas sur lequel figurait le nom de cette femme : Amanda Karch. Au centre du bureau se trouvait un épais dossier. Cela ne pouvait être que le sien. Elle fut saisie d'une bouffée de colère. Là, à quelques mètres, cette chemise en carton recelait le renseignement qu'elle désirait tant connaître et que cette femme lui refusait. Mais de quel droit ? Cette fonctionnaire insignifiante qui se prenait tellement au sérieux...

Refoulant sa colère, elle demanda : « Est-il des circonstances où l'on rouvre les dossiers ?

— C'est très rare. Il faut convaincre les tribunaux en faisant jouer une raison impérieuse, telle qu'une grave maladie difficile à diagnostiquer, qui pourrait être d'ordre génétique, ou bien des troubles sévères relevant de la psychiatrie, une menace pour la santé mentale du sujet. Cela arrive très rarement. Vous n'êtes pas dans ce cas. »

Jill ne répondit pas. Son regard revint au dossier et n'en bougea plus.

« Je vous conseillerais de chasser cela de votre esprit. Comme votre père me l'a dit, vous n'avez pas d'autres problèmes. Vous êtes donc une jeune personne qui a de la chance, n'êtes-vous pas de cet avis ?

— Oui », fit Jill.

Tout en parlant, Mr. Miller prit la main de sa fille. « Je n'ai pas besoin de vous dire, Mrs...

— Karch.

— Que nous sommes terriblement déçus, Mrs. Karch. »

La jeune femme se leva à demi, signifiant que l'entrevue était terminée. « Je comprends, docteur Miller. Mais je ne puis que vous répéter mon conseil. Pour votre propre bien, n'y pensez plus. Que cette question inutile ne tourne pas à l'obsession. Cela risquerait de semer le trouble dans votre existence.

— Merci beaucoup», dit le père de Jill.

Ils roulaient en direction de l'aéroport. Tout à coup, Mr. Miller ralentit et se gara au bord de la route.

«Que dis-tu de tout cela, Jill? Est-ce que nous rentrons à la maison? As-tu une autre idée?»

Abattue par sa défaite, Jill répondit par une autre question : «Quelle idée veux-tu que j'aie?

— Recourir aux tribunaux.

— Tu as entendu ce qu'elle a dit.

— Ce pisse-froid, fit Mr. Miller entre ses dents. Oui, elle doit savoir de quoi elle parle.

— Les avocats, les frais de justice, tout ça coûterait une fortune, papa.

— Ne t'en fais pas pour ça.» Il redémarra. «Dès que nous serons rentrés, je commencerai à prendre des renseignements. Allons manger un morceau quelque part. Ce n'est pas ce qu'on pourra nous servir à bord de l'avion qui nous rassasiera.»

La soirée était bien avancée lorsque l'avion amorça sa descente au-dessus du Nouveau-Mexique. Les mesas projetaient des ombres bleutées sur la terre rouge brique. Pour ceux qui ne connaissaient pas cette région, ces falaises n'étaient que de banales parois rocheuses. Mais pour les gens plus avertis, elles étaient le pays d'un peuple très ancien. Là en bas coulait une rivière bordée de pins pignons. Jill appuya le visage contre le hublot dans l'espoir de reconnaître des endroits familiers.

«Tu te rappelles ce dimanche où nous étions partis en randonnée, et Jerry qui avait oublié les bouteilles d'eau? dit Mr. Miller. Tiens, ça me fait penser, je crois que nous allons gagner la bataille sur l'adduction d'eau. Quelle idée de vouloir détourner l'eau qui alimente des fermes pour remplir la piscine d'un hôtel de touristes!»

Jill voyait bien qu'il cherchait à lui changer les idées. Cela l'attristait de voir son père aussi embêté, et elle s'empressa de lui dire : «Ne t'en fais pas, papa. Tu sais, même si je ne suis arrivée à rien aujourd'hui, je ne suis pas du tout abattue et je n'ai pas encore renoncé. »

Un mois plus tard, Mr. Miller donna le résultat de ses démarches. On n'avait aucune chance d'obtenir gain de cause devant les tribunaux. Tous les avocats qu'il avait consultés, que ce soit ici ou dans l'État du Nebraska, lui avaient dit la même chose. Les tribunaux exigeaient une raison valable, et Jill n'en avait aucune à présenter.

Elle reçut la nouvelle avec stoïcisme. Elle venait d'être admise à l'université Barnard à New York et son plan de bataille était déjà au point. Une fois sur place, elle contacterait une de ces associations d'adoptés dont elle avait appris l'existence dans la presse. Des gens dans sa situation étaient arrivés à leurs fins, aussi avait-elle toutes les raisons d'espérer.

Non sans amertume, elle repensa à la mise en garde de la glaciale directrice du home où elle avait vu le jour. Elle avait parlé d'obsession à propos de la quête de Jill. Après tout, cette appellation en valait une autre.

C'est pleine d'émotions contradictoires qu'elle fit sa valise : tristesse de quitter la maison familiale, excitation à la pensée de la vie qui l'attendait, fierté d'être admise dans une université prestigieuse... et toujours son obsession.

Le bureau de l'association occupait une aile d'un appartement privé dans une petite localité voisine de New York. Deux petites pièces, chacune meublée d'un bureau et de classeurs métalliques verts.

« Nous sommes un petit groupe, expliqua Mrs. Dunn. Je suis travailleuse sociale à la retraite et je travaille ici à temps plein. Je suis moi aussi une enfant adoptive. Nous avons un autre salarié, Mr. Reilly. Tous les autres sont bénévoles. Nous avons quelques professeurs, des psychologues, deux avocats et toute une foule de gens comme vous et moi. Mais asseyez-vous et parlez-moi un peu de vous. »

Lorsque Jill eut achevé son bref exposé, Mrs. Dunn hocha la tête. « C'est le point de départ habituel. Avez-vous votre acte de naissance ? Je parle bien sûr du document qui a été établi une fois que vous avez été adoptée.

— Il est chez mes parents.

— Il nous le faudra, à moins que vous ne connaissiez le nom de la maternité et de l'accoucheur.

— Je les connais, mais je suis certaine qu'il ne voudra rien révéler.

— Vous avez dit que votre père était médecin. Peut-être pourrait-il se mettre en rapport avec lui. Il arrive que les médecins se fassent entre eux ce genre de fleur. »

Absurde, se dit Jill. Cela ne marchera pas. Mais elle admit néanmoins que cela valait la peine d'essayer.

Lorsqu'elle l'eut ce soir-là au bout du fil, son père accepta, ainsi qu'elle s'y attendait, de tenter la démarche. Il rappela quelques jours plus tard.

« Cela n'a rien donné, Jill. C'est un vieil homme, toujours en exercice et très compréhensif. Mais il ne peut enfreindre la loi. Il s'est montré catégorique et je n'ai pas insisté. J'étais même un peu gêné de lui avoir demandé de le faire.

— Merci, papa. Merci quand même.

— A part cela, est-ce que tout va bien ? Tu travailles dur ? Tu as des distractions ?

— Oui aux deux. New York est une ville merveilleuse. J'adore cet endroit, je me suis fait des tas d'amis, mais cela ne m'empêche pas d'attendre avec impatience les vacances de Noël et mon retour à la maison.

— Nous aussi, ma chérie. Tu nous manques énormément. »

Une idée lui vint à propos des vacances de Noël. Et si, en rentrant à la maison, elle faisait un crochet par le Nebraska ? Peut-être pourrait-elle aller voir elle-même le médecin en question. Peut-être pourrait-elle parler à une infirmière ou une secrétaire susceptible de la renseigner. L'idée se changea en résolution et ne la quitta pas de tout le trimestre.

Et c'est ainsi que par une journée glaciale et enneigée, elle se trouva une fois de plus assise devant un bureau, face à un vieillard à cheveux blancs et dur d'oreille. Les fenêtres allumées de l'immeuble qui se trouvait de l'autre côté de la rue ravivaient un peu la torpeur de ce sombre après-midi. Lorsqu'il eut terminé de répéter, fort gentiment, à Jill ce qu'il avait déjà dit à son père, il ajouta en montrant la fenêtre : « Cet immeuble que vous voyez là est la maternité où vous êtes née. »

Jill, une nouvelle fois déçue dans ses espoirs, se contenta de hocher la tête.

« Je voudrais pouvoir vous aider, mademoiselle. Je le voudrais vraiment. Mais si je devais prononcer ces quelques mots devant vous, je sais qu'ils me hanteraient pendant le peu qu'il me reste à vivre. Jamais je n'ai enfreint la loi, et je suis trop vieux pour commencer maintenant.

— Les mots ? Quels mots ?

— Ceux de votre dossier. Quand votre père m'a appelé et qu'il m'a donné votre date de naissance, j'ai consulté mes archives poussiéreuses. Ce jour-là je n'ai fait qu'un accouchement, une fille. »

Jill sentit les larmes lui venir. Elle était une nouvelle fois si près du but... Ce qu'elle cherchait depuis si longtemps était là, sur ce bureau.

Le vieillard fut pris d'une quinte de toux et se pencha pour ouvrir un tiroir. « Ces sacrées pilules. Je ne sais jamais où je les ai mises. »

Jill se pencha en avant. Elle eut le temps de lire, à l'envers, un nom porté sur une fiche dactylographiée : Peter, Alger-quelque chose, Mendes. Elle recula contre son dossier à l'instant où le vieil homme se redressait.

« Ma chère, je suis vraiment navré de ne pouvoir vous venir en aide. »

Elle prit précipitamment congé afin de noter ce nom avant qu'il ne lui sortît de la mémoire. Avait-elle imaginé une lueur dans les yeux du médecin ? Il lui avait donné une petite chance sans enfreindre la loi. Elle tenait maintenant quelque chose, quel que fût ce Mendes. Peut-être s'agissait-il d'un parent ou d'un ami de sa mère. A moins encore que cet homme ne fût son propre père.

Ce soir-là à la maison, toute tremblante, elle fit part de sa découverte à ses parents.

« ''Peter Alger'' », répéta sa mère.

— Non, pas ''Alger''. Il y avait d'autres lettres. »

Mrs. Miller réfléchit un instant. « Je ne vois que ''Algernon''.

— Étrange prénom, commenta son mari. Bizarrement, cela me dit quelque chose.

— Tu l'as déjà entendu ? s'écria Jill.

— Il me semble que je l'ai lu quelque part. Peut-être dans un périodique. Peut-être s'agit-il d'un médecin qui a fait paraître quelque chose dans une publication médicale. Lundi, je demanderai à une des secrétaires de chercher dans le répertoire des médecins. On y trouve la liste de tous les docteurs en médecine des États-Unis. »

« Non, il ne s'agit pas d'un médecin, dit Mr. Miller le lundi soir. Mais je persiste à dire que j'ai déjà rencontré ce nom-là. C'est le ''Algernon'' qui m'a frappé. Peut-être est-ce un effet de mon imagination, mais je me revois lisant une revue à mon bureau, comme je le fais généralement à midi tout en mangeant mon sandwich. Et je me revois tombant sur ce nom. En plus, il me semble que c'est tout récent.

— Que lis-tu généralement, en dehors des publications médicales ? interrogea Mrs. Miller.

— Pas mal de choses. Toutes les revues promises à la salle d'attente, le *National Geographic*, le *Smithsonian*, en plus de tous les magazines à grand tirage. Et également toutes les brochures et publications auxquelles je suis abonné, le bulletin du Sierra Club, celui du Bureau des affaires indiennes... je jette un œil sur tout ce qui traîne.

— Tu ne le retrouveras jamais, dit Jill.

— Pas si vite. Plus j'y pense et plus je suis certain d'avoir rencontré ce nom dans le courant de cette année. Or nous conservons toutes les revues au moins un an. Elles garnissent harmonieusement les vides de nos rayonnages. »

C'est à peu près sans espoir, se dit Jill. Mais enfin on ne sait jamais.

L'hiver passa, le printemps et l'été passèrent. Jill entra en seconde année. Elle était retournée voir Mrs. Dunn et, à tout hasard, lui avait communiqué ce nom de « Mendes ». Un soir, son père l'appela au téléphone.

« Tu ne vas pas en croire tes oreilles ! Je l'ai enfin trouvé. Dans un article sur l'archéologie indienne qui est arrivé aujourd'hui. Il a une chaire d'archéologie à Chicago. Je l'ai devant moi. Tu notes ?... Qu'est-ce que tu vas faire ? Lui écrire ?

— Je pense que je vais l'appeler immédiatement. Sinon, je crois que je ne trouverais pas le sommeil.

— Bravo ! Rappelle-nous aussitôt après. Que nous sachions ce que cela aura donné. »

Comment entrer en matière ? « Bonsoir, je me nomme Jill Miller. J'ai lu votre nom quelque part et je me demandais si nous ne serions pas parents... » Non, c'était idiot. Ce nom de Jill Miller ne lui eût rien dit. Non, il fallait annoncer tout de suite la couleur.

Prise d'une grande faiblesse, elle appela les Renseignements, obtint le numéro et le composa immédiatement. Une voix dynamique lui répondit. Après avoir donné son nom et s'être présentée comme une étudiante à l'université Barnard, elle se lança :

« Ma démarche est assez inhabituelle. Voilà, j'ai été adoptée à la naissance et je recherche mes parents naturels. Je suis tombée par hasard sur votre nom et je me demandais si vous n'auriez pas des renseignements à me donner sur... sur qui je suis. »

Il y eut un silence. « Où avez-vous trouvé mon nom ? Dans quel État ?

— Au Nebraska. C'est là que je suis née, dans un home pour mères célibataires. Mais c'est de New York que je vous appelle. Seriez-vous un parent de ma mère ?

— Dites-moi, quel âge avez-vous ? demanda l'homme, dont la voix avait perdu de sa vivacité.

— Dix-neuf ans. »

Il y eut un très long silence. Jill crut qu'il n'était plus en ligne.

« Mr. Mendes ? Êtes-vous toujours là ?

— Seigneur, oui, je suis là.

— Mr. Mendes ? Est-ce que vous connaissez ma mère ?

— Je l'ai connue. »

Elle eut l'impression que son correspondant pleurait. Tout à coup, elle prit peur. Son cœur battait à se rompre et cela se répercutait jusque sous son crâne. Lorsqu'elle parla, ce fut dans un souffle.

« Son nom ? Quel était son nom ? »

Et l'homme répondit d'une voix altérée : « Janine. On l'appelait Jennie... »

Jennie. Les cheveux bruns bouclés. C'est tout ce que je sais d'elle. Mais cet homme, à l'autre bout du fil, sait la suite. Jill serra plus fort encore le combiné. « Vous comprenez, n'est-ce pas, que vous devez tout me dire ? Ce n'est pas bien de laisser les gens souffrir de cette façon...

— Elle s'appelait Jennie Rakowsky. Nous étions étudiants ensemble, elle avait un an de moins que moi, et nous... » Il se tut.

Jill dut s'appuyer contre le mur. « Mais alors... vous êtes...

— Oui. Seigneur, c'est à peine croyable. Comme ça, tout à coup... Je veux vous rencontrer. Voulez-vous que nous nous voyions ?

— Oui. Oui, bien sûr. Mais ma mère, où est-elle ?

— Je l'ignore. Je ne l'ai jamais revue. Je n'ai plus eu de nouvelles. »

Jill fondit en sanglots. « Mais c'est atroce ! Il y a si longtemps que je suis à sa recherche. Comment vais-je faire pour la retrouver ?

— Je vais vous donner son adresse de l'époque, à Baltimore. Et aussi la mienne. Je tiens à vous rencontrer, Jill. A quoi ressemblez-vous ?

— Je suis grande. Je suis rousse, les cheveux longs.

— Je suis roux, moi aussi. Jill, donnez-moi votre adresse et votre numéro de téléphone. Ce coup de fil va vous ruiner, je vous rappelle.

— Cela n'a pas d'importance.

— Comment m'avez-vous retrouvé ?

— Je vais vous écrire pour tout vous raconter. C'est mon père qui est tombé sur votre nom, il s'intéresse aux Indiens, nous habitons au Nouveau-Mexique...

— Vous arrivez comme ça, de nulle part. Seigneur, si je m'attendais... »

Elle put à peine fermer l'œil de la nuit. Elle téléphona à ses parents pour leur annoncer l'étonnante nouvelle. Le samedi suivant, elle prit le train pour Baltimore et se rendit à l'adresse que lui avait donnée Peter Mendes. Elle arriva dans une petite rue bordée de modestes pavillons tous bâtis sur le même modèle. Une Noire vint lui ouvrir. Non, ce nom ne lui disait rien. Les gens d'à côté, les Danieli, étaient ici depuis de nombreuses années. Peut-être pourraient-ils la renseigner. Mais oui, bien sûr qu'ils se souvenaient des Rakowsky. Mais Mrs. Rakowsky avait déménagé plusieurs années plus tôt, sitôt après la mort de son mari. Jennie, leur fille, était une gentille petite, très jolie et si intelligente. Non, ils n'avaient pas la moindre idée de l'endroit où elle pouvait maintenant se trouver.

Le lendemain, dimanche, elle appela Peter Mendes pour le mettre au courant du progrès de ses recherches.

« Jill, il m'est venu une idée hier. Je vous ai appelée, mais vous étiez déjà partie. Jennie avait toujours voulu devenir avocate. Il existe un annuaire professionnel des avocats. Je suis idiot de ne pas y avoir pensé plus tôt. Nous sommes dimanche, dès demain je le consulte. Je vous tiens au courant. »

Une nouvelle fois, elle put à peine fermer l'œil de la nuit. Gentille, très jolie et si intelligente, avaient dit les voisins. Et lui était grand, les cheveux roux. Il était quelqu'un de bon et de sensible, cela se percevait même au téléphone. Peter et Jennie. Jennie et Peter. Durant toute la journée du lendemain, la conscience qu'elle avait de leur existence sous-tendit chacune de ses pensées. Peter Mendes l'appela en fin d'après-midi. « Jill, elle habite New York ! Elle est avocate, comme elle l'avait toujours voulu. J'ai son adresse. »

Jennie vivait à New York ! Dire que depuis plus d'un an nous habitons la même ville et que je n'en savais rien. Quand je vais dire cela à papa et maman... Il faut que je les appelle dès ce soir.

« Jill, je pense que vous devriez procéder sans hâte excessive. Elle tenait beaucoup au secret. Ne l'appelez pas comme vous m'avez appelé. Ce serait sûrement un choc pour elle.

— Je n'aurais pas procédé de cette façon avec vous, si j'avais su qui vous étiez par rapport à moi.

— Je n'en ai pas pâti. En revanche, elle pourrait accuser le coup. Peut-être a-t-elle un foyer, une famille. C'est même très probablement le cas. Agissez avec circonspection, c'est tout ce que je peux vous dire.

— Soyez sans crainte. Je suis en rapport avec une association, je vais leur demander comment il convient d'agir.

— Excellente idée. Je vous recontacterai. J'ai une telle hâte de vous rencontrer. Envoyez-moi une photo de vous en attendant, je vous en enverrai une de moi. Jill, dites-moi que je ne rêve pas. Je n'arrive pas à y croire... »

Mrs. Dunn fit venir Mr. Riley pour entendre le récit de Jill. Celle-ci leur raconta les derniers événements avec précipitation, ses mots se bousculant, le visage coloré, avec de grands gestes destinés à appuyer son propos. Elle vit que tous deux étaient émus.

« Il faut absolument que je les voie ! Je compte me rendre à Chicago pour rencontrer Peter Mendes. Mais avant tout, c'est elle que je veux voir. Vous imaginez ? Elle est tout près. Je pourrais sans doute aller lui rendre visite à pied.

— Surtout ne faites pas cela, Jill, s'empressa de dire Mrs. Dunn. Laissez-nous préparer le terrain. Nous avons vu trop de ces rencontres s'achever dans la douleur. Et il ne faut pas que ce soit le cas cette fois-ci. Faisons les choses dans l'ordre. »

Mais Jill pouvait à peine contenir sa joie. Après toute une année de vaines tentatives, les choses s'étaient si bien enchaînées qu'elle se sentait en droit de penser qu'il n'y aurait plus d'obstacles. La déconvenue n'en fut que plus cruelle lorsque Mr. Riley appela pour dire que Jennie Rakowsky souhaitait qu'on la laisse tranquille.

« Elle dit que ce qui a été fait il y a dix-neuf ans ne peut être défait.

— Elle a dit ça, répéta Jill.

— Oui, mais cela ne veut pas dire qu'elle ne changera pas d'avis. Laissons-lui le temps de la réflexion.

— Selon vous, est-ce parce qu'elle a d'autres enfants ?

— Je ne sais pas. Nous allons nous renseigner.

— Comment allez-vous vous y prendre ?

— Nous en avons les moyens. Je vous tiens au courant. Vous savez, Jill, cette réaction n'a rien de surprenant. Comme je vous l'avais dit, cela arrive très communément. »

Lorsqu'elle appela chez elle, son père lui dit la même chose, et sa mère d'ajouter : « C'est ce que nous redoutions. J'espère que tout se terminera bien, Jill, mais si tel n'est pas le cas, il faudra te faire une raison. Regarde, tu auras déjà retrouvé Peter Mendes. Ce n'est déjà pas mal. »

Puis ce fut au tour de Peter de lui offrir quelque réconfort : « Tout va finir par s'arranger, dit-il avec entrain. Soyez patiente. » Elle l'imaginait à l'autre bout de la ligne, l'air encore jeune, peut-être un peu trop joyeux face à son désarroi, nullement paternel, mais néanmoins si chaleureux. Et elle lui était reconnaissante de son attitude.

Les jours passèrent, puis toute une semaine, et d'autres semaines encore. Mrs. Dunn appela pour dire qu'elle avait recontacté Jennie et que cette tentative avait été aussi infructueuse que la première.

« Ne perdez pas espoir, Jill. Ce n'est que la seconde fois. Je la rappellerai. Elle n'est pas mariée et n'a pas d'enfants. J'ai le sentiment qu'elle finira par accepter. »

Mais Jill était à présent habitée d'un sentiment d'urgence. C'était comme s'il ne lui restait plus qu'à parcourir les derniers cinq cents mètres d'un marathon. Elle touchait au but, mais ses jambes étaient de plomb, son souffle était si court. Elle devait trouver l'énergie d'un ultime effort, elle n'avait pas le droit d'échouer maintenant. Au diable les conseils de prudence. Au diable ses parents, Peter, les Riley et autres Dunn. Elle allait prendre l'initiative.

Aussi, un soir après le dîner, regagna-t-elle sa chambre pour prendre une douche et changer de vêtements. Puis elle appela un taxi. Je vais être très calme, se répéta-t-elle pendant le trajet, avec, ce disant, l'impression que son rythme cardiaque ralentissait. Elle pénétra dans un immeuble, monta quelques volées de marches, appuya sur une sonnette.

« Qui est-ce ? fit une voix féminine.

— Jill. Est-ce que je peux entrer ? »

7

Flageolant sur ses jambes, s'appuyant de la main gauche sur le mur, Jennie ouvrit la porte. La lumière du séjour éclaira une grande jeune fille. Jennie ne vit d'abord que ses cheveux. Une masse cuivrée, parcourue de flamboyantes ondulations.

Les yeux écarquillés, elle s'adossa au mur et se posa la main sur la poitrine. Son cœur battait à se rompre et aurait aussi bien pu s'arrêter dans l'instant.

« Je suis désolée, murmura la jeune fille. Je suis désolée... Est-ce que vous allez vous évanouir ? »

Jennie se redressa. Pendant une fraction de seconde, elle se vit de l'extérieur, faisant un rêve, un cauchemar duquel elle allait s'éveiller, bienheureuse de retrouver le réel et la lumière du jour. Mais, réintégrant aussitôt son enveloppe corporelle, elle comprit où était la réalité, elle comprit que cette fille était bien vivante et s'apprêtait à franchir le seuil. Elle s'écarta, à peine soutenue par ses jambes de coton.

« Entrez », souffla-t-elle.

Elles se faisaient maintenant face au centre de la pièce. Deux mètres peut-être les séparaient. Jennie était vide de tout sentiment, sinon celui d'un engourdissement grandissant. Des pensées fragmentaires la traversaient comme feuilles mortes poussées par le vent. Que suis-je censée faire, éprouver ? Je suis tout engourdie, cela ne se voit-il pas ? De toute façon, cela peut parfaitement être une erreur. Oui, c'est à l'évidence une méprise.

Cependant, cette chevelure. Peu de gens possèdent de tels cheveux. Et son visage... Regarde bien les traits de cette inconnue.

« Vous vous dites que vous n'êtes pas sûre de qui je suis. Mais j'ai sonné à la bonne porte. Je suis Jill. Victoria Jill. On vous a parlé de moi.

— Oui, dit Jennie, ses cordes vocales ne vibrant pas, en sorte qu'elle dut répéter : Oui, c'est exact. »

Elles n'avaient pas bougé. « Vous devriez vous asseoir, dit la jeune fille. Vous tremblez. »

Elles gagnèrent les fauteuils qui flanquaient le canapé. Un mètre maintenant les séparait.

Elle me détaille. Son regard me parcourt des pieds à la tête. Elle voudrait rencontrer mon regard, mais j'ai vu une lueur brillante dans ses yeux et je ne me sens pas de force à affronter ses larmes.

Nous ne nous sommes pas encore touchées, pas même effleuré la main. S'il s'agissait d'un film, nous serions en train de pleurer dans les bras l'une de l'autre, mais je me sens si vide.

Voici qu'elle regarde du côté de la fenêtre, qui est obscure en dehors d'un rai de lumière, là où les rideaux ne joignent pas tout à fait. Son corsage de soie blanche est très échancré sur le devant, en sorte que je vois les muscles de son cou se contracter lorsqu'elle déglutit péniblement. Elle a les traits fins, quelques taches de rousseur à peine marquées, le nez petit mais légèrement busqué. Elle n'a ni mon nez, ni le sien. Elle a les yeux marron et bordés de grands cils, elle a le blanc de l'œil si limpide qu'il en paraît bleu. Toujours incrédule, je la détaille petit à petit.

La jeune fille reporta brusquement le regard sur elle. « C'est pour vous un grand choc, ne m'en veuillez pas. »

Et Jennie, si forte, si fière habituellement de la façon dont elle faisait front, fut incapable de répondre.

« Est-ce que vous voulez un verre d'eau ? Ou peut-être un alcool ?

— Non. Non merci. Ça va aller.

— Vous êtes sûre ?

— Oui, je me sens bien, je vous assure. »

Nouveau silence. Un camion de pompiers passe dans la rue, toutes sirènes en batterie. Lorsqu'il est passé, le silence paraît encore plus profond. Ma tête commence à me faire mal ; de sourdes pulsations depuis le front jusqu'à la nuque. Je porte la main à mon front, comme si ce geste pouvait faire cesser la migraine. Je viens de réaliser que s'il n'avait pas été souffrant, Jay aurait été ici, il y a une minute, quand on a sonné, et qu'il serait ici en ce moment même. La scène est à peine imaginable... Et je regarde à nouveau cette fille — ma fille — assise en face de moi. Elle paraît inquiète, comme si elle craignait que je n'aie un malaise. Elle ne comprend pas — mais comment le pourrait-elle ? — qu'elle est une bombe jetée au beau milieu de ma vie.

Jill prit à nouveau la parole. « Vous ne dites rien ? Vous ne comptez tout de même pas rester assise là à me regarder ? »

Cette légère réprimande avait été tempérée d'un petit sourire triste et engageant, accompagné d'un petit froncement de sourcils.

« Cela vous ennuie que je vous regarde ? fit Jennie, presque sans y penser.

— Non, bien sûr que non, dit Jill en se penchant en avant, le menton dans la main. Alors, comment me trouvez-vous ? »

Jennie avait des picotements dans les yeux. Elle les écarquillait afin qu'aucune larme ne s'y ourlât. « Vous êtes jolie... répondit-elle.

— Vous aussi, vous êtes jolie... N'avez-vous pas le sentiment que ce qui nous arrive est à peine croyable ? Quand je pense que, pendant toute l'année dernière, nous habitions la même ville et ne le savions pas ! Cela ne m'a jamais effleurée. Étant née au Nebraska, je vous ai toujours imaginée quelque part dans le Midwest. »

Comme elle s'exprime calmement ! Quel aplomb ! A la voir,

on penserait que nous sommes deux connaissances qui viennent de se retrouver par hasard, après s'être perdues de vue pendant des années. Sans doute est-elle, intérieurement, aussi émue que moi, mais elle vit ses émotions et cette situation saisissante bien mieux que moi. J'en ai encore les mains qui tremblent, alors qu'elle a les siennes sagement posées sur les bras de son fauteuil.

« Je suis née et j'ai grandi à Baltimore. »

Sois prête à répondre à des centaines de questions. Elle est venue ici en quête de réponses. Elle doit avoir la tête pleine d'un enchevêtrement d'interrogations.

Jennie commençait maintenant de mesurer la souffrance de la jeune fille. Imagine ce que cela doit être que d'ignorer qui t'a faite ! Toute ma vie je me rappellerai papa, sa moustache, ses belles mains poilues et sa voix, rocailleuse même quand il riait. Et maman, toute en rondeurs, chaleureuse, prêchant la prudence, et bavarde, éternellement bavarde.

« Nous habitons Albuquerque.

— Oui, je savais que vous étiez quelque part dans l'Ouest. Je me demandais où.

— Une très belle région, mais je trouve New York tout à fait merveilleux. Je suis allée à l'Opéra et au musée d'Art moderne, je suis allée partout. C'est un endroit merveilleux. »

L'aplomb est en train de s'effriter. Non encore prête pour la vérité toute nue, elle entend parler d'abord de choses neutres, avant d'en venir très progressivement au cœur des choses. Pour moi aussi, se dit Jennie, c'est la seule façon possible.

« Ainsi vos études vous ont permis de découvrir New York.

— J'y étais déjà venue une fois. Pour me récompenser quand j'ai eu mon bac, ma grand-mère m'a offert un voyage en Europe, et nous avons passé quelques jours ici.

— Merveilleuse récompense. »

Ce que cette remarque peut être banale et ordinaire, alors que mon cœur bat toujours la chamade !

« Oui, et elle m'a également offert ce sac. Elle me l'a acheté à Paris. »

Un grand sac Vuitton était posé sur le sol, près des pieds de la visiteuse. «Je sais qu'il est très beau, et pourtant il ne me faisait pas vraiment envie.»

Paris. Vuitton. La fille — non, il fallait qu'elle cesse de l'appeler ainsi, même mentalement — Jill, donc, avait une montre-bracelet en or et des boucles d'oreilles serties de minuscules diamants, toutes choses que Jennie n'avait jamais eues pour elle-même et que jamais elle n'aurait eu les moyens d'offrir.

Elle se devait néanmoins de faire quelque commentaire. «Il a la taille idéale. Il doit même être possible d'y glisser quelques livres.

— Ça, je m'en sers souvent, je le prends même parfois pour aller en cours. Bien que nous soyons en pleine ville, nous avons un très agréable campus. Y êtes-vous déjà allée?

— Non», dit Jennie.

J'y étais encore cet après-midi, avec l'espoir de t'y voir. De ne pas t'y voir.

«Vous devriez y faire un tour un de ces jours.»

Nous tournons en rond, nous nous perdons en banalités, nous rapprochant lentement et peureusement de notre blessure ouverte.

Jill ouvrit la bouche, la referma, puis l'ouvrit à nouveau. «C'est juste avant que je termine le lycée que maman m'a remis votre lettre.

— Ma lettre?

— Celle que vous avez écrite avant ma naissance, celle que vous avez placée dans la boîte avec les affaires de bébé.

— Ah oui, celle-là.»

Cette lettre lui était complètement sortie de l'esprit. Ainsi, il était donc vrai que l'on pouvait occulter, refouler tout ce qui était par trop douloureux.

«Je ne me souviens pas de ce que j'y ai écrit.

— Vous voulez que je vous la récite? Je la connais par cœur.»

Jennie leva la main. «Oh non! Je vous en prie, non.»

Pas question que je me laisse déchirer comme à plaisir. Déjà, avec le peu qu'elle m'a dit, je vais porter en moi cette image d'elle et de celle qui est sa mère... Sous la véranda, a-t-elle dit. Au loin, les montagnes désertiques. Les mesas couleur de brique. Des cactus poussent sur la pelouse. Il y a une balancelle sous la véranda. Elles y sont assises, et la femme a passé un bras autour des épaules de sa fille ; je lui vois un visage pensif, celui d'une intellectuelle, avec une mèche grise barrant ses cheveux noirs. Je ne sais pourquoi je la vois ainsi.

« C'est ce jour-là que j'ai su qu'il fallait absolument que je vous retrouve. Cette idée ne m'a plus quittée. Il fallait que je sache d'où je venais.

— Et vos... parents ?

— Si cela les chagrinait ? Non, pas du tout. Ils comprenaient. » Jill marqua un temps de silence. « Avec ma crinière rousse, je détonnais tellement au milieu des autres. »

Pauvre âme, elle se demandait d'où lui venait cette superbe chevelure.

« Vous avez les cheveux de votre père, dit Jennie. Ils étaient tous roux dans sa famille. Peut-être leur ressemblez-vous un peu... je ne les ai pas très bien connus. Vous savez, il m'est douloureux de parler de ces gens-là.

— Rien ne vous y oblige. Parlez-moi plutôt de vous.

— De moi ? fit Jennie avec une pointe d'amertume. Toute une vie en une soirée ?

— Il y aura d'autres soirs, Jennie. Cela vous ennuie si je vous appelle ainsi ? Je trouverais un peu dérangeant d'appeler deux femmes maman.

— Non, cela ne m'ennuie pas. »

A vrai dire, il serait absurde de m'appeler « maman ». Je n'ai pas été une mère. Il y aura d'autres soirs, dit-elle. C'est à craindre. Une fois le processus engagé, il n'est plus possible de l'arrêter. Et les choses vont suivre leur cours sans qu'il soit possible d'imaginer leur aboutissement, sinon peut-être pour moi un gouffre. Elle attend que je lui raconte mon histoire. Elle se tient chevilles croisées, dans une position qui parle de réserve et de modestie. Mais je sais qu'elle n'a rien d'une personne effacée. Pas plus que moi d'ailleurs.

« Vous disiez être originaire de Baltimore.

— Mes parents étaient des Juifs d'origine modeste, rescapés des camps de la mort. Nous n'étions pas riches, mais la vie était douce à la maison. Mon père est mort, ma mère vit maintenant en Floride, je n'ai pas de frères et sœurs... » La voix manqua à Jennie.

Tout ceci est insensé. Nous deux, assises là, cette conversation, tout cela est aussi surréaliste que les montres molles de Dali. Et moi qui évoque à contrecœur des souvenirs brumeux, depuis longtemps mis en sommeil, un peu comme si j'étais sur le divan d'un analyste.

« Excusez-moi, dit-elle en essuyant quelques larmes. Il est rare que je pleure.

— Mais pourquoi ? Il n'y a rien de mal à cela.

— Une fois que c'est parti, j'ai bien peur de ne plus pouvoir m'arrêter. »

Elle est forte, cette enfant, forte et pleine de bon sens. Ce soir, elle mène la danse, et moi je subis. Je ne suis pas habituée à ce cas de figure.

Jennie roula en boule son mouchoir humide et se redressa sur son fauteuil. « Je ne sais pas trop par quoi poursuivre, dit-elle presque timidement.

— Sans doute pourriez-vous... j'aimerais que vous me disiez pourquoi vous ne vouliez pas me rencontrer, pourquoi vous vous y refusez depuis des semaines. Je ne voulais pas vous faire violence en venant ici comme je l'ai fait, mais il n'y avait pas d'autre solution.

— C'est que... il s'agissait de quelque chose auquel je ne voulais pas être confrontée, je ne voulais pas qu'on me le rappelle... »

Elle me met dos au mur. Au tribunal, je peux parer et contre-attaquer ; jamais je n'y ai été poussée dans mes derniers retranchements. Mais elle ne va pas me laisser m'en tirer comme ça. Elle a inscrit son image dans ma tête, en sorte que jamais je ne pourrai l'oublier. Je verrai toujours son visage, j'entendrai toujours sa voix. Elle s'exprime parfaitement, une bonne diction est capitale, les jeunes gens parlent tellement mal à l'heure actuelle… Et son maintien est impeccable, plein de grâce, elle ne détonnerait pas dans la famille de Peter… Quelle ironie ! Oh, cette migraine ne s'arrêtera-t-elle donc jamais ?

C'est à cet instant que Jill dit : « Moi qui voulais tant trouver ma place dans votre vie, en faire partie. »

Jennie crut défaillir. « Comment cela se pourrait-il ? Il est trop tard. Vous ne pouvez… Je veux dire, nos vies sont inconciliables.

— Non, ce que vous avez commencé à dire était exact. Vous pourriez avoir votre place dans ma vie. Mais vous ne voulez pas de moi dans la vôtre. C'est ce que vous avez dit aux personnes qui vous ont contactée par téléphone.

— Je n'ai pas dit cela en ces termes. »

Quelle cruauté, quelle stupidité de la part de ces gens ! Qu'avaient-ils besoin de lui rapporter cela ? Cependant c'est bien ce que je leur ai dit. Je leur ai dit de me laisser en paix. Regarde-la… sa peau est comme du lait, et les veines bleutées de ses tempes, là où s'échappent quelques cheveux follets, sont si fines… A présent elle souffre, elle a de la peine… J'avais raison, il valait bien mieux que nous ne nous rencontrions pas.

« Je voulais seulement dire, reprit Jennie d'une voix très douce, qu'il était très difficile, impossible est le mot que j'ai employé, d'avoir une quelconque relation au bout de dix-neuf ans. C'est tout ce que je voulais dire.

— Nous pourrions essayer. Nous pourrions dès maintenant essayer de communiquer. » Jill regarda sa montre. « Il n'est que neuf heures. Vous pourriez m'apprendre bien des choses sur vous pendant l'heure ou les deux heures qui viennent. Pour peu que vous le vouliez. »

Jennie eut un long soupir. « Je vais faire bien mieux. Je vais dresser un arbre généalogique que je vous enverrai. Je mettrai par écrit quelques anecdotes familiales, tout ce qui me reviendra. Quant à l'autre côté, le sien, je ne saurais vous en dire grand-chose. Je n'en sais que le peu qu'il m'en a dit. C'étaient des Sudistes, peut-être pourrait-on les qualifier d'aristocrates juifs. Je n'en sais pas plus.

— Ce n'est pas grave. Je me suis déjà entretenue avec Peter. »

Jennie écarquilla les yeux. « Qu'est-ce que vous dites ? »

Jill soutint son regard. « Je l'ai retrouvé comme je vous ai retrouvée. Nous avons eu ces dernières semaines de longues conversations téléphoniques. Il habite Chicago et il m'a demandé d'aller le voir le week-end prochain. Il a bondi de joie quand les gens de l'association l'ont appelé. Il voulait même me contacter le jour même. »

Complètement abasourdie, Jennie ne put que laisser les propos de Jill ruisseler sur elle à la façon d'une douche glacée : « Nous avons beaucoup de points communs. Il est archéologue, le saviez-vous ? Il enseigne. Or j'ai participé à des fouilles en Israël, ce qui fait que nous avions beaucoup de choses à nous dire. Il a l'air de quelqu'un de merveilleux. J'ai hâte de faire sa connaissance. »

Se remettant peu à peu de son ébahissement, Jennie commençait d'entrevoir plus clairement à qui elle avait affaire. Une jeune personne animée d'une extraordinaire détermination, et également très astucieuse, à en juger par la façon dont elle avait attendu, pour parler de Peter, qu'elle l'évoque en premier.

« J'en suis heureuse pour vous, Jill, dit-elle prudemment. Et aussi pour lui. J'espère que cela vous sera bénéfique à tous les deux.

— Et pourquoi ne le serait-ce pas ?

— Je l'ignore car je ne sais rien de lui. Ce que je sais, c'est que la vie peut être riche en complications de toutes sortes.

— C'est le cas de la vôtre ? » Jill regardait Jennie droit dans les yeux.

Cette fois, celle-ci soutint son regard. « Oui, c'est le cas de la mienne.

— Mais vous ne voulez pas m'en parler.

— Non. Cela ne regarde que moi. »

Le silence qui suivit parut lourd de menace à Jennie. Elle ouvrait les lèvres pour le rompre, quand Jill la prit de vitesse.

« Il veut vous voir. »

Jennie ouvrit de grands yeux. « Qui ? Peter ? Il veut me voir ?

— Oui, il dit que maintenant que j'ai mis les choses en train, ce serait une bonne chose pour nous tous. Il vient à New York à la fin du premier semestre.

— Ah non ! Ah ça non ! Vous ne pouvez pas me faire ça, ni vous ni lui !

— Je ne vois pas comment vous pourriez l'en empêcher. C'est son intention, il me l'a dit.

— C'est tout à fait hors de question, vous m'entendez ? lança furieusement Jennie. Il est tout à fait exclu que j'endure cette atteinte à ma vie privée ! »

Elle se sentait aux abois. Peter revenait d'entre les morts. Dans la chambre voisine, elle avait étalé sur le lit les vêtements qu'elle projetait d'emporter en lune de miel. La lune de miel d'un imposteur, car elle n'était rien d'autre... Jay, mon amour, vais-je te perdre ? Je suis décidée à tout faire pour éviter cela, et cependant je sais que c'est inéluctable. C'est écrit, je le sens.

« Pourquoi vous acharnez-vous à me persécuter ? » cria-t-elle.

Jill empoigna le sac Vuitton et se leva. Ses yeux étaient pleins de larmes, mais elle s'exprima avec calme. « Vous ne correspondez pas du tout à ce que j'avais espéré. Jamais je n'aurais imaginé que vous puissiez être ainsi. »

Jennie se leva à son tour. « Et à quoi vous attendiez-vous donc ?

— Je ne sais pas. Pas à cela en tout cas. »

Tendues, frémissantes, elles se faisaient face.

« Si, je le sais, fit amèrement Jill. J'avais pensé que... qu'au moins vous m'embrasseriez. »

Et Jennie de fondre en larmes. Son chagrin se donnait libre cours. « Vous venez comme ça, sans prévenir... à tel point que je n'en crois pas mes yeux... Dix-neuf longues années... Je vous ouvre la porte... Et voici que lui aussi... J'ai du mal à penser de façon cohérente... Oui, bien sûr, je vais vous embrasser. »

Mais Jill fit un pas en arrière. « Non. Pas comme cela. Pas si je dois réclamer. »

Des larmes ruisselaient sur ses joues. Elle ouvrit la porte et s'en fut en courant dans le couloir.

« Attends ! lança Jennie. Tu ne peux pas partir comme ça ! Je t'en prie... »

Mais la jeune fille était déjà dans les escaliers. Son pas précipité retentissait sur les marches, la porte de l'immeuble claqua violemment. Jennie demeura un long moment sur le pas de sa porte, écoutant l'écho se répercuter dans la cage d'escalier, puis elle rentra chez elle et s'assit, la tête entre les mains.

Lui revenait l'impression d'irréalité qu'elle avait éprouvée au tout début. Tout ceci avait été le fruit de son imagination. C'est alors qu'elle avisa sur le sol un tube de rouge à lèvres. Il avait dû tomber du sac de la jeune fille lorsqu'elle y avait pris un mouchoir en papier pour essuyer ses premières larmes. Jennie le ramassa pour le contempler longuement dans la paume de sa main, tout en revoyant le sourire de sa visiteuse, ses beaux yeux lançant des éclairs, et ses larmes.

J'ai lu la lettre qui accompagnait les affaires de bébé...

Une enfant à la recherche de sa mère. Pauvre petite. Mais elle a une mère, elle en a toujours eu une. Alors pourquoi moi ?

Tu le sais parfaitement.

Pauvre enfant.

Mais ils vont tout gâcher, elle et Peter. Peter, qui revient d'entre les morts.

Comment vais-je bien pouvoir les empêcher d'interférer avec Jay ? Comment peut-il oser, comment peut-il oser me faire ça ?

Après un long moment, elle se leva, éteignit la lampe et alla prendre un Valium dans la pharmacie. Il ne lui était qu'une seule fois arrivé de prendre un tranquillisant, au lendemain de l'extraction d'une dent de sagesse. Ce soir, en revanche, elle aurait avalé n'importe quoi susceptible d'atténuer sa confusion et son désespoir.

Au matin, elle avait l'esprit plus clair. « L'important est de garder la tête froide », se remémora-t-elle à voix haute alors qu'elle prenait son café, assise dans la petite cuisine.

Mais Jill était partie en larmes dans la nuit noire. Assurément, il fallait faire quelque chose pour réparer. Je ne me souviens pas exactement de ce que j'ai dit. Je sais seulement que j'étais dans tous mes états. Une chose est sûre : on ne peut en rester là. Peut-être pourrions-nous aller déjeuner quelque part. Nous pourrions converser tranquillement et je lui expliquerais ma façon de voir. Je pense que cette seconde entrevue sera moins passionnée.

Elle venait de se saisir de l'annuaire quand le téléphone sonna.

« Bonjour », fit Jay. Il était de ces rares personnes capables de se montrer chaleureuses et pleines de tonus sitôt leur réveil. « C'est un miracle ! Ma fièvre est tombée, je me sens en pleine forme, que dirais-tu d'un petit footing dans le parc ? Les enfants sont chez leurs grands-parents pour la journée. »

Jennie réfléchit à toute allure. « Chéri, je te croyais malade et j'ai fait d'autres projets.

— Ah zut, quels sont-ils ?

— Eh bien… une amie de ma mère vient d'arriver de Miami. Il faut que je l'emmène au musée ou je ne sais où. Nous devons déjeuner ensemble.

— Ma foi, qu'importe. Je vous emmène toutes deux déjeuner.

— C'est une vieille dame, Jay. Tu vas détester ça…

— Qu'est-ce qui te fait croire que je déteste les vieilles dames ? Toi aussi tu seras une vieille dame un jour, et je ne pense pas que je te détesterai.

— Non, sérieusement, tu vas trouver ça mortel. En fait, elles sont deux, et l'une d'elles a amené son mari. Ce sont des gens adorables mais vraiment très ennuyeux.

— Dans notre branche, on rencontre des tas de gens ennuyeux. Je suis habitué.

— Peut-être, mais pourquoi faudrait-il que tu t'imposes une telle épreuve un dimanche ? En plus, tu avais de la fièvre hier soir encore, et il faut que tu restes au chaud encore une journée.

— Je vois bien qu'on ne veut pas de moi, dit-il en simulant le dépit.

— Oui, on ne veut pas de toi aujourd'hui. Va te recoucher avec le journal. Je t'appelle en fin de journée. »

Jennie raccrocha. Déjà le mensonge et le subterfuge. Je me méprise. Voilà ce qui arrive quand on a menti une fois. Le mensonge entraîne le mensonge.

Elle composa le numéro de l'université Barnard. Tandis qu'elle attendait que Jill vînt à l'appareil, elle eut une réminiscence des odeurs flottant dans les foyers d'étudiants, l'odeur douceâtre du talc et celle, plus forte, de l'alcali des produits d'entretien. Elle entendait le fond sonore commun à tous les foyers, musique rock, sonneries de téléphone, bruits de talons hauts dans les étages. Elle imaginait Jill courant dans le couloir les cheveux au vent, pensant que quelque jeune homme ou peut-être ses parents l'appelaient.

« Jill ? Jennie à l'appareil.

— Oui ? » Le ton était presque glacial.

Jette-toi à l'eau. « J'étais inquiète au sujet d'hier soir. Je me demandais si vous étiez bien rentrée.

— Oui, sans problème.

— Je suis désolée que mon attitude vous ait à ce point affectée. Je me suis dit que vous et moi pourrions peut-être reparler de tout cela et essayer d'y voir plus clair. Qu'est-ce que vous en dites ?

— Eh bien... » Le ton était prudent. « Quand cela ?

— Aujourd'hui. Vers treize heures. Je pensais que nous pourrions déjeuner ensemble. » Elle décida que le West Side serait préférable, car la plupart des amis de Jay habitaient l'East Side et il était peu probable qu'aucun d'eux vînt flâner à l'ouest de Central Park un dimanche midi. « Au Hilton de la Sixième Avenue, au coin de la Cinquante-Troisième Rue. L'endroit est agréable et on ne vous y presse pas. Je vous retrouve à la réception ?

— Entendu pour treize heures.

— Jill... cette fois les choses vont être plus faciles pour vous comme pour moi.

— Je l'espère. » Un temps d'hésitation. « Jennie, je suis contente que vous ayez appelé. »

Nous allons envisager le problème calmement, se dit Jennie. Elle est intelligente et en âge de comprendre que les gens n'ont pas tous les mêmes motivations et qu'on ne peut pas ne pas en tenir compte.

Toujours portée à l'optimisme, Jennie attendait dans la réception du grand hôtel. Elle avait toujours eu le goût d'observer ses contemporains et, aujourd'hui, son observation de la scène changeante s'offrant à elle était particulièrement aiguë.

Voici une belle femme à l'air irrité, accompagnée de son mari, apparemment très las. Et là, un homme d'âge mûr poussant devant lui une fillette dans un fauteuil roulant. Là-bas, un jeune couple au visage rayonnant, avec des sacs et des valises bon marché, visiblement achetés à la veille de leur voyage de noces. Voilà deux hommes d'affaires qui n'ont pas l'air d'accord. Et là, une mère un peu gênée, aux prises avec son garçonnet qui fait une colère.

Elle aperçut Jill avant que celle-ci ne la voie. Elle n'avait pas réalisé, la veille, combien elle était élancée. De même que sa chevelure, sa haute taille lui venait de son père. En jupe écossaise et veste en poil de chameau, elle avait un port impeccable et allait à grands pas réguliers. Les deux hommes d'affaires interrompirent un instant leur discussion pour se retourner sur son passage.

Une émotion nouvelle se leva tout à coup en Jennie. Une joie soudaine. Cet être qui vient vers moi fait maintenant partie de moi ! Cette fois, elle tendit les bras et Jill les siens.

Elles restèrent ainsi embrassées, pleurant et riant à la fois, jusqu'à ce que Jennie prononce la première parole. Parcourue d'une bouffée d'énergie et d'espérance, elle saisit les mains de Jill.

« N'avais-je pas dit que cela se passerait beaucoup mieux aujourd'hui ? J'en étais certaine ! Allez, allons manger et parler ! »

Mais une fois attablées, elles devinrent tout à coup silencieuses.

« C'est drôle, je ne sais par où commencer, dit Jill.

— C'est ce que vous avez dit hier, non ? Il faut laisser les choses venir d'elles-mêmes.

— C'est qu'elles ne viennent pas.

— J'ai une idée. Parlez-moi de votre premier séjour à New York.

— Nous sommes descendues au Plaza. J'ai lu toutes les aventures d'Eloïse lorsque j'étais petite, aussi avais-je très envie de voir cet hôtel. Nous prenions nos repas dans l'Oak Room, là où Eloïse devait venir dîner. Une fois, nous sommes allées dans un restaurant français, le Lutèce, je crois. J'ai pris du canard à l'orange et deux desserts. »

Elle paraît plus jeune qu'hier soir, se disait Jennie. Il faut que je cesse de la fixer comme cela, se dit-elle en se mettant à beurrer un petit pain.

« Je raffole de tout ce qui est français. Je suis contente d'être née ici, mais si je n'étais pas américaine, j'aimerais être française. Ma grand-mère était professeur de français.

— C'est vrai ? Ma mère parle français — oh, pas très bien. Elle a habité en France avant l'arrivée des nazis. Mais elle a beaucoup perdu. Dès qu'on ne pratique plus, vous savez...

— J'aimerais que vous me parliez encore de votre mère.

— Plus tard. C'est que c'est une longue histoire. »

Maman n'en reviendrait pas si elle savait ; sûr qu'elle en aurait vite les larmes aux yeux.

« ... Nous avons passé de merveilleuses vacances en France, reprit Jill. Elle connaissait les meilleurs endroits où aller.

— Voilà une grand-mère avec laquelle on ne doit pas s'ennuyer.

— On ne s'ennuie jamais dans cette famille. Voulez-vous voir des photos ? J'en ai apporté une pleine enveloppe. » Jill se pencha par-dessus la table. « Sur celle-ci nous sommes tous réunis. C'était l'été dernier, le jour de l'anniversaire de papa. »

Huit ou dix personnes se tenaient debout ou assises sur les marches d'un perron flanqué de buissons en fleurs. On voyait au premier plan le coin d'un barbecue. Une scène familiale américaine typique. Jennie s'étonna de ressentir une pointe de jalousie et la refoula aussitôt.

« Tous ces enfants... commença-t-elle.

— N'est-ce pas surprenant ? Après qu'ils m'ont adoptée, maman a pu, sans aucun problème, mettre au monde quatre enfants. Mais il paraît que cela se voit assez souvent. Là, à côté de moi, c'est Jerry, qui est d'un an et demi mon cadet.

Là, c'est Lucille, qui a quinze ans. Voici Sharon, qui a douze ans, et là c'est Mark, le bébé. Il a sept ans.

— Et là, c'est votre mère ?

— Non, ça c'est tante Fay. Maman, la voici, juste devant papa. »

Ainsi, cet homme et cette femme en short et T-shirt, qui plissaient les yeux au soleil et souriaient à l'appareil, étaient les parents qui avaient tenu et chéri la main qui frôlait en ce moment celle de Jennie en lui passant les photographies.

Quelque commentaire s'imposait. « Ils ont l'air jeunes. »

Jill étudia le cliché. « Oui, plus jeunes qu'ils ne le sont en réalité. Mais, oui, ils ont su rester très jeunes. Ce sont des gens heureux... Vous savez, j'ai beaucoup de peine pour les gens qui ont grandi dans une famille sinistrée. La moitié des gens que je côtoie semblent venir de familles où l'on ne rit jamais. Ou même de familles où l'on se déteste.

— Oui.

— Avez-vous été mariée, Jennie ? » Le ton et le regard étaient d'une brusquerie enfantine ; chez une personne plus âgée, cela eût passé pour de la grossièreté.

« Non, fit Jennie, quelque peu mal à l'aise. Avez-vous d'autres photos ?

— Voyons voir. Tenez, en voici une autre. Nous allons souvent skier. Ce n'est qu'à une heure de route. »

Autour du groupe de skieurs s'étendait un paysage de montagnes. Le relief, tout en arêtes et replis, évoquait des feuilles de papier journal que l'on eût chiffonnées et jetées par terre.

« Il fut un temps où je vous imaginais habitant en Californie, dit Jennie. Je me représentais toujours le Pacifique.

— Le Nouveau-Mexique est tout aussi beau, dans son genre. Le ciel y est si vaste, si bleu d'un bout à l'autre de la journée. Le couchant est d'un rouge si intense qu'on croirait qu'il s'embrase. »

Jennie eut un sourire. « On croirait entendre un poète.

— C'est que j'écris de la poésie. Sûrement très médiocre. »

Comme chacun de nous, cette jeune personne avait de nombreuses facettes, et comme chacun de nous, elle était un nœud de contradictions. La veille, elle s'était montrée calme et sûre d'elle. Aujourd'hui, elle était d'une candeur des plus charmantes.

« Il faudrait vraiment que vous découvriez le Nouveau-Mexique. Est-ce que vous skiez ? »

Jennie secoua la tête. « C'est un sport coûteux.

— Auriez-vous des problèmes d'argent ? Êtes-vous pauvre ? »

La question fit sourire Jennie. « Je le serais sans doute aux yeux de certaines personnes. » L'immeuble sans ascenseur, l'ameublement dépouillé. « Mais je me satisfais de ce que j'ai, aussi n'ai-je pas le sentiment d'être pauvre.

— Vous devez aimer votre travail ?

— Oui. Je me suis fait une spécialité de défendre les femmes, principalement des femmes dans le besoin. Mais je me suis récemment découvert un autre centre d'intérêt, un domaine dont j'ignorais que je me souciais à ce point. » Elle eut conscience de ce qu'une pointe de fierté passait dans sa voix ; elle eut la surprise de se sentir une envie subite de montrer qui elle était et ce à quoi elle était arrivée. « Je suis actuellement engagée dans un combat d'une importance extrême.

— J'aimerais que vous m'en parliez », dit Jill en reposant sa fourchette.

Alors, sans rien divulguer de précis quant aux noms et à l'emplacement, Jennie relata l'affaire du Marais Vert. Au fil du propos, son récit crût en vigueur et en éclat. C'était la première fois qu'elle évoquait cette affaire devant quelqu'un qui n'était pas partie prenante. Elle sentait, tout en parlant, s'exprimer la force de ses convictions.

« Il y a un mouvement comparable à la maison, dit Jill lorsque Jennie eut terminé. Il s'agit de préserver les monts Juarez, sur lesquels louchent les promoteurs. Papa y prend une part active. Il fait partie de tous les comités possibles et imaginables. Nous avons tous une passion. Moi, c'est les Indiens, leurs structures sociales, anciennes et modernes. » Elle considéra Jennie par-dessus le bord de sa tasse de café. « Peter a lui aussi travaillé sur les Indiens du Sud-Ouest. C'est une étrange coïncidence, vous ne trouvez pas ? » Voyant que Jennie ne faisait aucun commentaire, elle demanda : « Cela vous ennuie que je parle de lui ?

— Oui, Jill, cela m'ennuie, répondit calmement Jennie. Je n'ai pas envie de penser à lui. Essayez de comprendre cela.

— Si vous le haïssiez à ce point, pourquoi ne pas avoir avorté ?

— Seigneur, vous posez de ces questions ! Il n'y avait pas de haine. Je ne l'ai jamais haï, ni à l'époque ni maintenant. » Elle avança la main pour la poser sur celle de Jill. « Et pas une seconde je n'ai envisagé d'avorter. » Elle aurait pu ajouter : *Eux voulaient que j'avorte*, mais elle n'en fit rien.

Jill avait le regard perdu par-delà Jennie. Je commence déjà à connaître ses attitudes, se dit cette dernière. Lorsqu'elle réfléchit à ce qu'elle va dire, elle regarde par-delà son interlocuteur ou bien elle fixe le sol, comme elle le faisait hier soir.

« Je suis étonnée que vous ne vous soyez jamais mariée. N'en avez-vous jamais eu envie ? »

Cette question appelait une réponse honnête. Mais Jennie ne put l'être qu'à demi.

« Si, une fois.

— Avec mon père ?

— Cela ne s'est pas fait.

— Comme cela a dû être dur pour vous !

— Oui, cela l'a été pendant un moment.

— Un moment seulement ? Mais ne l'aimiez-vous pas ?

— Si l'on peut appeler ça de l'amour. Toujours est-il que je croyais l'aimer. »

Jill ne répondit pas et se remit à fixer son assiette, ce qui donna à Jennie le loisir de l'examiner. Que pouvait-elle déjà savoir de l'amour ? Sans doute les hommes la trouvaient-ils attirante. Certes, elle n'avait pas une beauté classique, cette symétrie jadis essentielle ; mais les canons mêmes de la beauté avaient changé. Sa seule chevelure devait suffire à son succès, et si l'on y ajoutait son assurance, son intelligence... « Une délicieuse jeune personne », avait dit Mr. Riley, à moins que ce ne fût Mrs. Dunn.

« Donc, amour ou pas amour, vous m'avez eue.

— Oui, dit Jennie d'une voix égale. Je vous ai mise au monde. J'étais seule. Mes parents n'ont jamais été au courant.

— Pourquoi cela ?

— Cela leur aurait fait trop de mal. C'est difficile à expliquer. Pour comprendre, il faudrait que vous les ayez connus.

— Je n'imagine pas avoir un enfant à mon âge.

— J'étais plus jeune que vous ne l'êtes actuellement.

— Comme vous avez dû avoir peur. Non, je n'arrive pas à imaginer ce que cela doit être, fit Jill avec une grande douceur dans la voix.

— Moi non plus je n'arrivais pas à imaginer. »

Le nuage, cette couverture grise et lourde, était revenu oppresser Jennie. Cette salle de restaurant lui paraissait tout à coup lugubre. Alentour, des tablées, surtout familiales, bruissaient pourtant de conversations. Les gens étaient détendus, à l'aise...

« Ce qu'il vous a fallu comme courage ! fit Jill, admirative.

— Lorsqu'il n'y a pas d'autre choix, il faut bien s'armer de courage.

— Cela a dû être affreusement dur pour vous d'abandonner votre bébé !

— Si je vous avais tenue dans mes bras ou seulement vue, j'en aurais été incapable. Cela, je le savais et c'est pourquoi je ne vous ai pas une seule fois regardée.

— Et par la suite, vous arrivait-il souvent de penser à moi ? »

Où vais-je chercher la force d'endurer cette torture ? se demandait Jennie.

« Je faisais mon possible pour ne pas penser à vous. Parfois cependant je tentais d'imaginer l'endroit où vous viviez et quel pouvait être votre prénom.

— C'est un peu bête comme prénom, vous ne trouvez pas ? "Victoria" était le nom de la sœur de ma mère, qui est morte jeune. "Jill" est mon prénom usuel. »

La jeune fille souriait, révélant cette dentition régulière et immaculée qui est habituellement l'œuvre de l'orthodontiste. Oui, on s'était bien occupé d'elle.

« Je ne pouvais pas me permettre de penser à vous. Tout

était terminé. Vous étiez en de bonnes mains. Il fallait que je continue de mon côté. Vous comprenez cela, n'est-ce pas ? » Et Jennie perçut la supplique contenue dans sa propre question.

« Bien sûr que je comprends. Vous vous êtes remise de vos épreuves et vous avez repris vos études. Vous avez fait quelque chose de votre vie. »

Cette simple observation n'appelait pas de réponse. Le dialogue semblait devoir entrer dans une deuxième période.

Ce fut Jill qui rompit le silence. « Mais vous ne m'avez toujours pas dit grand-chose sur vous-même.

— Je ne vois pas ce que je pourrais vous dire d'autre. Je vous ai donné les faits. Il n'y en a pas tant que cela. »

Tout à coup, une expression nouvelle passa sur le visage de Jill, une perplexité dans le regard, un durcissement de la bouche. De façon subtile mais indéniable, une nouvelle atmosphère venait de s'installer entre les deux femmes. Mais n'était-ce pas compréhensible dans le cas d'une confrontation si singulière de sentiments et d'expériences ?

Avec entrain, afin de dissiper cette atmosphère, Jennie proposa que l'on prenne un dessert. Un serveur vint changer les assiettes et recommanda des pâtisseries présentées sur un chariot.

« Je n'en avais pas vraiment envie, dit Jill. Si j'ai pris ce gâteau, c'est uniquement dans le but de prolonger un peu le repas. »

Cet aveu toucha Jennie. « Après, nous irons poursuivre notre conversation dans un des salons. Rien ne nous presse.

— Je m'étais dit que vous aviez peut-être des choses à faire. Si ce n'est pas le cas, pourquoi n'irions-nous pas chez vous ? »

Jennie tressaillit. Cela faisait une heure et demie qu'elles étaient ensemble, et elle n'avait toujours pas abordé le point important qu'elle s'était promis de préciser. Il fallait que Jill comprenne qu'il ne pouvait être question pour elle de remettre les pieds à l'appartement. Qu'arriverait-il, par exemple, si Jay se mettait en tête d'y faire un saut cet après-midi ? Ou tout autre jour ?

« Jill, il faut que je vous dise… je suis désolée, mais nous ne pouvons pas aller chez moi. »

Les yeux pâles s'écarquillèrent, aussitôt aux aguets, inquisiteurs comme ils l'avaient été pendant l'entrevue de la veille.

« Pourquoi donc ? »

Quelle confiance peut-on avoir en quelqu'un qui a dissimulé pendant des années un chapitre essentiel de sa vie et décide tout à coup de le révéler ? On est en droit de se demander ce qu'il cache d'autre...

Paumes vers le ciel, les mains de Jennie esquissèrent un petit geste implorant.

« C'est terriblement difficile à dire, à expliquer. Mais il y a des choses... des motifs profonds et personnels... » Elle ne put poursuivre, paralysée par ce regard scrutateur.

Jill ne disait rien, ce qui la força à reprendre : « J'ai cherché à vous l'expliquer hier soir, mais je m'y suis très mal prise et vous en avez retiré le sentiment que je ne me souciais pas de vous. Mais ma vie étant ce qu'elle est... » Elle s'étreignait maintenant les mains sous la table. « Ce que je voudrais vous dire, c'est qu'il ne faut plus chercher à me voir. Ne plus venir chez moi ni même me téléphoner. Il faut me le promettre. C'est moi qui vous contacterai.

— Je ne saisis pas », dit Jill, une rougeur aux joues.

Tout ce qui s'était formé entre elles depuis qu'elles s'étaient tenues embrassées à la réception, la tristesse douce-amère, la tendresse, la complicité, tout cela venait de voler en éclats.

« Je n'aime pas ça du tout, Jennie. Vous commencez par donner, puis vous reprenez. Pourquoi ?

— Je sais bien que c'est difficile à comprendre. Si seulement vous pouviez me faire confiance...

— Vous-même ne semblez guère me faire confiance !

— Comment pouvez-vous dire une chose pareille ? Mais si, j'ai confiance en vous. Bien sûr que si.

— Non, vous cachez quelque chose. »

Comme elle était dure ! Elle était de la race des combattants. Elle était de ceux qui se dressent pour défendre des principes et des droits, les siens et ceux d'autrui. En l'espace d'un instant, Jennie comprit quelle genre de femme était Jill.

« Cela vient de ce que je suis ? demanda celle-ci, les larmes aux yeux. Vous avez honte de moi ? »

Ce mot de « honte », qui contenait une part de vérité (ce n'est pas de toi que j'ai honte, mais de ma dissimulation), ce mot, combiné à cette attaque véhémente de la part de quelqu'un auquel elle n'avait jamais fait de mal, quelqu'un pour lequel, Dieu lui en était témoin, elle avait pris les meilleures disposition possibles, ce mot l'emplit de colère. Elle s'en voulait de devoir infliger cette peine, de causer ces larmes.

Il lui fallait cependant se défendre. « Croyez-moi, Jill, la honte n'a rien à faire là-dedans. Ne pouvez-vous vous contenter de ce que je peux vous offrir ? Je tiens à mon indépendance. » Elle s'exprimait maintenant avec rapidité, aiguillonnée par un sentiment d'urgence et de nécessité. « Vous avez la vôtre. Peter a la sienne. Jamais je ne suis allée le déranger pour quoi que ce soit. N'est-il pas juste et légitime que j'aie moi aussi ma vie ? »

Jill n'arrivait plus à contenir ses larmes. « Votre chère indépendance ! Est-ce que je la mets en péril si je viens m'asseoir une paire d'heures dans votre salon ?

— Ce n'est pas votre but, bien évidemment, mais cela n'y change rien...

— Ce déjeuner était un leurre. Vous êtes venue me dire de la façon la plus aimable possible de rester en dehors de votre chemin. Vous n'êtes pas venue pour autre chose. » La jeune fille recula sa chaise comme pour se lever.

« Restez assise, Jill. Restez assise. Je vous en prie, essayons de garder notre calme. Mangez votre dessert.

— Je ne suis pas une enfant qu'on amadoue avec des sucreries !

— Vous n'êtes pas juste avec moi ! N'ai-je pas dit que je vous appellerais ? Je le ferai chaque fois que ce sera possible. J'ai seulement dit que je ne voulais pas que ce soit vous qui...

— Soyez sans inquiétudes, je ne vous appellerai pas. Vous n'avez aucune crainte à avoir à mon sujet. Mais laissez-moi vous dire une chose, je ne réponds pas de Peter. Il a été pas mal choqué de ce que vous avez répondu aux gens de l'association. Il le sera encore plus la semaine prochaine quand je lui raconterai pour aujourd'hui. »

Jill se leva brusquement, renversant sa chaise. Un serveur

accourut pour la redresser, toutes les têtes étaient tournées vers leur table. Jennie tendit le bras pour arrêter la jeune fille.

« Ne partez pas comme ça, supplia-t-elle sans hausser la voix. Ne vous sauvez pas. Je vais régler l'addition. Nous allons changer d'endroit. »

Jill ramassait son sac, ses gants et son foulard. « Nous n'avons rien de plus à nous dire, à moins que vous ne vouliez me dire que nous pouvons nous conduire normalement l'une envers l'autre. Que j'ai le droit de vous appeler chez vous... pouvez-vous me le dire ? »

Le serveur attendait, l'addition à la main. A la table voisine, une femme ne perdait pas une miette de la scène. Jennie cherchait ses mots pour tenter une nouvelle approche.

« Le pouvez-vous ? répéta Jill.

— Non, pas exactement. Mais attendez, écoutez-moi jusqu'au bout.

— J'en ai suffisamment entendu. Merci pour le déjeuner. »

Jennie la regarda partir. Ne se sentant pas la force de lui emboîter le pas et consciente que cela n'eût servi de rien, elle demeura un long moment immobile, fixant l'assiette de Jill, la part de tarte à laquelle elle n'avait pas touché et sur laquelle la boule de crème glacée commençait déjà de fondre. De la glace à la fraise. Une petite mare rose. C'en est donc fini de ma fille, arrivée et repartie en l'espace d'une journée. Un regard furieux, une silhouette qui s'éloigne, et une flaque de crème glacée dans une assiette.

Le serveur toussota. Elle régla l'addition et sortit. Des taxis attendaient devant l'entrée de l'hôtel, mais elle ne se sentit aucune envie de rentrer chez elle maintenant, pour s'y retrouver seule et désorientée. Aussi se mit-elle à marcher en direction du nord. Dans Central Park bruni par l'hiver, les brindilles des arbres encore mouillés de pluie semblaient peintes d'un voile métallique. Des nuages couraient dans le ciel glacé. Quelle que fût la saison, le dimanche après-midi était toujours une morne parenthèse, à moins qu'on ne le passât au côté d'un être aimé.

Cependant, elle ne se sentait pas en état, pour le moment,

de voir Jay. Pas plus qu'elle n'était en état de se retrouver seule avec elle-même. Se ravisant bientôt, n'ayant d'autre endroit où aller que son appartement, elle repartit vers l'est. Elle parcourut en courant la dernière longueur de rue, gravit précipitamment les marches et s'engouffra chez elle. Ayant verrouillé la porte, elle s'effondra en larmes, hors d'haleine, dans un fauteuil.

Des voix résonnaient à ses tympans, celles de Jill et de Jay, de Mr. Riley, celles de son père et de sa mère, celle de la mère de Jay. C'était une clameur plaintive où chacun lui demandait : « Jennie, Jennie, que se passe-t-il ? »

Lorsqu'elle alluma la télévision, ces voix furent remplacées par celle d'une jeune femme pleine d'enthousiasme qui gloussait de ravissement sur les mérites d'un nouveau produit à vaisselle. Elle éteignit aussitôt le poste et alla s'allonger sur le canapé.

Je suis fatiguée. Tellement fatiguée. Je m'étais dit que nous parviendrions à mettre les choses au point, que nous arriverions à un arrangement. Je le pensais vraiment, et voilà ce qui est arrivé ! Cette petite a vite fait de monter sur ses grands chevaux. Elle ne m'a guère laissé le temps de m'expliquer. Cependant j'admets que, de son point de vue, mon attitude doit être déconcertante. Un peu comme une porte qu'on vous claque au nez. Mais j'étais quand même disposée à faire des concessions. Je projetais vraiment de l'appeler de temps à autre. Il n'était pas question pour moi de continuer à vivre comme si je ne l'avais jamais rencontrée.

Mais ce que je lui ai proposé n'aurait rien eu d'une relation à part entière. Elle l'a compris. D'ailleurs, cela n'aurait pas pu fonctionner. Non, mariée à Jay, dans sa maison, avec ses enfants, je serais comme un jongleur avec une douzaine de balles en l'air ; je finirais fatalement par en manquer une, et toutes les autres iraient rouler à terre...

Épuisée, elle finit par s'endormir. La sonnerie du téléphone l'éveilla dans une pièce maintenant enténébrée.

« Bonsoir, fit Jay. Alors, ta journée ?

— Ma journée ? fit-elle avant de se rappeler les amies de sa mère, le musée, le déjeuner. Oh, pas trop pénible. Un peu longue. Je m'étais endormie.

— Eh bien moi, j'ai passé un dimanche exécrable. Être seul dans cet appartement, c'est comme être seul dans un stade. C'est plein d'échos. Finalement j'ai emmené le chien faire une si longue balade qu'il en est sur le flanc.

— Je suis désolée de t'avoir abandonné. Je ne le ferai plus.

— N'oublie pas pour demain soir. »

Un client de Jay était le sponsor d'un récital de danse moderne. La perspective de cette soirée n'enthousiasmait guère l'amateur de danse classique qu'était Jennie. Néanmoins, elle s'efforça de donner le change. « Je n'oublie pas. Il me tarde d'être à demain soir. »

Elle dormit mal, se réveillant fréquemment pour entendre les bruits de la rue décroître peu à peu au fil des heures, puis reprendre tandis que le noir de la nuit virait au gris, au blanc, pour enfin devenir un étagement de stries orangées entre les lames du store.

Le maquillage ne pouvait opérer qu'une transformation limitée. Même sur un visage jeune, et même après la plus méticuleuse application de fond de teint, de rouge à lèvres, d'ombre à paupières et d'eye-liner, l'angoisse maintenait son empreinte. Coiffons-nous d'un foulard rouge et blanc, marchons d'un pas vif et sourions. Cela n'était pas d'un grand secours ; l'angoisse transparaissait toujours.

Dinah, la secrétaire, demanda à Jennie si elle n'était pas souffrante. Sa première cliente lui conseilla de prendre garde à cette épidémie de grippe qui traînait en ville. Lorsque arriva le milieu de l'après-midi, elle en était à se demander si elle ne couvait pas effectivement quelque chose. Son regard errait sans les voir sur les dossiers posés sur le bureau, allait se perdre sur la façade de l'immeuble d'en face dont les fenêtres s'éclairaient déjà. Pendant un court instant, elle vit l'image de Jill, elle aussi assise à un bureau et peut-être, elle aussi, incapable de se concentrer sur son travail. Une bouffée de pitié l'envahit, presque aussitôt remplacée par de la colère. Il n'était pas juste qu'on la mît ainsi entre le marteau et l'enclume, pour reprendre une expression chère à sa mère.

Dinah s'encadra sur le seuil pour annoncer qu'un certain docteur Cromwell désirait la voir.

Cromwell. Que diable pouvait-il bien lui vouloir ? Elle avait la tête à des milliers de kilomètres du Marais Vert.

Au-dessus d'un nœud papillon à pois blancs, le vieil homme arborait l'expression affable dont elle avait gardé le souvenir. Tiré à quatre épingles, il avait l'cxactc apparcncc dc cc qu'il était, un gentleman de la campagne venu faire un tour dans la grande ville.

« Sapristi, fit-il, je m'attendais à trouver un de ces cabinets avec des kilomètres de couloirs, d'épaisses moquettes et des toiles de maître. Il m'est arrivé une fois de me risquer dans ce genre d'endroit ; je m'y sentais tout petit. A New York, même les cabinets de dentiste sont... » Prenant conscience du caractère involontairement dépréciatif de ses paroles, il fit marche arrière. « Cependant, cet endroit est très plaisant. Il doit être agréable d'y travailler. Comment allez-vous ? J'imagine que les préparatifs de mariage vous prennent pas mal de temps...

— Vous savez, cela sera un mariage en petit comité, dit-elle.

— Il n'empêche que cela m'ennuie de venir vous assommer avec un problème de plus. Il s'agit d'un coup de fil. » Une expression gênée et inquiète se peignit sur son visage. « Nous avons d'abord reçu des tas de lettres anonymes, mais vous étiez déjà au courant. »

Jennie hocha la tête. « Anonymes, quoiqu'il soit probable qu'elles sont de Bruce Fisher.

— Très probablement. De même que sa santé mentale est sans doute sujette à caution. »

Les événements récents de la vie de Jennie en avaient occulté d'autres, relativement plus anciens ; mais voici que ces derniers lui revenaient brutalement en tête, et tout particulièrement la façon dont Fisher l'avait poussée dans les escaliers et ce regard haineux qu'il lui avait lancé en la dépassant.

« Ce que je tiens à ce que vous sachiez, c'est que... Ça,

j'ignore s'il a quelque chose à voir là-dedans. Sans doute que non, mais on ne sait jamais. Je me souviens de ce fait divers. C'était il y a de ça douze ou quinze ans, plutôt quinze. Lui et une bande de... »

Cachant son impatience, Jennie l'interrompit gentiment : « Vous alliez me parler d'un coup de téléphone...

— Oui, oui, bien sûr. En fait, j'en ai reçu deux. Il se peut que cela n'ait aucune importance, mais il se peut que cela en ait. Et Arthur Wolfe m'a dit qu'il fallait vous en parler. Il est du genre à se faire de la bile. N'empêche, compte tenu des circonstances...

— Qui vous a appelé ? Vous pensez qu'il s'agissait de Fisher ?

— Non, ce n'était pas sa voix. Je l'aurais reconnue. En plus, l'homme a donné son nom. John Jones. »

Jennie fit la grimace. « John Jones !

— Oui, cela fait un peu bidon, n'est-ce pas ? Mais il était très aimable, amical même. Il a dit qu'il était intéressé dans le projet Baker...

— Comment cela, ''intéressé'' ? S'agit-il d'un de leurs partenaires, ou quelque chose comme ça ?

— Il n'a pas été très clair à ce sujet. J'ai eu l'impression qu'il travaillait pour eux ou quelque chose dans ce genre.

— Qu'est-ce qu'il vous voulait ?

— Eh bien, il savait que je fais partie du conseil municipal et que j'ai les intérêts de notre ville à cœur, et il pensait qu'il serait bon que nous nous voyions pour en parler. Il pensait que nous découvririons que nos divergences ne sont finalement pas aussi marquées que cela.

— Et que lui avez-vous répondu ?

— Que je ne pensais pas que cela fût possible, mais que s'il avait quelque chose de nouveau à verser au dossier, il pouvait mettre à profit la prochaine réunion du conseil municipal.

— Exactement la réponse qui convenait, George.

— Mais il a dit que non, que les idées valables étaient toujours discutées lors d'entrevues préalables. Il a ensuite dit avoir entendu parler de moi et en avoir retiré une haute idée de mon travail au sein du conseil et le désir de faire connaissance. Je me demande bien comment il a fait pour en savoir autant sur mon compte. » Le vieil homme se mit à rougir.

« Pourquoi ? Que savait-il d'autre sur vous ? demanda Jennie avec le sentiment de faire subir un interrogatoire serré à un enfant.

— Eh bien, j'ai vraiment été très surpris qu'il soit au courant pour le cancer de Martha. Martha, ma femme. Son état est resté stationnaire pendant trois ans, mais on nous a dit qu'une nouvelle opération allait être nécessaire. D'ailleurs elle a fait le voyage avec moi. Nous voyons un nouveau spécialiste demain à Sloan Kettering. »

Et Jennie, le regard posé sur le cou du vieil homme dont elle remarquait pour la première fois la peau parcheminée, sentit monter en elle un sentiment de tendre commisération.

« Je me demande comment il a appris, dit-elle. Je suppose que vous n'avez pas d'ami commun.

— Non. Il est de New York. »

Sans doute aura-t-il mené sa propre enquête, se dit-elle.

« Qu'a-t-il dit exactement à propos de votre femme ?

— Simplement qu'il avait entendu parler de sa maladie et que cela devait grandement me tracasser. Que cela devait me coûter très cher.

— Ah ?

— Bien évidemment, cela nous coûte les yeux de la tête. Non que je ne serais prêt à dépenser jusqu'à mon dernier sou pour Martha, notez bien. Mais je ne suis qu'un petit dentiste de campagne... Mais dites-moi, pensez-vous que cela pourrait avoir des relents de pot-de-vin ? Parce que Arthur Wolfe, lui, dit que...

— Vous le pensez ? demanda Jennie.

— Ma foi, je me le suis demandé. Et Arthur Wolfe...

— Inutile de vous le demander plus longtemps. Il est évident que c'est là qu'il voulait en venir.

— Oh mon Dieu », murmura George Cromwell. Puis, après un temps de réflexion : « Je présume qu'il essaie à la suite chaque membre du conseil municipal.

— Non, George, ce n'est pas ainsi que cela se passe. Et certainement pas dans l'affaire qui nous intéresse. Je vous explique pourquoi : pour l'instant, au conseil municipal, il y a quatre voix contre quatre. D'un côté, le maire et trois acolytes. Le maire dit qu'il n'a pas encore pris sa décision, mais nous savons ce qu'il en est. Et de l'autre, on a quatre personnes qui ne vont probablement pas revenir sur leurs positions : deux estivants qui ne veulent pas que l'on touche à leur région de villégiature, plus Henry Pope, l'avocat, et le pasteur presbytérien. Cela ne laisse plus que vous. Pour parler carrément, vous êtes le seul sur lequel ils estiment pouvoir influer. Vous avez la neuvième voix, celle qui emportera la décision.

— Vous avez tout débrouillé. » Cromwell eut un long soupir de lassitude.

« Tout débrouiller fait partie de mon métier. »

Ils demeurèrent un moment silencieux, jusqu'à ce que Cromwell dise : « Donc, tout ce que j'ai à faire, c'est de refuser de le voir ! Je n'ai aucune raison de m'inquiéter. Aucune !

— Je n'irais pas jusque-là. J'ai dit que les quatre en question ne reviendraient probablement pas sur leurs positions. Probablement pas. Il est certain que le pasteur ne se laissera pas acheter. En revanche, pour ce qui est des trois autres, même si je ne les crois pas corruptibles, tout risque n'est pas exclu. Ainsi, Henry Pope. Les Wolfe me disent que son cabinet ne marche pas si fort que ça. Qui peut dire ce qu'il fera si l'offre est suffisamment alléchante ? »

Cromwell eut une expression consternée. « Oh, je ne crois pas que Henry se laisserait jamais...

— Vous ne le croyez pas, mais vous n'en êtes pas certain. En conséquence, si ce Jones échoue avec vous et s'attaque à Pope ou à un des autres, rien ne garantit qu'il ne décrochera pas cette fameuse cinquième voix.

— Oui, sans doute. Mais où voulez-vous en venir ?

— Il ne faut pas qu'il échoue avec vous. Il faut que ce pot-de-vin apparaisse dans le dossier.

— Comment allons-nous procéder ?

— Je n'en sais encore trop rien. Il faut que j'y réfléchisse.

— Vous voulez dire, maintenant ?

— Oui. Attendez, il faut que je consulte mes archives. »

Derrière le bureau, des rangées de volumes à reliures marron emplissaient les rayonnages. Jennie trouva celui qu'elle cherchait et le posa avec un bruit sourd sur son bureau. Elle le compulsa, prit quelques notes, puis appela Dinah.

« S'il te plaît, apporte-moi le dossier de l'affaire Philippo. »

Une de ses clientes avait eu une liaison mouvementée avec un revendeur de drogue, liaison qui avait pris fin lorsque celui-ci avait été condamné à une peine de prison. Bien que l'affaire remontât à au moins quatre ans, Jennie se souvenait que l'accusé avait été confondu grâce à une conversation enregistrée.

L'air anxieux, George Cromwell la regardait feuilleter le dossier. Chaque fois qu'elle levait un bref instant les yeux, elle voyait son pied qui tapotait nerveusement le sol.

« George, dit-elle en refermant la chemise, seriez-vous prêt à déjeuner avec Jones pour l'enregistrer à son insu ? »

Le vieil homme sursauta. « C'est que c'est horriblement dangereux, fit-il d'une voix altérée. Si jamais il s'en apercevait...

— Il y a toujours un risque. Je ne vous dirai pas le contraire. Mais la chose est fort peu probable. Vous savez, ce genre de pratique est monnaie courante dans les enquêtes criminelles.

— Comment procède-t-on ? s'enquit Cromwell, dont le pied frappait le sol sur un rythme plus rapide.

— Honnêtement, je ne connais pas la procédure exacte. Nous en saurons plus en allant voir le procureur. »

Il y eut un long silence durant lequel Cromwell parut scruter le visage de Jennie. Elle soutenait loyalement son regard.

« C'est bon, Jennie. Je vous fais confiance. Si ce n'était pas le cas, je n'accepterais pas.

— Merci de votre confiance, dit-elle, touchée.

— C'est une question de principe. Agir en bon citoyen, je suppose que de nos jours cela fait un peu vieux jeu.

— Non, pas du tout. Du moins, pas à mes yeux.

— En ce cas, à Dieu vat. Que dois-je faire ?

— Simplement ceci. Lorsqu'il rappelle — ce qu'il fera —,

vous convenez d'un rendez-vous. Pendant ce temps, j'irai voir le procureur. S'il nous conseille dans ce sens, vous vous y rendrez équipé d'un magnétophone de poche. Ce n'est pas plus compliqué que ça. »

Elle vit qu'en dépit de son appréhension, Cromwell commençait d'éprouver une certaine fierté.

« Tout comme dans les films, dit-il.

— Comme dans les films et comme dans la vie. »

Il consulta sa montre et se leva. « Mince, je dois retrouver Martha à quatre heures. Dans dix minutes. »

Jennie se leva à son tour et lui tendit la main. « Essayez de ne pas vous faire trop de bile, dit-elle gentiment.

— Je vais essayer. Le plus dur, c'est tous ces problèmes qui surviennent en même temps.

— Oui, je sais ce que c'est », dit-elle pour elle-même lorsque la porte se fut refermée sur le vieil homme.

« Je parierais gros que c'est notre bon maire qui a aiguillé ce Jones sur George Cromwell, dit Jay. De toute évidence, quelqu'un avait de bonnes raisons de le mettre au courant des problèmes de ce pauvre George. »

Après le spectacle de danse, ils étaient entrés dans un snack-bar pour prendre un sandwich au rôti froid et un café. Cette arrière-salle était un havre de paix après ce récital, qui avait encore accentué la migraine de Jennie. La musique très heurtée, les mouvements saccadés des danseurs, tout en anguleuses projections de coudes et de genoux, étaient destinés à représenter, elle le savait, le morcellement de la vie moderne. Mais elle était elle-même trop éparpillée pour y être sensible.

« Oui, disait Jay, plus j'y pense, plus j'en suis certain. C'est notre Chuck, ce parangon de probité, qui est derrière tout ça.

— C'est quelque chose qui me dépasse. Une boîte comme Baker… est-ce que cela changerait grand-chose pour eux si ce projet tombait à l'eau ? Ils font des millions de dollars de profit avec leurs autres chantiers.

— Ce serait pour eux un manque à gagner de sept ou huit

millions à vue de nez. Mais ce n'est pas seulement une question d'argent. Jennie. Il s'agit aussi d'un jeu de pouvoir. Ils ne veulent pas perdre face à une bande de ringards amoureux de la nature, car c'est ce que nous sommes à leurs yeux. Ces gens-là sont très coriaces, très accrocheurs.

— Oui, sinon j'imagine qu'ils ne seraient pas arrivés là où ils en sont.

— Des tas de gens très doux et honnêtes sont là où ils sont parce que leurs ancêtres se sont montrés coriaces et accrocheurs. »

Une vague de tristesse pareille à un frisson glacé traversa Jennie. Pendant un instant, elle se représenta le monde comme un fouillis de chemins entrecroisés, un échiquier sur lequel tous les joueurs cherchaient à s'éliminer les uns les autres, en sorte que quel que fût le but de chacun, fût-il simplement d'être laissé en paix, il fallait se battre pour l'atteindre.

« Il y aurait une autre stratégie possible, poursuivait songeusement Jay. Ce serait de nous en remettre au secrétariat d'État à l'Environnement. La moitié de la zone concernée est marécageuse.

— Ça serait en effet une possibilité.

— Mais cela va prendre du temps. En attendant, il faut que nous les arrêtions sur leur lancée. Ou pour être plus précis, il faut que ce vieux George les arrête. Je suis surpris qu'il ait accepté de jouer le jeu.

— Le pauvre, il est terrorisé. Mais il a le sentiment d'accomplir son devoir. Il dit que c'est une question de principe. C'est vraiment quelqu'un de bien.

— Quand vois-tu le procureur ?

— Je compte l'appeler demain. J'espère le voir dans l'après-midi.

— Il serait bon que mon père t'accompagne, tu ne penses pas ?

— Bien sûr. George ira le voir plus tard. Il reste en ville encore un jour ou deux, le temps que Martha passe ses examens à l'hôpital.

— Oui, je suis au courant. » Jay repoussa son assiette. « Je n'ai pas aussi faim que je le pensais.

— Tu es fatigué, fit tendrement Jennie.

— Pour tout dire, oui. J'ai vécu un moment pénible aujourd'hui. Un des jeunes types qui travaillent avec nous s'est effondré dans mon bureau. Sa femme l'a quitté hier. Je suppose qu'il avait besoin de s'épancher auprès de quelqu'un, et c'est moi qu'il a choisi.

— Pourquoi est-elle partie ?

— D'après lui, elle lui aurait annoncé qu'elle en avait tout simplement assez d'être mariée, qu'elle aspirait à plus de liberté, ce genre de chose. Mais va savoir. Je n'ai pas vécu avec eux. En tout cas, je peux te dire que son chagrin m'en a mis un coup. » Jay prit les deux mains de Jennie. « Ah, ma chérie, comme c'est merveilleux d'avoir une confiance totale et absolue en quelqu'un, de connaître l'autre aussi bien que l'on se connaît soi-même ! Je désire tellement être ton mari que cette attente m'est douloureuse. »

Que ne donneraient pas Shirley, elle et toutes les autres, pour un homme tenant ce langage !

« Tu ne réponds pas », dit-il. Deux petites rides étaient apparues entre ses sourcils.

« Est-ce bien nécessaire, mon chéri ? Tu sais bien ce que je pense.

— Oui, je le sais, mon amour. Est-ce que nous allons chez toi ? »

Elle se sentit saisie d'une bouffée de désir, un désir qui se teintait de chagrin car il était désormais comme dilué. Il lui semblait que les mains de Jay, ses ongles en demi-lune, la fossette de son menton et la boucle brune qui ne cessait de lui tomber sur la tempe n'étaient plus tout à fait à elle. Comme si tout cela était sur le point de disparaître sous ses yeux. Elle avait parfois de bien étranges sentiments.

Et l'unique raison de ces sentiments si étranges était Jill. Hier, quand elle s'est mise à pleurer, ses larmes ont roulé sur ses joues et jusque dans le col de son chemisier. Vais-je rêver de ces larmes cette nuit ? La reverrai-je un jour ? Pourrais-je supporter de ne plus jamais la revoir ? Mais je ne crois pas qu'elle veuille me voir, tout au moins pas suivant mes conditions. Et il m'est impossible de la voir suivant les siennes. Comment le pourrais-je ?

Jay attendait une réponse. « Mais tu viens de dire que tu étais fatigué, lui dit-elle.

— Oui, tu as raison. Pas d'amour ce soir. »

Ils sortirent dans la rue. Sous un lampadaire, il leva le visage de Jennie vers le sien. « Tu es si aimante. Peu importe pour ce soir. Je peux attendre. Parce que, encore quelques semaines et je n'aurai plus jamais à attendre, n'est-ce pas, mon amour ? »

8

Outre l'importance de ce qu'ils lui avaient exposé, c'était le nom et l'autorité d'Arthur Wolfe qui avaient impressionné le jeune Martin, procureur de la République. Car après tout, se dit par la suite Jennie, il n'y avait pas encore eu d'offre effective de pot-de-vin. Ce que, d'ailleurs, Martin avait tout de suite fait observer.

« Pas encore, avait dit Arthur Wolfe. Mais cela va venir, vous pouvez me croire. Je sais de quoi je parle. J'ai déjà vu notre maire et ses amis en action. Vous savez, cela fait un certain nombre d'années que je prends part aux affaires de la commune. »

Le jeune magistrat avait hoché la tête. « Et aussi à celles du comté, Mr. Wolfe. » Il avait eu un sourire. « Je me souviens d'un article dans lequel on vous surnommait ''le chien de garde''. »

Le vieil homme avait ri. « Ce sont deux chiens que nous avons à présent », avait-il fait en désignant Jennie. Et celle-ci d'ajouter qu'au train où allaient les choses, on aurait bientôt besoin d'une meute.

C'était elle que Martin interrogeait maintenant. Pénétrant

et circonspect, il la fixait du regard tandis que se succédaient questions et réponses.

« Donc vous établissez bien un lien entre l'homme qui vous a prise à partie lors de cette réunion, puis vous a poussée dans les escaliers, et celui qui a téléphoné à Cromwell ?

— Oui. Pour commencer, il y a sa réputation. Et puis il suffit de le regarder pour voir la haine qu'il porte en lui. Mais il n'agit pas seul, bien évidemment. Une ou plusieurs personnes de la firme Barker doivent orchestrer le tout. Je sais bien que tout cela est encore très flou ; il est difficile de dire où commence et où s'arrête leur influence. Mais j'affirme que ce sont eux qui tirent les ficelles. »

Jennie regarda vers la fenêtre. Un store vert foncé, fatigué, était relevé à mi-hauteur, révélant des branches noires et grêles et un entrelacs de ramilles. Un réseau touffu, sans commencement ni fin. Cette lumière hivernale qui déclinait avait quelque chose de sinistre.

Martin se leva pour allumer une ampoule fluorescente suspendue au-dessus de son bureau massif. Le sous-main taché, les chaises griffées, les empilements de papiers, les fichiers verdâtres et les murs bistres en furent ravivés. Mais il n'était pas d'éclairage capable d'égayer ce décor administratif. Le ton de Martin n'en demeurait pas moins vif.

« Et vous pensez que ce Cromwell est capable de s'en tirer ? »

Arthur Wolfe parut hésitant. « Mon vieil ami n'a pas l'esprit très rapide. Mais il est courageux et disposé à jouer le jeu. Et puis nous n'avons pas d'autre choix. »

Martin se carra sur son siège et se mit à réfléchir, les mains jointes devant la bouche.

« Serait-il possible de changer d'endroit pour ce déjeuner ? Comprenez que, dans un petit restaurant du bord de route, il ne sera pas possible à mon agent de passer inaperçu. Peut-être n'y aura-t-il pas plus de deux voitures sur le parking. Cromwell ne pourrait-il trouver un endroit plus fréquenté dans le centre ville ? »

Arthur Wolfe secoua la tête. « Le rendez-vous est déjà fixé. George ne peut demander cela sans éveiller des soupçons.

— En ce cas, il va devoir opérer tout seul. Sans protection.

— Vous pensez qu'il pourrait avoir besoin de protection ? fit Arthur Wolfe.

— C'est peu probable. Notre présence constituerait un soutien moral plus qu'autre chose. Il va donc devoir s'en passer.

— George va s'en tirer », dit Jennie en repensant à la belle contenance du vieil homme et à ses fières paroles : C'est une question de principe. Agir en bon citoyen.

Martin se leva. « Je vais vous présenter Jerry Brian. Je l'ai mis sur l'affaire sitôt votre coup de fil. » Il pressa un bouton sur son bureau. Un instant plus tard, entra un autre jeune homme, presque un double de Martin. Celui-ci fit les présentations. « C'est Jerry qui va équiper Cromwell. »

Arthur Wolfe voulut en savoir plus sur le côté technique de l'opération.

« C'est tout simple, expliqua Brian. Un micro sous la chemise, un magnétophone dans la poche, le tout relié par des fils à peine plus épais qu'un cheveu, et le tour est joué.

— Vous direz à Cromwell de passer ici à neuf heures du matin au plus tard, dit Martin.

— Et dites-lui bien qu'il n'a aucune raison de s'inquiéter, ajouta Brian. Absolument aucune. »

Ces deux hommes ont quelque chose de rassurant, se dit Jennie. Cela émane de leur haute taille, de leur force physique et de leur calme. Bizarrement, quoiqu'ils fussent très différents de lui, ils lui rappelaient Jay...

Dehors, sur l'aire de stationnement, Arthur Wolfe poussa un soupir de soulagement.

« Eh bien, voilà une bonne chose de faite. Je craignais qu'ils ne pensent que nous nous faisions une montagne d'une simple taupinière.

— Non, Martin a tout de suite mesuré l'importance de la chose. Je crois qu'il a été sensible au fait que nous faisons tout cela sans avoir rien à y gagner.

— Sinon la forme future de ce pays. C'est tout ce que nous avons à y gagner.

— Bien sûr. Rien à y gagner personnellement, voulais-je dire. »

De blanches collines dominaient la ville. L'après-midi était immobile, avec dans l'air comme l'annonce de la neige. Arthur Wolfe s'immobilisa.

« Écoutez-moi ce silence. J'adore cette partie septentrionale de l'État. J'espère que vous apprendrez à l'aimer, vous aussi. »

Jennie lui répondit d'un sourire.

« Il me semble que vous êtes en bon chemin, si j'en juge par la manière dont vous luttez pour la préserver. » Ils montèrent en voiture. « Vous avez l'air fatigué, Jennie. Peut-être travaillez-vous trop ?

— Oui, j'en ai peut-être fait un peu trop ces temps derniers. C'est que le travail ne cesse de s'accumuler.

— Essayez donc de lever un peu le pied. Prenez le temps de humer les roses. »

Ce cliché, qui en temps normal et dans la bouche de quelqu'un d'autre aurait eu quelque chose d'irritant, lui parut déborder de gentillesse. Il était — le mot s'imposa à son esprit — *paternel*. Un frisson glacé la parcourut. Il était comme un père avec elle, et elle lui mentait.

« Au moins allez-vous faire une pause pour le week-end de Thanksgiving, avec rien d'autre à faire que manger et dormir. Enid a acheté de quoi nourrir un régiment. »

Le trajet n'était, par bonheur, que d'une quinzaine de kilomètres jusqu'à la gare où elle devait prendre le train qui la ramènerait à New York. Arthur Wolfe ne cessa de parler et elle put se contenter de faire les réponses appropriées à ses commentaires sur la compagnie Barker, le maire et George Cromwell, sur Jay et les enfants de ce dernier. Cependant en elle, une voix intérieure gémissait : Jill... qu'en est-il de Jill... j'ai peur... si peur.

9

Il faisait cinq degrés au-dessous de zéro lorsque Jennie, Jay et les enfants arrivèrent à la campagne pour le long week-end de Thanksgiving. Mais l'air était sec, le soleil faisait goutter les stalactites de glace des avancées de toit et nul n'avait le sentiment qu'il fît vraiment froid. La maison était pleine d'une foule amicale : le frère de Jay était déjà là avec ses grands enfants, de même que plusieurs oncles, tantes et cousins. Chaque pièce était agrémentée d'un bouquet de chrysanthèmes or et bronze ; sur chaque guéridon était disposé un plateau de raisin, de noix, de pop-corn, de chocolats et de petits fours au gingembre. Jennie fut aussitôt baignée dans la chaleur des conversations, les odeurs du feu de bois et de la cuisine, le parfum des fleurs. C'était la première fois qu'elle rencontrait l'ensemble de la famille et elle trouvait naturelle la curiosité que manifestaient tous ces gens à son endroit. Elle avait apporté beaucoup de soin à son apparence et elle vit que tous appréciaient sa robe de tricot blanc sur laquelle les perles d'Enid luisaient doucement.

Dès qu'elle avait été au courant du cadeau d'Enid, sa mère lui avait envoyé de Floride deux bracelets de perles. Jouant avec ces bijoux passés à ses poignets, Jennie se prit à penser à sa mère. Chaque femme a besoin d'une autre femme à qui se confier... En cet instant même, maman devait être en train de vanter sa fille devant un cercle de veuves dans le jardin de son immeuble. Les palmiers poussiéreux, la chaleur, le bruit... En ce moment, à Chicago, Jill et Peter se rencontraient pour la première fois. Où ? Comment ? Jennie en avait la tête qui tournait.

« Dieu merci, George s'en est finalement bien tiré, hier, lui dit à l'oreille Arthur Wolfe. Mais il vous a déjà téléphoné, bien évidemment.

— Il m'a seulement dit que c'était bien une offre de pot-de-vin, comme nous nous y attendions. Il ne m'a pas fait entendre l'enregistrement au téléphone. Jay et moi allons nous absenter un moment pour aller l'écouter chez lui.

— Pauvre vieux. Je reconnais que je ne m'en serais peut-être pas aussi bien tiré. Il faut pas mal de cran pour se prêter à ce genre de chose. J'aurais peur que le fil ne se détache et de me prendre les pieds dedans, je tremblerais en permanence que quelque chose n'aille de travers.

— Oui, il faut un certain cran », dit Jennie en repensant à Bruce Fisher, qui pouvait fort bien être de mèche dans cette affaire. Cette pensée la fit frissonner.

Le cabinet de George Cromwell occupait l'aile d'une maison en bois dans une rue où toutes les constructions étaient identiques, à quelque distance du centre de la ville. Cette maison, qui aurait eu besoin d'un ravalement, n'était à l'évidence pas celle d'un homme riche. Son intérieur renforçait encore cette impression. Dans le salon, où George Cromwell les introduisit, la tapisserie était miteuse, le mobilier sombre et délabré. La maison et les meubles étaient demeurés tels qu'à l'époque de la grand-mère de Martha, dont ils avaient hérité à leur mariage. Pour l'heure, Martha se reposait à l'étage.

George plaça son magnétophone sur le bureau et montra une cassette avec une expression de fierté et de gêne mêlées.

« Vous n'allez pas en croire vos oreilles.

— De quoi a-t-il l'air, ce John Jones ? » demanda Jay.

Cromwell se mit à sourire. « Il m'a donné son vrai nom. Après m'avoir expliqué que l'on n'était jamais trop prudent au téléphone. Il se nomme Harry Corrin. Un type dans les quarante-cinq ans, mais très sec, aussi n'est-il pas facile de lui donner un âge. Des dents gigantesques, toutes jaunes et mal rangées. Étant dentiste de mon état, les dents sont toujours ce que je remarque en premier. »

Jennie vit un pli amusé passer sur les lèvres de Jay. « Je suppose qu'il s'est montré très cordial ?

— Oh, très. Mais écoutez plutôt la bande. Je vous passe la seconde partie, là où il en vient au fait. Au début, nous avons uniquement parlé de la ville et du type de construction que font Barker et compagnie. Il fallait vraiment que j'en voie quelques exemples et alors peut-être comprendrais-je qu'ils ne projetaient pas de défigurer notre ville. Ce genre de chose. Cela a duré un bon bout de temps. Histoire de prendre langue, pourrait-on dire.

— Avez-vous énoncé des opinions personnelles ? voulut savoir Jennie.

— Juste assez pour lui donner à penser que j'étais intéressé. Je tenais à l'appâter en douceur. » La bande se mit à tourner. « Voilà, c'est ici que ça devient intéressant. »

Sur fond de raclements de chaises sur le sol nu, de conversations voisines, de cliquetis de couverts et du timbre occasionnel de la caisse enregistreuse, on entendit deux voix, celle, légèrement tremblotante, de Cromwell, et une autre, plus jeune, aux accents enjôleurs.

« Alors, George, voyez-vous les choses un peu différemment depuis notre conversation d'hier au téléphone ? Cela ne vous ennuie pas que je vous appelle George ?

— Du tout, Harry.

— Eh bien, êtes-vous rassuré ? Est-ce que vous me croyez quand je vous dis que nous n'allons pas amocher votre patelin ?

— Ma foi, d'un certain côté, oui. Mais il faudrait que j'y réfléchisse encore.

— Bien sûr, bien sûr. Vous êtes quelqu'un de très intelligent. De très avisé aussi. Vous tenez à être sûr à cent pour cent avant d'avancer une opinion. »

Un silence s'ensuivit, durant lequel on pouvait imaginer George hochant gravement la tête, tandis que l'autre scrutait son visage. On entendit un entrechoquement d'assiettes. Dehors, un moteur pétarada.

Puis Harry Corrin reprit la parole, d'une voix plus sourde et teintée de sympathie. « Il faut dire que vous avez pas mal de choses en tête ces temps-ci. Ça, je le sais. Je pense à la maladie de Mrs. Cromwell. Ça doit vous coûter un paquet.

— Vous l'avez dit, fit George dans un soupir. Je reçois de grosses factures.

— Paraît que de nos jours les hôpitaux et les toubibs pratiquent des tarifs effarants. Les économies de toute une vie ont vite fait d'y passer.

— Rien n'est plus vrai.

— Et cela peut aller plus loin, à ce qu'on me dit. Il y en a qui sont obligés de se mettre des dettes sur le dos.

— J'espère ne pas devoir en arriver là. Mais qui sait ? Cela pourrait bien arriver.

— Vous en êtes à ce point, George ? C'est terrible. Un homme de votre âge. Vous êtes resté debout toute votre vie à plomber des molaires, et voilà qu'il vous faut emprunter pour garder la tête hors de l'eau. » Nouveau silence. « Ça oui, reprit Harry d'une voix geignarde, je rigole quand j'entends dire que l'argent n'est pas tout. On est payés, vous et moi, pour savoir que c'est tout le contraire. Ça, bien sûr, les choses seraient bien différentes si vous aviez un joli petit paquet à gauche ! » La voix se fit plus confidentielle ; Jennie et Jay durent tendre l'oreille. « Si vous aviez cinquante mille tickets à la banque, en espèces dans un coffre, vous dormiriez un peu mieux, pas vrai, George ?

— Ma foi, cinquante, cela aiderait sûrement. Mais, comme vous dites, les factures, c'est pas rien.

— Mettons soixante-quinze. Avec ça, vous dormiriez sur vos deux oreilles, non ?

— Ah ça ! Mais où diable pourrais-je dénicher pareille somme ?

— Ça, mon cher George, il y a toujours moyen. Quand on a des amis, rien n'est impossible. Écoutez, George, je vous aime bien. Vous êtes quelqu'un d'intelligent, doublé d'un homme de parole, ce sont des choses qui se sentent. Moi aussi, je tiens parole. La confiance, il n'y a que ça qui compte dans la vie, pas vrai, George ?

— Vous l'avez dit.

— Bon. Comme on dit, une main lave l'autre. Je n'ai qu'à claquer des doigts et, quand je veux, j'ai soixante-quinze mille billets qui me tombent du ciel. C'est aussi simple que ça.

— Quand vous voulez ?

— Quand Barker obtiendra le feu vert, pour être précis.

— Vous ne voulez pas dire que...

— Vous avez tout compris, George. »

Un silence s'ensuivit. On imaginait Cromwell faisant semblant de digérer la nouvelle. « Et... ces soixante-quinze mille dollars... ce serait tout pour moi ?

— Selon notre analyse, vous êtes au centre du problème. C'est votre vote qui emportera le morceau, je me trompe ? »

Nouveau silence, que Harry rompit d'une voix quelque peu tendue. « Je m'avance peut-être un peu, mais j'ai dans l'idée que cela pourrait même monter jusqu'à la centaine.

— Cent mille dollars ! C'est que c'est une somme !

— Comme vous dites. Rien que des billets verts. Bien au chaud dans un coffre. Ça ne serait pas pour vous déplaire, hein, George ?

— Je crois bien.

— Écoutez, je rentre en ville ce soir pour régler les détails. Je reviens dimanche.

— Même heure, même endroit ?

— Oui. D'après moi, vous pouvez compter sur vingt-cinq mille d'avance, le reste vous étant versé après le vote. Si jamais ça foire, vous restituez les vingt-cinq mille. » Il y a eu un raclement de chaises, puis à nouveau la voix de Harry, cordiale et lointaine : « Mais aucun danger de ce côté-là, pas vrai, George ? La balle est dans votre camp.

— Sûr. Pas de problème.

— A dimanche. »

Cromwell éteignit le magnétophone, s'exclamant, comme

si cela venait de lui traverser l'esprit : « Quand même, est-ce qu'il n'a pas risqué gros en se montrant avec moi en public ?
— Pas vraiment, dit Jennie. Aucun risque, ni pour lui ni pour vous. Il n'est pas connu dans le pays.
— Ah oui. Oui, bien sûr.
— Nous allons maintenant remettre cette bande au procureur, dit Jennie.
— Vais-je devoir vous accompagner ?
— Bien sûr. Vous êtes le témoin clé.
— Je suppose qu'il va apporter les vingt-cinq mille dollars dès demain. Que devrai-je en faire ?
— Rien, sinon les mettre en lieu sûr. »
George laissa échapper un soupir. « Courage, lui dit gentiment Jennie. Tout se déroule le mieux du monde et vous n'avez rien à redouter. Nous repartons pour New York vers les quatre heures, demain après-midi. Voulez-vous nous passer un coup de fil juste après la rencontre ? »
Elle embrassa le vieil homme sur la joue. « George, vous avez été parfait. Absolument parfait. »

Le dimanche fut une belle journée. Les chandelles de glace s'amenuisaient sous l'action du soleil et une légère brise soulevait la neige poudreuse. Dans la matinée, les enfants allèrent faire de la luge, puis Jennie et Jay les emmenèrent au centre commercial pour acheter des friandises en prévision du long trajet du retour.
Jennie attendait Jay dans la voiture, toujours en proie aux pensées qui la torturaient depuis des jours. Tout à coup, elle eut la sensation étrange et pénible que quelqu'un l'observait. Tournant la tête, elle reconnut un visage inoubliable. Bruce Fisher était adossé à un réverbère à quelques devantures de magasin de l'endroit où la voiture était stationnée. Leurs regards ne se croisèrent que le temps d'un instant, mais, même après qu'elle se fut détournée, Jennie sentit qu'il continuait de la fixer. Lorsque Jay ressortit du magasin, elle lui dit : « Ne te retourne pas, il y a Fisher, là derrière.

— Je sais, je l'ai vu en entrant.

— Il me fait peur.

— C'est compréhensible, mais il ne faut pas que ça tourne à l'obsession. Après tout, il a bien le droit de se promener dans sa ville. »

Cependant, ils en viendraient par la suite à se poser des questions...

Le reste de la matinée ne différa en rien des autres matinées dominicales : lecture des journaux et longue partie de Monopoly à laquelle tout le monde se joignit à l'exception de Donnie, qui préféra regarder des dessins animés sur le magnétoscope. Après le déjeuner, Donnie alla faire sa sieste tandis que l'on préparait les bagages.

Il était presque seize heures. Jay était en train de dire : « Si George n'appelle pas, nous lui passerons un coup de fil demain », quand le téléphone se mit à sonner.

— Va répondre, Jennie. C'est toi qui travailles sur cette affaire. »

La voix de Cromwell était si forte au bout du fil que Jay et ses parents tournèrent la tête d'un air surpris.

« George ! Vous êtes hors d'haleine !

— Ça n'a rien d'étonnant ! Je viens de passer un sale moment ! Quelque chose d'épouvantable ! Vous n'allez pas me croire. Harry est arrivé, je l'attendais devant une tasse de café. Dès qu'il est entré, j'ai vu qu'il était hors de lui. Vous n'avez jamais vu une tête pareille, il était fou furieux. Il était rouge de colère. Non, pas rouge. Noir...

— George, je vous en prie, dites-moi ce qui s'est passé.

— Il y a qu'ils ont mis ma maison sous surveillance. C'est la seule explication possible. Il savait que vous et Jay êtes venus me voir hier. Qui aurait pu le renseigner ? Il s'est mis à me traiter de tous les noms, vous auriez vu dans quel état il se trouvait ! Il m'a dit que je l'avais doublé et que je me mettais le doigt dans l'œil si je pensais m'en tirer comme ça, que personne ne lui avait jamais fait ça sans le regretter amèrement. » George sanglotait presque. « Puis il s'est penché par-dessus la table — la salle était déserte, en dehors du barman, qui venait d'entrer aux cuisines — et il m'a saisi par la cravate en disant qu'il allait me casser la gueule. C'est alors que j'ai fait une bêtise, j'ai perdu la tête et je lui ai dit qu'il n'avait qu'à essayer, que j'avais tout enregistré et qu'il allait avoir de très gros ennuis.

— Non, ce n'est pas vrai ! Vous n'avez pas fait ça !

— Si », geignit le vieil homme.

Jennie se retourna vers les autres. « Ils se sont disputés et George l'a mis au courant pour la bande. »

Écœuré, Arthur Wolfe leva les bras au ciel.

« Je suis terriblement désolé, disait Cromwell, terriblement désolé. Je sais que j'ai fait une bêtise, je le sais...

— Vous appelez ça une bêtise ! s'écria Jennie.

— Je suis désolé. Quand il m'a agrippé, j'ai perdu les pédales. »

Jennie poussa un soupir. « Ensuite, que s'est-il passé ?

— Il m'a menacé.

— Dites-moi précisément de quelle façon.

— Eh bien, pas précisément, non. Il a seulement dit que j'allais le payer très cher, à moins que je ne lui remette la bande. Celle de l'autre jour et celle que j'avais sur moi. Je lui ai répondu que je n'en avais pas sur moi et que l'autre était en de bonnes mains, qu'il lui serait impossible de la récupérer. En fait, elle est cachée chez moi. J'espère que vous n'êtes pas trop furieux après moi. »

Jennie soupira une nouvelle fois. « Cela ne nous avancerait pas à grand-chose. Où êtes-vous ? Chez vous ?

— Non, je vous téléphone d'une cabine au bord de l'autoroute. Je sors à l'instant du restaurant.

— Bon, rentrez chez vous et soufflez un peu. Vous n'avez pas été à la fête.

— Oui, je vais rentrer. J'ai laissé Martha toute seule. »

Jennie raccrocha. « Voilà où nous en sommes.

— Ça évidemment, dit Arthur Wolfe, j'ai toujours su que George avait, disons, ses limites. Mais, alors là, vous parlez d'un nigaud ! »

Cela faisait un moment que Jay réfléchissait à la situation.

« Attendez, fit-il, ce n'est peut-être pas le plus mauvais scénario possible. Maintenant qu'ils savent qu'ils ont été enregistrés, la prudence va leur commander de quitter la scène, de retirer leur offre, avec l'espoir que la bande ne sera pas remise aux autorités. Mais il est aussi possible qu'ils décident de mettre la main dessus, et là, ce pourrait être un mauvais, un très mauvais scénario. »

Tous restèrent un moment silencieux, envisageant diverses possibilités, toutes aussi déplaisantes les unes que les autres. Puis Jay regarda sa montre.

« De toute façon, nous sommes dimanche et il n'y a pas grand-chose à faire pour l'instant, aussi je propose que nous nous mettions en route. »

Enid posa la main sur l'avant-bras de son fils. « Vous allez être sur vos gardes ? Je vois déjà un personnage patibulaire faisant irruption dans ton cabinet ou celui de Jennie. Que se passerait-il alors ?

— Ne t'inquiète pas, maman.

— Et s'ils s'imaginent que c'est Jennie qui détient la bande ?

— Jennie est quelqu'un de coriace, fit Jay avec un sourire. Vous ne la connaissez pas encore. Elle va ouvrir l'œil.

— Je l'espère. »

Le sujet ne fut pas évoqué de tout le trajet. Tout en grignotant leurs friandises, les enfants se mirent à compter les voitures rouges que l'on croisait. En sortant de la ville on passa l'embranchement d'où partait la petite route menant au Marais Vert. Identifiant l'endroit, Jennie eut le cœur serré en se rappelant cette belle matinée, à peine six semaines plus tôt, où elle s'y était rendue avec Jay et où la vie lui avait paru si lumineuse, si facile et pleine de promesses. Et quelques heures plus tard, le téléphone avait sonné...

Puis elle se prit à penser à Peter et à Jill. Sans doute en ce moment la jeune fille était-elle dans l'avion qui la ramenait à New York après sa rencontre avec son père naturel.

« Qu'est-ce qui ne va pas ? demanda Jay.

— Rien. Pourquoi ?

— Du coin de l'œil, j'ai cru te voir froncer les sourcils. »

Elle lui répondit sur le ton de la plaisanterie. « Dis donc ! Si tu gardais les yeux sur la route. Oui, il est possible que j'aie froncé les sourcils. Je pensais à George et à toute cette histoire. Je me disais que nous avons joué plus gros que nous ne le pensions.

— On en reparlera demain. Écoutons un peu de musique. La fin de la cassette du Philharmonique, ça te va ?

— D'accord. »

Les accents de la *Symphonie héroïque* inondèrent l'habitacle. Jay posa la main sur celle de Jennie. Ce geste possessif, la pression et la chaleur de ce contact réchauffèrent le cœur de la jeune femme.

« Oh, Seigneur, je t'en prie… je t'en supplie… »

Elle ferma les yeux et Jay, la croyant endormie, enleva sa main. De fait, se fût-elle laissée aller, la musique et le ronflement du moteur eussent tôt fait de l'endormir. Elle se savait de ces rares personnes qui, lorsqu'elles sont inquiètes, ne souffrent nullement d'insomnie et se réfugient dans le sommeil. C'est une forme de fuite, se dit-elle en se rappelant son cours de psychologie élémentaire. Et, posant la tête sur son dossier, elle s'autorisa cette fuite.

La circulation étant fluide en ce dimanche d'hiver, ils arrivèrent plus tôt que prévu. Jennie monta à l'étage pour accélérer le couchage des enfants. Comme à l'accoutumée, elle s'occupa des fillettes, tandis que Jay se chargeait de Donnie.

Pendant qu'elles se brossaient les dents, elle alla tirer les rideaux, ôter les dessus-de-lit, ranger leurs vestes et préparer les vêtements, robes écossaises et pulls rouges, qu'elles mettraient le lendemain pour aller à l'école. Toutes sortes d'habits étaient accrochés dans les deux placards jumeaux : de longues vestes pour les jours de semaine, d'autres, à col de velours, pour les jours de fête, des chapeaux de paille ornés de pâquerettes et de longs rubans pour le prochain printemps. Elle prit un de ces chapeaux d'où pendaient de longues faveurs multicolores comme l'on en portait là où les petites filles se devaient d'être bien habillées, peut-être au cirque ou pour rendre visite à des parents. Et elle se demanda si Jill avait jamais porté un chapeau à rubans lorsqu'elle avait huit ans.

De grands éclats de rire lui arrivèrent de la salle de bains. Emily, qui avait récemment découvert ce qu'elle croyait être des histoires cochonnes, en régalait sa sœur du haut de ses deux ans de plus. Si elle avait été autrement disposée, sans doute Jennie eût-elle été charmée par cette gaieté juvénile. Mais dans l'humeur où elle se trouvait, elle continua de penser à Jill enfant. A huit ans, avait-elle parfois porté un nœud dans les cheveux ? Ou peut-être à six ans ? Portait-elle des jupes écossaises, racontait-elle des histoires malicieuses, dérobait-elle des bonbons pour les cacher sous son oreiller, excellait-elle au jeu de dames et au Monopoly ?

Elle avait toujours le chapeau en main quand les fillettes revinrent dans la chambre. Sue eut l'air surpris.

« J'étais en train d'admirer ton chapeau », expliqua Jennie.

Elle éprouva une nouvelle vague de culpabilité. C'était comme si même ses pensées n'avaient pas le droit de se donner libre cours en ces lieux. Et, à peine consciente de ce qu'elle faisait, elle mena à son terme le rituel du coucher, brossa les cheveux des fillettes, leur raconta une courte histoire et les embrassa.

Elle venait d'éteindre la lumière et de poser le pied dans le couloir, lorsque Jay l'appela.

« As-tu entendu le téléphone sonner ?

— Non, pourquoi ?

— Viens par ici. » Elle le suivit jusqu'au salon. « Assieds-toi et prépare-toi à recevoir un choc. » Jay marchait de long en large, à la fois sombre et exalté. « C'était mon père. Tu ne vas pas en croire tes oreilles. George Cromwell est mort.

— Seigneur Dieu !

— Sa voiture s'est retournée sur la petite route qui mène chez lui. »

Jennie tressaillit. « Mort sur le coup ?

— Oui, c'est établi. Il n'a pas souffert, Dieu merci. » Jay continuait d'aller et venir dans la pièce. « La police croit à un crime. Il roulait trop vite, ce qui n'était vraiment pas son genre. Il y avait des traces de roues juste derrière les siennes. Il n'est malheureusement pas possible de les identifier. Il y a eu une tempête de neige juste après notre départ et tout est pratiquement effacé. Selon toute vraisemblance, on lui a coupé la route. Il a quitté la chaussée et a percuté des rochers qu'il y a à cet endroit. » Jay serra les poings. « Ils l'ont tué. Ou bien ils ont causé sa mort. Ce qui revient au même.

— Tu penses qu'il aura été suivi depuis le restaurant ou la cabine d'où il a appelé ?

— J'en suis quasiment certain. C'est vraiment dégueulasse. Mais ceux qui ont fait ça... Ils lui ont retourné les poches, mais ils ne lui ont apparemment rien pris. Son portefeuille est intact.

— Ils étaient donc à la recherche d'une bande.

— Oui, mais cette fois il n'en avait pas.

— Ça paraît tellement invraisemblable. Dire qu'il y a à peine deux heures je lui parlais au téléphone.

— C'est un rude coup pour mon père. Cela faisait près de cinquante ans que George et lui étaient amis.

— Pauvre vieux George... Comme je regrette de l'avoir mouillé dans cette affaire ! Une si bonne âme ! Si candide ! Un grand gamin.

— Chérie, c'est lui qui a voulu le faire. Et puis comment aurions-nous pu prévoir une chose pareille ?

— Je pense à Martha. Comment annoncer une telle nouvelle à une mourante ? La vie est tellement dégueulasse parfois... »

Jay vint s'asseoir à côté d'elle et la prit dans ses bras.

« Je ne crois pas qu'il en ira jamais autrement, dit-il. J'en viens presque à penser que le mal est quelque chose d'inné. Avoir l'appât du gain au point de tuer... Si ce sont eux qui ont fait ça, bien sûr, ajouta-t-il. Nous n'en sommes pas sûrs.

— Là, c'est l'avocat qui parle en toi. Le reste de ta personne en est persuadé, non ? Tu en donnais l'impression il y a un instant.

— Oui. Je pense que ce sont eux. Oui, je le pense. »

Le silence se fit. Jennie pouvait entendre clairement le bruit de la montre de Jay. Soudain, ses yeux s'emplirent de larmes et elle poussa un cri étranglé. Jay affermit son étreinte. De sa main libre, il se mit à lui caresser le visage. Elle se sentait toute petite. Honteuse aussi, à l'idée qu'il devait la trouver bien émotive et vulnérable de pleurer ainsi pour George. Et, de fait, elle pleurait pour George, mais aussi pour Jill, pour elle-même, pour un monde où, avec un peu de bonté et d'honnêteté, la vie aurait pu être si douce sous le soleil.

Jay rompit le silence : « Demain matin à la première heure, mon père et toi allez contacter le procureur pour l'informer des derniers événements. Malheureusement nous n'avons guère d'indices, sinon que le type a de grandes dents. Des gens répondant à cette description, il y a en a plein les rues. »

Jennie ferma les yeux. « C'est une insulte à l'intelligence. Tant de haine pour un bout de terrain. J'ai toujours l'image des roseaux qui bordent l'étang. Et n'y a-t-il pas un énorme saule pleureur au pied de la colline, ou est-ce le fruit de mon imagination ?

— Non, il y en a bien un. Un très vieil arbre, ce qui est assez inhabituel. Il est rare qu'ils vivent aussi longtemps.

— Ces gens sont prêts à tout pour s'approprier l'endroit.

— C'est qu'il y a beaucoup, beaucoup de dollars à la clé, Jennie. »

Le silence se réinstalla, si intense qu'il semblait résonner dans la pièce. Avec ses tentures opulentes, ses tapis persans, son éclairage tamisé, cet endroit était un havre de paix, un sanctuaire dominant Park Avenue du haut de son dixième étage, à un million de kilomètres d'une chambre solitaire que nul ne gardait, tandis qu'un homme plongeait à cent à l'heure dans la mort.

« Surtout ferme bien ta porte à double tour, dit Jay.

— Qui ne le fait pas à New York ? » dit-elle d'un ton léger qui se voulait rassurant. Elle comprenait néanmoins ce qu'il voulait dire.

« S'ils pensent que tu as la bande, c'est comme si tu l'avais effectivement.

— Ici, en ville, ils auraient du mal à me faire quitter la route.

— C'est vrai, mais cela ne m'empêche pas de me faire du mauvais sang. Tu me connais, je suis un anxieux. Je n'aime guère l'endroit où tu habites. Je ne serai tranquille que lorsque tu vivras ici avec moi. Tu ne porteras pas ta bague pour aller au tribunal, n'est-ce pas ? Ni à ton cabinet.

— Bien sûr que non. »

Il n'avait aucune idée du malaise que lui valait cette bague, en dehors de la crainte de se la faire voler. Durant ce week-end, où il avait été naturel qu'elle l'ait au doigt afin de la faire admirer à toute la famille, elle avait été habitée d'un sentiment étrange, celui de porter un bijou qui ne lui appartenait pas. Elle n'avait jusqu'alors montré cette bague à aucune de ses connaissances, la tenant cachée dans une boîte de céréales sur l'étagère de la cuisine.

« Bon, dit Jay, j'appelle le concierge pour qu'il te trouve un taxi. »

Ils se séparèrent sombrement. La mort du vieil homme faisait planer une ombre noire au-dessus de leur tête.

10

Deux poids pesaient maintenant sur Jennie comme pour l'enfoncer chaque jour un peu plus profondément dans l'angoisse. Mais le plus lourd restait Jill. Si seulement elles avaient pu arriver à un *modus vivendi* ! Durant les brefs instants où elles s'étaient tenues embrassées, Jennie avait été saisie d'une vive émotion. Ce jeune corps souple et ferme, cette chevelure épaisse et odorante, tout cela était issu d'elle, de Jennie Rakowsky. Mais la jeune fille était une nature emportée et excessive. Elle aurait pu faire l'effort de me comprendre, se disait Jennie non sans dépit. Elle ne m'a même pas écoutée, elle n'a même pas essayé de voir que je pouvais avoir quelque raison d'agir comme je le faisais.

Elle se sentait désemparée. Il y avait tant de choses à faire ce matin, du courrier en retard, des coups de fil à des clients. Et, avant toute chose, appeler le procureur.

«Je viens d'avoir Mr. Wolfe, dit Martin. Il est très affecté, ce qui est bien compréhensible. Il ne m'a pas appris grand-chose. Mais vous êtes la dernière personne à avoir parlé avec Cromwell. Je vous écoute.

— J'ai bien peur de n'avoir rien de significatif à vous apprendre. George était à la limite de l'incohérence. Pour tout vous dire, j'étais moi-même assez perturbée et...

— Bien sûr. Prenez votre temps. Vous allez être surprise de tout ce qui va vous revenir en mémoire. »

Le chirurgien prodigue le même genre de paisibles encouragements avant l'opération. Jennie prit une profonde inspiration tout en s'efforçant de recoller les bribes éparses de cette conversation fatidique.

« Je me rappelle le nom : "Harry Corrin". Il ne s'appelait pas John Jones, bien évidemment. Et sans doute "Corrin", n'est-il pas non plus son vrai nom. Je crois que George m'a dit qu'il avait la quarantaine. Avec de grandes dents jaunes. George remarquait toujours la dentition des gens. » Elle fut saisie d'un fou rire nerveux, puis, se reprenant rapidement, elle poursuivit : « Il y a eu une scène assez violente. L'homme était furieux, à ce que m'a dit George. Il semble qu'on nous ait vus, Jay — le fils d'Arthur Wolfe — et moi, nous rendre chez George. Aussi ce Corrin a-t-il compris qu'il ne jouait pas franc jeu. Et il l'a menacé de lui casser la figure. C'est alors que George a perdu la tête et l'a mis au courant au sujet de l'enregistrement, espérant sans doute par là tenir Corrin en respect.

— Seigneur Dieu, souffla Martin.

— Tout cela est si horrible ! Je suis certaine que c'est ce Corrin qui l'a tué, pas vous ?

— On n'est jamais certain tant qu'on n'est pas certain. A propos, qui a la bande ? Vous ?

— Non. Elle doit être chez George.

— Parfait. Nous allons l'y laisser dormir jusqu'après l'enterrement. Elle y est en sécurité, et puis nous ne pouvons pas aller embêter cette pauvre femme aujourd'hui.

— Quand l'enterrement doit-il avoir lieu ?

— Après-demain.

— Savez-vous à quelle heure ?

— L'après-midi. Mais ce sera une cérémonie privée, au cas où vous auriez prévu d'y aller.

— Je comptais m'y rendre en effet.

— Ce sera strictement privé du fait de l'état de santé de

Mrs. Cromwell. S'il fait mauvais, elle n'ira même pas au cimetière.

— C'est horrible», répéta Jennie.

Elle éprouvait toutefois quelque soulagement. Les enterrements l'avaient toujours fait gamberger, et celui-ci promettait d'être particulièrement éprouvant. Elle se le représentait : le parfum des fleurs lancées sur le cercueil, le givre blanchissant la terre fraîchement remuée au bord du trou.

Elle revint à la réalité. «Au cas où vous auriez besoin de moi, Mr. Martin, vous avez mon numéro.

— Entendu. Je vous tiens informée.»

Elle demeura plusieurs minutes immobile après avoir raccroché, le regard dans le vague, s'abandonnant à la conscience aiguë de son impuissance. En même temps, elle se voyait telle que ses clients la verraient au cours de la journée, et le contraste était vraiment saisissant. Pour ces gens, miss R. était la solutionneuse de problèmes, capable et fine, une professionnelle moderne, dont la jupe grise parlait d'efficacité, le corsage de soie abricot et les boucles d'oreilles en argent de chaleur féminine. Le grand bureau couvert de papiers, les livres et l'ordinateur étaient les emblèmes de sa compétence. De toute la matinée, des gens ne cessèrent de défiler avec leurs problèmes, leurs questions, leurs doléances et leurs larmes. Durant toute la matinée, elle écouta, prit des notes et donna des réponses, tandis que, dans le secret de sa tête, ses propres questionnements ne connaissaient pas de trêve.

Elle pensait au week-end de Jill à Chicago en compagnie de Peter. L'idée de leur rencontre l'irritait au plus haut point. Où était-il à la naissance de Jill ? Il n'avait pas le droit de venir aujourd'hui jouer les pères ! *Il veut me rencontrer*, avait fièrement annoncé Jill. *Ce n'est pas comme vous*. C'était absurde. Non, pire, c'était obscène.

En dehors de quelques instants de félicité érotique dans un jardin par une belle soirée printanière, Peter n'avait rien fait pour cette enfant, alors qu'elle, Jennie, l'avait portée en elle, l'avait nourrie de son propre sang, avait souffert le martyre de l'accouchement et la douleur de la renonciation. Il ne s'était même pas enquis du bébé à l'époque ! Et voici qu'il l'accueillait chez lui, qu'il revendiquait sa paternité !

Et, cependant, les voyant marcher ensemble par les rues de Chicago, les passants avaient dû, sans même réfléchir, voir en eux un père et sa fille ! Leur haute taille, leur chevelure étaient des liens manifestes. Quel choc il avait dû éprouver à la vue de cette fille splendide ! Et Jennie de trembler d'indignation devant une telle injustice.

Cependant, en superposition à ce tumulte intérieur, elle demeurait obsédée par la tragédie de la veille. Jay devait se tenir au courant, par son père, des développements de l'affaire. Elle eut un regard vers la pendule. C'était l'heure du coup de fil qu'il ne manquait jamais de lui donner en fin d'après-midi. Aussi, quand retentit la sonnerie du téléphone, décrocha-t-elle sans attendre que Dinah prît d'abord la communication.

« Allô ! Jennie ? Peter à l'appareil. »

Elle manqua de laisser choir le combiné. Satané téléphone, je le hais ! Tel le serpent, il jaillit de l'herbe inoffensive que l'on foule dans l'insouciance.

« C'est toi, Jennie ? fit la voix, juvénile et enjouée.

— C'est moi, oui.

— Évidemment, tu dois être un peu surprise de m'entendre.

— Pas vraiment. Jill m'a dit que tu risquais d'appeler.

— Elle n'a sûrement pas dit "risquais". » La remarque était légèrement teintée d'humour.

« Le terme est de moi. »

Peter ignora cette précision et reprit : « Elle est tellement adorable, Jennie. Oui, tellement adorable. Ce week-end, tout ce qui vient de se passer... Je n'arrive pas à y croire vraiment.

— Rassure-toi, tu n'as pas rêvé. » Elle entendit sa propre voix, la sécheresse de son ton. *Pourquoi est-ce que je réponds à cette personne ? Je devrais raccrocher. C'est à cause de mes fichues bonnes manières.*

« De l'eau est passée sous les ponts.

— Dix-neuf ans se sont écoulés. A quoi t'attendais-tu donc ?

— Ma foi, sûrement pas à ce qui vient d'arriver.

— Ni moi non plus, tu peux me croire.

— Jennie, tu sembles furieuse.

— Parce que je devrais bondir de joie ?

— Je t'assure, ce qui nous arrive devrait nous en inspirer à tous.

— Grand bien te fasse.

— J'aimerais t'aider à t'en réjouir. C'est pour cela que je suis venu.

— Venu où ?

— A New York. J'ai pris l'avion avec Jill hier soir. Il fallait qu'elle rentre pour ses cours. Quant à moi, je suis maître de mon temps, aussi ai-je décidé de prendre quelques jours pour voir si je pourrais vous raccommoder, Jill et toi.

— Tu virerais à l'altruiste sur tes vieux jours ?

— Vas-y, Jennie, déteste-moi. Tu en as le droit. Mais ne retourne pas cela contre la petite. Elle est si malheureuse que tu ne veuilles pas la voir.

— Mais c'est faux ! » Le calme de surface volait en éclats. « Je n'ai jamais dit ça. J'ai essayé de lui expliquer ma position, mais elle ne m'en a pas laissé le temps, elle est tout de suite montée sur ses grands chevaux.

— Cela ne m'étonne pas. Elle est impulsive, ou tout simplement très jeune. Tu te souviens de ce que c'est, être jeune ?

— Je ne m'en souviens que trop bien ! »

Il y eut un silence, puis Peter reprit la parole : « Jill m'a dit que tu étais splendide.

— C'est bien gentil de sa part. Cela devrait me combler de bonheur, j'en suis sûre.

— Je t'en prie, Jennie, donne-lui une chance.

— Je croyais l'avoir fait.

— Oui, et ça n'a rien donné, c'est entendu. Serais-tu prête à faire une seconde tentative ? Tu devrais, je t'assure. »

Ce type, émergeant d'un cauchemar enterré, avait le toupet de lui dire ce qu'elle devait faire.

« Je suis descendu au Waldorf. »

Au Waldorf. Toujours ce qu'il y avait de mieux. Peut-être sa femme l'accompagnait-elle.

« ... à dîner ce soir, disait-il. Rien que nous trois. J'aimerais vous amener à faire la paix. »

Il n'était pas dans la nature de Jennie d'ignorer la sincérité. Elle répondit d'une voix calme : « J'ai réfléchi à tout cela... En fait, je n'ai pratiquement pas eu autre chose en tête au cours des dernières semaines. Il aurait été tellement préférable qu'elle ne nous retrouve pas. Ou tout au moins qu'elle ne me retrouve pas. Je ne sais pas ce que tu en penses.

— Tout le contraire. Jamais je n'ai rêvé que cela se produirait, mais maintenant que c'est arrivé, j'en suis heureux. Tu sais, Jennie, j'ai eu mon lot de honte durant toutes ces années. Les mots ne suffiraient pas pour dire combien j'ai pu regretter. »

Jennie en fut émue contre sa volonté. « Durant toutes ces années » avait éveillé en elle comme un écho lointain, plein de nostalgie et de chagrin. Elle revit le Peter d'alors, agitant la main en bas de la rampe d'accès à l'avion, elle revit ce garçon désemparé, angoissé, apeuré, inutile.

« Veux-tu venir ? implora-t-il. Ce soir à dix-neuf heures ? Ce n'est pas pour moi. Je n'ai pas le droit d'attendre quelque chose de toi. C'est pour elle. Elle nous a recherchés pendant si longtemps, elle y a mis tant d'énergie et d'espoir.

— Je ne veux pas », fit Jennie d'une voix sourde. *Et en même temps j'en ai envie.*

« Je n'ai pas entendu ce que tu viens de dire.

— Je ne veux pas, répéta-t-elle, éclatant brusquement en sanglots. C'est trop de souffrance ! Cela fait trop mal !

— Oui, je sais.

— Non, tu ne sais pas. Tu ne l'as pas mise au monde.

— Ma douleur est autre. Tu en es l'objet. Ce que je t'ai fait, ce que je n'ai pas fait pour toi.

— Peter, ce genre de considération est inutile. Cela ne peut que rouvrir une blessure depuis longtemps refermée. Je t'en prie, abstiens-t'en.

— Je te le promets. Mais viens ce soir, même si c'est très difficile. Je t'en supplie. »

Comment aurait-elle pu refuser ? « Je suppose que je vais devoir en passer par là.

— Je t'attendrai à la réception, côté Park Avenue. Est-ce que je vais te reconnaître ? Je veux dire, tu ne t'es pas teint les cheveux ou quelque chose comme ça ?

— Je n'ai pas changé.

— Bon, à sept heures ce soir.

— A sept heures. »

Relevant la tête, elle se mit à fixer des gouttes de pluie roulant sur une vitre. Toute une palette de sentiments vagues s'agitaient, se mêlaient en elle : de la répugnance, un soupçon de peur et l'inhabituelle sensation d'une sorte de fatalité. Esprit rationnel, Jennie méprisait l'idée que quelque chose pût être prédestiné, « écrit ». Il lui semblait cependant que ce qui arrivait aujourd'hui était inéluctable, comme si tous les éléments du passé avaient, traîtreusement, sournoisement, œuvré à amener cela.

Quoique ce ne fût pas facile à admettre, elle éprouvait également une pointe de curiosité à la pensée de découvrir en quoi Peter aurait changé au cours de ces dix-neuf années. Il y avait encore autre chose : elle tenait aussi à ce qu'il vît comme elle avait bien surmonté les épreuves, comme elle était épanouie et désirable encore. Cette envie absurde la gênait un peu, mais elle était indéniable.

Il était prévu qu'elle dîne avec Jay. Quelle excuse lui donner ? Se mordillant les lèvres, sourcils froncés, elle se mit à chercher. Une chose était certaine : quel que soit le prétexte qu'elle avancerait, Jay serait fortement déçu. Maman disait toujours qu'elle faisait une piètre menteuse, qu'on voyait toujours clair à travers ses arguments. Il lui fallait quelque chose de plausible. Elle finit par trouver : une cliente, une malheureuse qui travaillait tard et n'était disponible que le soir. C'était quelque chose qu'il comprendrait et excuserait.

Elle décrocha le téléphone. Mensonge sur mensonge, l'édifice prenait de la hauteur.

11

Arrivant des ascenseurs, il foulait à grands pas les somptueux tapis. Des touristes chargés d'appareils photo étaient attroupés sous les ors de la réception, des femmes en robe du soir traversaient les lieux, se rendant à quelque prestigieux raout. Cependant, cet homme de haute taille avec sa couronne de cheveux flamboyants tranchait sur la foule disparate. Il s'immobilisa un instant pour chercher Jennie du regard ; puis, l'ayant aperçue, il marcha vers elle, mains tendues.

« Bonsoir, Jennie.

— Bonsoir, Peter. »

Ils se serrèrent la main. Ce geste avait quelque chose d'étrangement guindé, mais elle n'aurait su dire ce à quoi elle s'était attendue de la part de Peter ou, d'ailleurs, de la sienne.

« Bon sang, Jennie, tu n'as pas menti. Tu es vraiment restée la même.

— Toi aussi. »

L'opale de ses yeux souriait toujours autant. Sa voix avait toujours ces accents capables de teinter d'enthousiasme la plus simple observation.

Puis, simultanément, ils se souvinrent de Jill, qui, légèrement en retrait de Peter, les considérait tous deux avec une curiosité affichée. La prenant par la taille, Peter la fit s'avancer de deux pas.

« Ceci est un moment historique. Le champagne est de circonstance. J'ignore à quel âge on peut boire dans l'État de New York, mais c'est sans importance. Ce soir, Jill, tu as droit au champagne. »

La jeune fille ne répondit pas. Peut-être avait-elle décidé d'ignorer Jennie, peut-être attendait-elle que celle-ci lui adressât la parole.

« Bonsoir, Jill, dit Jennie. On dirait que nous nous retrouvons une nouvelle fois. » Son ton était conciliant, presque suppliant.

« Bonsoir, fit Jill d'une voix égale.

— Bien, dit Peter, choisissant à l'évidence d'ignorer la gêne qui venait de s'installer. Nous avons une table retenue et nous sommes déjà en retard. »

Jennie les laissa la précéder. Ils vont bien ensemble, se disait-elle, ils resplendissent. Ils ont la même démarche, longue et souple. Sans s'en douter, Jill était une Mendes. Jennie se sentit tout à coup trop petite et s'en voulut de cette impression.

Ils prirent à gauche dans Peacock Alley, pénétrèrent dans un restaurant et furent conduits à une table agrémentée d'une composition de roses roses. Peter avait bien fait les choses. Une rose était posée sur les assiettes de Jennie et de Jill. Et sur le côté de chacune de ces deux assiettes, il y avait, noué d'une faveur blanche, un petit emballage bleu de chez Tiffany.

« Ouvrez-les », leur dit-il, et son visage rayonnait lorsque les deux bracelets d'argent, identiques, apparurent sur leur nid de papier de soie. « Ils se sont montrés très obligeants pour la gravure. Je la leur ai commandée au tout dernier moment. »

Jennie lut l'inscription, calligraphiée à l'ancienne : « Pour Jennie de la part de Jill, avec amour », et la date. Sans doute celui de Jill portait-il l'inscription inverse. Tout bien intentionné qu'il fût, ce geste avait quelque chose de tellement puéril ! Comme si la réunion de ces trois êtres qui, chacun à sa manière, vivaient très difficilement ces instants, s'apparentait à une fête !

« C'est pour que vous vous souveniez de cette journée », leur dit Peter.

Comme si pareille journée pouvait s'oublier !

Jill fut la première à parler : « Il est très joli. Il va avec mon collier. » Elle avait ôté sa veste de castor, révélant une chaînette en argent sur une robe de lainage gris.

« Oui, très joli, fit Jennie. Merci, Peter.

— Passons commande. Ensuite nous pourrons parler tout à loisir. Nous avons beaucoup de choses à nous dire. » Il ne se départissait pas de son sourire. Il faisait son possible pour mettre les deux femmes à l'aise. « Que diriez-vous d'un cocktail de crevettes ? Ou d'un potage ? Le potage est de mise par une soirée un peu fraîche. J'en ai pris l'habitude à Chicago. Après avoir passé une bonne partie de ma vie en Georgie, je vous prie de croire qu'il m'a fallu un certain temps pour me faire à ce vent glacé qui souffle sur le lac Michigan. Je crois que, pour ma part, je vais me laisser tenter par la bisque de homard. Mais prenez votre temps. Rien ne presse. » Il parcourut le menu. « Du veau. Du marlin. Le filet mignon est assez tentant, non ? Je n'arrive pas à me décider. »

Cesse de te prêter à cette comédie, s'intimait silencieusement Jennie. Tout cela est insensé. Si tous ces gens élégants savaient qui nous sommes, cela leur ferait un bon sujet de conversation. Fantastique, souffleraient-ils... Pourquoi suis-je venue ? Oh, je le sais parfaitement...

Mais la soirée allait être un fiasco, car Jill avait, à l'évidence, décidé de l'ignorer. Sans doute elle aussi était-elle venue à contrecœur. Elle mangeait néanmoins avec appétit, tout en parlant d'abondance avec Peter. C'était presque comme si tous deux se fussent ligués contre Jennie. Non, c'était absurde ; Peter n'était pas homme à se liguer avec ou contre qui que ce soit. Au moins se souvenait-elle de cela. Non, il n'avait tout simplement pas conscience de l'exclusion de Jennie ni de l'atmosphère pesante.

Il leva sa coupe de champagne. « Je bois à notre santé, à notre bonheur et à la paix entre nous. »

Cette première gorgée, sur un estomac en tumulte, fit grimacer Jennie. Cela n'échappa pas à Peter.

« Tu n'aimes pas ? fit-il, inquiet. C'est du Dom Pérignon.

— Il est excellent, mais je suis plutôt amateur de Perrier.

— Ah ? Je me souvenais d'une femme qui avait un penchant pour la bière au gingembre. »

Elle aurait pu le reprendre : *Non, je n'étais pas une femme. J'étais une gamine, une enfant qui s'est changée prématurément en femme.* Mais la rebuffade aurait été trop brutale et, de surcroît, n'eût servi à rien.

Le dialogue passait au-dessus de sa tête, tandis que, penchée sur son assiette, elle s'efforçait de manger.

« C'est un paysage unique, disait Jill. Des kilomètres carrés de cèdres et de pins. Et l'air y est si pur. Vraiment un endroit unique.

— Et les trembles frémissant le long de la rivière, ajouta Peter avant de s'adresser à Jennie. Jill me dit que vous avez parlé du Nouveau-Mexique ensemble. Elle en sait long, sans doute plus que moi, sur les Indiens Anasazi. Je n'y ai passé que deux semaines il y a deux ans, à étudier surtout les kivas, ces lieux de réunion qu'ils aménageaient sous terre. Extrêmement intéressant. Mais sans doute t'y es-tu intéressée, toi aussi ?

— Non, je n'y connais rien », répondit Jennie, refusant la perche qu'il lui tendait.

Une expression suppliante et peinée passa sur son visage ; puis, recouvrant une nouvelle fois sa bonne humeur, il se remit à évoquer la terre du peyotl et du cactus.

J'en ai soupé des supplications, se dit Jennie. Je ne me sens même pas la force de croiser le regard de Jill, qui, chaque fois qu'elle pense que je ne peux la voir, m'examine à la dérobée, Peut-être essaie-t-elle de s'imaginer la scène de sa conception... N'est-ce pas un exercice auquel nous avons tous sacrifié un jour ou l'autre ? C'est du moins ce qu'on dit. Eh bien, c'était par une soirée tiède et tranquille, le gravier de l'allée sentait la poussière, et il nous fallait faire vite avant que les autres ne rentrent. C'est ainsi que cela s'est fait. C'est ainsi que tu te retrouves assise au Waldorf Astoria, Jill, avec ta belle robe et ton air comme il faut, et sans doute aussi ton pauvre cœur qui bat la chamade.

« J'éprouve une sorte de mélancolie quand je viens de gâcher ma journée, disait celle-ci, parce qu'elle est perdue à jamais. C'est un jour de moins à vivre. Ce n'est pas que j'aurais voulu y accomplir de grandes choses, mais plutôt que j'aurais voulu à tout instant être consciente du temps qui passe, me sentir vraiment vivre.

— Je vois exactement ce que tu veux dire, répondit Peter, à nouveau plein d'allant. Je suis pareil. Je suppose que nous allons nous découvrir de plus en plus de similitudes. »

Jennie reposa sa fourchette. Elle ne se sentait aucun appétit. Cette situation lui était intolérable. Sa colère se déployait maintenant telle une pieuvre dont les tentacules se fussent étendus vers ses deux commensaux, puis recroquevillés sous l'effet d'un écœurement. Comme elle avait changé ! En l'espace de quelques semaines, sa chère assurance avait disparu. Et les deux autres continuaient de parler comme si de rien n'était, nullement affectés par les émotions qui, sans doute, s'agitaient en eux. Ils possédaient encore une parfaite maîtrise de soi.

Elle fouilla dans son sac pour y prendre son tube de rouge à lèvres, dont elle n'avait nul besoin. Dans le petit miroir de son poudrier, ses yeux étaient cernés de noir.

« Jennie, tu n'as pas dit un mot, fit Peter. Joins-toi donc à la conversation. »

On aurait dit qu'il réprimandait gentiment un enfant boudeur ou trop timide. Était-il si aveuglé qu'il n'eût pas remarqué que Jill ne lui avait pas une fois adressé la parole ?

« Si je ne dis rien, la raison m'en paraît assez évidente », répondit-elle.

Peter posa sa fourchette. « Ah, je vois que le moment est venu d'en venir au fait. Écoute, vous deux ne pouvez pas faire comme si l'autre n'existait pas. Vous êtes obligées de trouver un *modus vivendi*.

— Nul n'est obligé de faire quoi que ce soit, répondit Jennie. Pour commencer, ceci est une situation fausse.

— Je ne vois pas ce qu'il y a de faux dans le fait qu'une fille désire connaître ses parents.

— Peut-être. Si cela se passait bien pour tout le monde, ce

serait quelque chose de merveilleux. Mais cela n'est pas le cas, Peter, et tu n'y peux rien changer. Ni moi non plus.

— Je suis certain que cela ne tiendrait qu'à toi, Jennie. Pourquoi ne veux-tu pas accepter notre enfant sans réserve et au grand jour ? Pourquoi ce souci de dissimulation ? »

Les mots « notre enfant » et « dissimulation » achevèrent de l'exaspérer. « Rien ne te permet de me faire subir un tel interrogatoire ! lança-t-elle. Je ne t'en reconnais pas le droit, tu m'entends ? Pour qui te prends-tu, surtout toi, pour avoir le culot de me poser toutes ces questions ? »

Froissé, Peter commença : « Ça évidemment, si tu comptes faire preuve d'une telle hostilité... » Mais Jill l'interrompit.

« La première fois que je vous vois ensemble, la toute première fois, j'insiste bien, situation dont je rêve depuis si longtemps... vous vous disputez ! *Vous vous disputez !* C'est proprement incroyable ! Et moi qui imaginais... » Elle marqua une pause, puis reprit : « Je suis toute retournée. Pourquoi ne vous êtes-vous pas mariés, pourquoi ne m'avez-vous pas gardée ? Pourquoi ? J'étais votre enfant... Oh, je ne sais plus ce que je dis. Voyez le gâchis que vous avez fait ! »

Jennie regarda Peter. Il avait rougi, un rougissement douloureux qui évoquait la peau neuve d'un grand brûlé. Ses yeux brillaient sous ses paupières baissées. Elle comprit qu'il était accablé, incapable de répondre. En un éclair, elle sut quels souvenirs le hantaient : le ballet monotone des essuie-glaces, la rue sombre, ses propres paroles. *Jennie, ma Jennie, ne t'en fais pas, je vais tout arranger.* Alors, sa colère fut occultée par une bouffée de pitié pour lui, pour eux tous.

Le visage noyé de larmes, humiliée de pleurer ainsi en public, Jill s'était tournée de côté et ne montrait plus que son profil à Jennie. Le silence qui venait de s'abattre sur la table fleurie et sa gaieté pathétique fut accentué par un éclat de rire retentissant quelque part au milieu des conversations tranquilles de la salle de restaurant. Atterrés par la douleur de Jill, Jennie et Peter étaient incapables de se regarder en face.

Jill se tamponna les yeux et but un peu d'eau. Jennie attendait, résignée. Peter rompit timidement le silence, les yeux dans le vague.

« Tout ceci est trop difficile à assumer pour chacun de nous. J'aurais dû le savoir. Il était stupide de ma part de penser que cela pouvait se passer en douceur. »

Nul ne le démentit. Il tapotait nerveusement la nappe du bout des doigts, comme s'il réfléchissait à quelque chose de précis. Puis, pour la première fois depuis un long moment, il regarda Jennie droit dans les yeux. « Un restaurant n'est pas l'endroit qui convient lorsqu'on veut se dire tout ce que l'on a sur le cœur. Je sais qu'à la fin de votre déjeuner ensemble, Jill et toi vous êtes séparées brusquement parce qu'elle désirait poursuivre la conversation chez toi et que tu ne voulais pas. J'ai trouvé que c'était une bien singulière cause de rupture ! Peut-être que, si tu voulais bien nous donner quelque éclaircissement, cela nous aiderait à comprendre. »

Jill prit la parole, incluant cette fois Jennie dans la conversation en la fixant d'un regard intense et presque provocateur. « Cela appelle une précision. Ce n'est pas que je tenais absolument à y aller, mais je voulais savoir *pourquoi je ne pouvais pas* y aller. Pourquoi je ne devais en aucun cas vous contacter, mais attendre que vous me fassiez signe. Vous avez dressé un mur entre nous. Quelque chose à sens unique. Un peu... un peu comme le mur de Berlin. »

C'est vrai, se dit Jennie. Et, tout comme un Berlinois, il m'emprisonne. Alors, sans élever la voix, avec une patience obstinée, elle essaya une nouvelle fois de se présenter comme un individu ayant des droits.

« J'ai parfois le sentiment que la vie privée est un privilège aboli. Quand je dis que j'ai mes raisons, pourquoi ne s'en contenterait-on pas ?

— Ce n'est pas suffisant en l'occurrence, dit sombrement Jill. On ne peut pas dire, n'est-ce pas, que vous m'ayez réservé le plus chaleureux des accueils ? Je sais bien que les gens de l'association — Mr. Riley et Mrs. Dunn — m'avaient dit que ce ne serait pas facile. Ils m'avaient dit que je devrais faire preuve de patience et... et je pense que cela a été le cas... Mais jamais je ne me serais attendue à quelque chose comme ça. »

Jennie se prit le visage entre les mains. Ses paumes étaient toutes fraîches sur ses yeux brûlants.

« Vous ne voulez pas comprendre... Je le vois bien, vous êtes incapable de m'accepter telle que je suis.

— Permets-moi de te poser une question très directe, fit doucement Peter. Est-ce que tu es mariée ? Est-ce que tu aurais des enfants ? Est-ce que c'est ça ? »

Elle releva la tête. « Non. Ce n'est ni l'un ni l'autre.

— En ce cas tu es sans attaches, tout comme moi. »

Il faisait chaud dans cette salle et, bien que l'affluence y fût moyenne, Jennie avait le sentiment qu'une foule excessive s'y pressait. La tête lui tournait ; peut-être était-ce l'effet du demi-verre de vin qu'elle avait bu.

« Tu es donc totalement libre », répéta Peter, cette fois sur le ton de l'interrogation.

Jennie se sentait mal. Cela devait se voir, car Peter s'était tu pour la considérer attentivement. Je n'en supporterai pas plus, se disait-elle. Je ne peux leur faire confiance. Si je leur disais la vérité, ils me poursuivraient et me harcèleraient jusqu'à ce que Jay soit au courant.

C'est de toute façon ce qui va arriver, par leur faute.

Il fallait qu'elle sorte d'ici, qu'elle les fuie et referme une porte entre elle et eux. Elle se leva et prit sa veste, accrochée au dossier de sa chaise.

« Il faut que je m'en aille, déclara-t-elle brusquement. Vous ne voyez pas que je ne me sens pas bien ? Je suis désolée, il faut que je parte. » Et, courant presque, à l'instar de sa fille quelques jours plus tôt, elle sortit du restaurant et partit en zigzaguant entre les passants éberlués.

Dans Park Avenue, on sentait qu'il allait neiger. Au-dessus des gratte-ciel, les lumières de la ville teintaient de rouille les nuages bas. Je voudrais prendre l'avion et m'envoler par-delà les nuages, murmura-t-elle ; je m'élèverais vers l'azur pour n'importe quelle destination. Au lieu de cela, elle s'engouffra dans le premier taxi qui se rangea le long du trottoir et ouvrit sa vitre pour respirer l'air glacé. Elle tendit un billet au chauffeur et, sans attendre sa monnaie, gravit les escaliers en direction de son refuge.

La chambre était pleine d'un désordre inhabituel. Afin de n'être pas en retard, elle s'était habillée avec une telle hâte que ses vêtements de la journée étaient restés là où elle les avait laissés tomber, la jupe sur une chaise, le chemisier sur une autre, les souliers au milieu de la pièce avec le contenu renversé de sa mallette, qui était tombée du bord du lit. Des papiers étaient éparpillés un peu partout. Elle les enjamba, repoussa le dessus-de-lit, se dévêtit partiellement et, en culotte et soutien-gorge, se laissa tomber sur le lit.

Cette chambre était une prison, mais elle n'avait pas d'autre endroit où aller. Elle ne cessait de se tourner et se retourner sur le matelas. De sombres démons l'assaillaient et la tourmentaient : le bon vieillard gisait sur la chaussée verglacée, sous les arbres noirs ; Jill et Peter la harcelaient sans relâche ; Enid Wolfe la scrutait sans ciller, la perçait à jour… Les ailes des démons, des ailes de chauves-souris, s'agitaient alentour ; leurs griffes étaient celles d'alligators.

Elle se releva d'un bond. Peut-être parviendrait-elle, avec l'aide d'une bonne dose de whisky, à chasser ces funestes visions. Il n'en faudrait pas beaucoup pour enivrer la buveuse de bière au gingembre. De toute sa vie, jamais elle n'avait été ivre.

Elle alla prendre la bouteille de Chivas Regal qu'elle conservait pour Jay lorsqu'il venait. Elle en emplit un grand verre, le vida d'un trait et frissonna. Épouvantable breuvage ! La bouche lui brûlait, un trait de feu l'envahit de la tête aux pieds. C'était comme d'être frappé par la foudre ou de se faire renverser par un camion.

A peine capable de marcher, prenant appui sur les murs, elle regagna la chambre et parvint à décrocher le téléphone et à éteindre avant de se laisser tomber sur le lit.

Elle entendit un tintement. Cela paraissait très lointain, comme si, dans la rue, quelques fêtards se fussent amusés à agiter une satanée clochette.

« Oh, Seigneur, est-ce que cela va bientôt cesser ? » dit-elle mentalement. Elle se sentait la bouche sèche, les lèvres gonflées, et c'eût été trop d'effort de les entrouvrir.

Elle réalisa soudain que ce tintement était proche, qu'il retentissait dans l'appartement, qu'on sonnait à sa porte.

« J'en ai marre », dit-elle tout haut. Elle se mit sur son séant. Tout tournait autour d'elle. Elle parvint à se lever et gagna en titubant le petit vestibule où brûlait une veilleuse.

« Qui est là ? Qu'est-ce que c'est encore ? » geignit-elle en ouvrant si violemment que le battant de la porte alla percuter le mur.

« C'est moi, Peter. »

Elle battit des paupières, incertaine d'avoir bien entendu. « Peter ? Que... qu'est-ce que tu fais ici ? »

Il entra, referma la porte et tourna le verrou.

« Tu m'as fait très peur ! Je me demandais ce qui t'arrivait. Mais il fallait que je règle l'addition avant de pouvoir m'élancer à ta poursuite. » Il était hors d'haleine. « Quand je suis arrivé dehors, tu avais disparu. J'ai mis Jill dans un taxi, il m'a fallu un certain temps pour m'en dégoter un, et... et me voilà. Comment te sens-tu ? Ça va mieux ?

— Eh bien, tu vois. Je suis en pleine forme. En super forme. »

Il s'avança et la fixa d'un air éberlué. « Bon sang, Jennie, mais tu es ivre !

— Je ne sais pas. Peut-être bien. » Elle se mit à rire. « Je ne tiens pas debout. Va falloir que je m'asseye par terre.

— Non, non, attends. » Il la rattrapa comme ses jambes fléchissaient. « Viens, je vais te mettre au lit.

— J'y étais, au lit. Tu m'as fait relever, maintenant je vais me remettre à pleurer ! »

Il avait l'air consterné. « Qu'est-ce que tu as bu ?

— Va savoir. De la limonade. Du bain de bouche. » Elle était partagée entre rire et pleurs. « Oh, ce que je suis triste. Tu n'as pas idée de ce que je peux être triste. »

Les mains sous ses aisselles, il la maintenait en position verticale. « Nous allons te remettre au lit, Jennie, lui dit-il d'une voix douce. Tu n'as pas l'habitude de boire, on dirait. Tu es restée la même buveuse de bière au gingembre, à ce que je vois. » Il la dirigeait tant bien que mal vers le lit.

« La bière au gingembre, ça c'est sûr, et c'est pas souvent que je lui fais des infidélités, à la bière au gingembre.

— Non mais regarde-moi ce lit... Des papiers, des carnets, des chaussures... Et tu trouves un endroit où t'allonger ?

— Ça te regarde pas... Occupe-toi de tes oignons. Je t'interdis de regarder dans mon carnet.

— Je ne regarde pas dans ton carnet. Tu vois bien que je mets tout cela sur la chaise. »

Accotée au bois de lit, Jennie fixait le miroir posé sur la commode. Elle y voyait une silhouette chancelante, aux pommettes gonflées et maculées de mascara, avec un slip transparent et un sein échappé de son soutien-gorge de dentelle.

« Seigneur, dans quel état je suis !

— Cela ira beaucoup mieux demain matin après une bonne nuit de sommeil. » Il ramena la couverture sur son sein nu. « Sérieusement, Jennie, tu ne devrais pas ouvrir la porte avant de savoir qui est là. Tu ne sais pas que c'est dangereux ?

— Je m'en balance. Je m'en fous, m'en fous, m'en contrefous...

— Ça va, j'ai compris. Attends que j'arrange ton oreiller. Et maintenant allonge-toi et dors. Je vais me mettre sur ton canapé.

— Ça non ! Pas question que tu restes ici. Fiche le camp !

— Je ne vais certainement pas te laisser dans cet état. Demain matin, tu te sentiras beaucoup mieux, tu ne voudras pas me croire quand je te dirai dans quel état je t'ai trouvée, et nous en rirons ensemble. Ensuite nous parlerons de certaines choses, puis je m'en irai.

— Je ne veux pas discuter avec toi de quoi que ce soit. Je veux que tu me laisses tranquille, tu m'entends ? Va-t'en. Et ne reviens pas.

— Je m'en vais. Dans l'autre pièce. Bon, j'éteins la lumière.

— Laisse allumé ! Il faut que je me lève, il faut que j'aille au bureau.

— Jennie, nous sommes dimanche soir, il est dix heures moins dix et tu vas faire une bonne nuit de sommeil. »

La chambre fut de nouveau plongée dans l'obscurité. Il faisait chaud, on se serait cru sous les tropiques. Que sais-tu des tropiques, Jennie ? Tu ne sais rien, tu ne veux rien savoir. Et Peter qui est à côté, n'est-ce pas rigolo ? Je ris, c'est si drôle. Non, je pleure. Oh, vous tous, laissez-moi donc dormir. Disparaissez de ma vie.

Elle s'éveilla. Elle ne savait pas combien de temps elle avait dormi. Pourtant, en dépit d'un terrible mal de tête, elle se sentait les idées un peu plus claires. Elle avait conscience des événements de la veille et de ce qu'il se passait en ce moment. Peter était allongé sur le canapé dans la pièce voisine et, plus loin, quelqu'un actionnait la sonnette et martelait la porte d'entrée.

Elle s'assit. La lumière s'alluma dans le séjour. Deux pieds en chaussettes glissaient précautionneusement sur les lames de parquet, qui grinçait, se dirigeaient le plus silencieusement possible vers la porte. Elle ressentit un vague soulagement à la pensée qu'elle n'était pas seule. Les assassins de George... à la recherche de l'enregistrement... Non, je délire...

« Qu'est-ce que c'est ? lança Peter à travers la porte.

— Ôtez cette chaîne et laissez-moi entrer ou bien la police sera là dans deux minutes », cria Jay.

Le cœur de Jennie se serra.

« Qui êtes-vous ? Moi aussi, je peux faire en sorte que la police soit ici dans deux minutes.

— Qu'avez-vous fait à Jennie ? Défaites cette chaîne, espèce de salopard !

— Allez vous faire voir ! Je n'ai rien fait à Jennie. Elle est dans son lit en train de dormir. »

Jennie de gémir dans le noir : Ressaisis-toi. Ça y est, c'est arrivé, pas de la façon que tu redoutais, mais en pire, en bien pire. Elle alluma la lampe. Son soutien-gorge s'était détaché, son slip était roulé sur ses cuisses. Dans un état second, elle chercha son peignoir, mais ne put le trouver. Elle enfila la veste de tailleur qui était posée sur une chaise, et, tenant la jupe devant elle, elle gagna précipitamment le salon.

Peter, en maillot de corps et pantalon, ceinture débouclée, était toujours près de la porte, dans l'entrebâillement de laquelle se voyait le visage affolé de Jay.

« C'est bon, Peter. Tu peux ouvrir », fit-elle d'une voix altérée.

Jay entra. Son regard se posa d'abord sur Jennie, qui tenait sa jupe comme un paravent, puis sur l'inconnu aux cheveux ébouriffés, pour enfin revenir à la jeune femme.

« Qui est ce personnage ? Bon Dieu, mais que se passe-t-il ici ? Est-ce qu'il t'a agressée ?

— Non, non, c'est un ami. Tout va bien.

— Un ami ?

— Oui, il a débarqué sans prévenir. J'ignorais qu'il devait passer et je... »

Elle fut prise de vertige, ses genoux ployèrent et elle s'accroupit contre le mur. Jay la releva. La tenant par les épaules, il l'examina attentivement.

« Tu as bu, ou bien on t'a administré quelque chose. » Il se retourna vers Peter. « Que s'est-il passé ? Qui êtes-vous ? Que lui avez-vous fait ? »

Hébété, rougissant comme à son habitude, Peter s'efforça de répondre posément. « Je me nomme Peter Mendes. Et il est exact que je ne suis rien d'autre qu'un ami de Jennie. Je suis de Chicago. »

Toute faible qu'elle fût, Jennie fut prise d'une crise de nerfs. Peter était si cocasse les cheveux en bataille, sans chaussures, face à Jay en costume sombre, chemise blanche et cravate imprimée. Elle émit un son qui pouvait passer pour un rire. Terreur et larmes dans un gloussement.

Jay la secoua doucement. « Jennie, pour l'amour du Ciel, parle-moi ! J'ai été fou d'inquiétude pendant toute la soirée. Ton téléphone ne répondait pas. J'ai appelé à ton cabinet et une femme d'un bureau voisin m'a dit que tu en étais partie vers cinq heures et demie hier après-midi. Après ce qui est arrivé à George... » Il se tut, l'air perplexe. « Nous devions nous voir hier soir et tu as décommandé... C'est la deuxième fois que tu fais ça. » Il se tut à nouveau. « Je dois perdre la boule. J'ai peine à croire à ce que je vois. Tu es nue ! »

Par la porte ouverte, le lit était comme la couche d'amour d'un sultan ; avec ses couvertures glissées à terre, ses oreillers bouchonnés, il dominait de sa présence la petite chambre exiguë. C'est vers lui que, comme mues par la même pensée, convergeaient maintenant les trois paires d'yeux.

Le visage de Jay était aussi blême que celui de Peter était coloré.

« Jennie, fit le premier d'une voix altérée, est-ce bien toi que j'ai sous les yeux ?

— Je t'en prie, laisse-moi t'expliquer...

— C'est ça, explique-moi pourquoi tu m'as menti au sujet d'une cliente que tu devais voir. Explique-moi ce qui se passait ici au milieu de la nuit. » Il avait la voix rauque, il était au bord des larmes. Il tremblait et respirait avec difficulté. « Mais peut-être toute explication est-elle superflue. »

Elle courut vers lui et, levant des bras suppliants, oublia la jupe, qui tomba à terre. Lorsqu'elle se baissa pour la ramasser, la veste s'entrouvrit, révélant ses seins. Jay se détourna.

La situation la plus tragique peut être en partie ridicule. N'était-ce pas étrange ? Et plus étrange encore le fait que même au comble du désespoir elle pût se dissocier de sa propre personne et se voir, accablée et ridicule.

« Jay, écoute-moi. » Elle commença une phrase, mais les mots se bousculèrent et elle se mit à pleurer. Lorsqu'elle se cacha le visage dans les mains, la jupe chut de nouveau, révélant sa nudité en culotte transparente.

« Est-ce bien toi ? répéta Jay d'une voix épaissie, comme s'il venait de recevoir un coup de massue.

— Excusez-moi, intervint Peter, mais jamais elle n'avait bu auparavant. Elle était toute chavirée. Elle n'est pas dans son état normal, ce n'est pas la vraie Jennie. »

Jay le regarda. « Ah, vous savez donc qui est la vraie Jennie.

— Nous nous sommes connus il y a très longtemps. Nous avions des choses à nous dire.

— Ah oui ? Et vous l'avez fait. Ça se voit. Vous vous êtes dit des tas de choses. »

Jay se tenait les bras tendus le long du corps, tel un soldat au garde-à-vous. Son seul mouvement était celui de ses poings, qu'il ne cessait d'ouvrir et de refermer.

« Si on venait me dire que mon père a mis le feu à notre maison ou que ma mère vient d'attaquer une banque, est-ce que je le croirais ? » Il parlait pour lui-même, comme s'il eût été seul. « Ah, Seigneur, quand le blanc est noir et le noir blanc, alors tout devient possible. Absolument tout.

— Jay... » Elle voulait parler, mais sa gorge se nouait. Elle avait conscience de ne pas fonctionner comme elle l'aurait dû, alors même qu'elle avait les idées parfaitement claires ; la contradiction était pour le moins singulière.

Jay partit vers la porte, restée ouverte, se retournant pour balayer la pièce d'un dernier regard. Jennie eut une perception fulgurante de l'instant : il avait l'expression de quelqu'un qui quitte définitivement son foyer et en grave l'image dans sa mémoire, ou bien — était-ce possible ? — de quelqu'un qui rejette avec mépris tout ce qu'il a connu d'un lieu. Le temps paraissait suspendu, la durée abolie. La pendule posée sur le bureau sonna la demie. La vibration cuivrée parut s'attarder dans l'espace. Durant cette parenthèse temporelle, une sensation, une pensée fragmentaire traversa Jennie et s'évanouit aussitôt : le carrosse, l'équipage de chevaux blancs, la pantoufle de vair...

« Plus jamais je ne croirai en qui ou en quoi que ce soit », dit Jay.

Et il sortit. La porte se referma lentement derrière lui et le pêne cliqueta dans la gâche.

Jennie se tenait dos et paume des mains plaqués contre le mur. Peter alla prendre un peignoir dans le placard de la chambre et le lui passa sur les épaules. D'une supplique muette, elle le conjurait de ne lui poser aucune question.

Il prit une de ses mains et la tint entre les siennes pour la réchauffer. « Tu as froid, dit-il.

— Je ne peux pas, commença-t-elle, voulant dire qu'elle ne pouvait parler.

— Tu n'as pas à parler. Je ne pose pas de questions. En revanche, tu vas te remettre au lit pendant que je fais du thé. »

Le thé était brûlant, un thé au lait. Il lui tenait la tasse, tamponnant ce qui débordait de ses lèvres tremblantes et desséchées. « Ce lait va t'aider à te rendormir », murmura-t-il.

Ayant terminé la tasse, elle se laissa aller contre l'oreiller. Dans un coin de la pièce, faible et lointaine, une petite lampe faisait un rond de lumière au plafond. Peter lui caressait le front. Elle se laissait sombrer, sombrer. Mourir...

Lorsqu'elle ouvrit les yeux le lendemain matin, elle découvrit Peter assis sur une chaise à son chevet. Elle se dit qu'il était peut-être resté là toute la nuit.

« Le petit déjeuner est prêt, dit-il. Mais tu vas d'abord aller prendre une douche et te coiffer. »

Elle avait maintenant l'esprit parfaitement clair, et tous les événements brumeux de la nuit lui revinrent avec la netteté de gros titres du *Times*. Les traits de Jay avaient été flous, doublement brouillés par leur angoisse réciproque. Cependant, elle voyait distinctement ses yeux ; sans doute leur image s'était-elle imprimée dans son subconscient. Ils étaient maintenant fixés sur elle, empreints d'une douleur indicible. Un jour, lorsqu'elle était enfant, elle avait vu un homme battre son chien au bout de la rue, et jamais elle n'avait pu oublier le regard de la pauvre bête...

Elle s'enfouit le visage dans l'oreiller et se mit à pleurer. Les sanglots lui secouaient le corps tout entier. Les gens pleurent ainsi à la mort d'un être cher. Je me rappelle maman lorsque papa est mort. Je me disais que ses pleurs allaient finir par la tuer, elle aussi.

Au bout d'un moment, lorsque les sanglots se furent espacés, Peter revint dans la chambre. Il attendit sans rien dire, se contentant de secouer doucement la tête avec un petit sourire, comme on le fait avec un enfant chagrin.

« Il n'y a rien eu, dit-elle. Nous n'avions rien fait.

— Non, mais les apparences ne plaidaient pas en notre faveur.

— Nous allions nous marier.

— Qui est-il ?
— Il est avocat.
— Tu ne me fais pas confiance ?
— Non. »
Il eut un sourire et haussa les épaules.
« Cela te fâche que je ne veuille pas te dire son nom ?
— Cela n'a pas d'importance.
— Tu as été très gentil avec moi, Peter.
— C'est tout naturel. N'aurais-tu pas agi de même avec moi ?
— Je suppose que oui.
— Oui, cela ne fait aucun doute. » Il s'était rassis sur la chaise, dans l'angle du mur, et la fixait d'un regard pitoyable. « Je m'en veux terriblement. Je ne connais pas ton histoire, mais j'en devine les grands traits, et je vois bien que ma présence ici t'a mise dans une horrible situation. » Jennie ne répondit pas. « C'est la deuxième fois que nos destinées se croisent. Que pourrais-je dire de plus ? Y a-t-il quelque chose que je puisse faire ?
— Non, rien. » Elle trouvait très éprouvant de parler, mais Peter semblait si abattu qu'elle se sentit obligée d'ajouter : « Tu ne l'as pas fait exprès. Tu étais bien intentionné en restant ici pour la nuit.
— Tu sais que tu m'as fait peur, hier soir, en quittant la table comme tu l'as fait. Jill aussi a eu peur pour toi. Tu semblais tellement affolée. Oui, complètement affolée. C'est pour cela que je suis venu.
— Affolée, je le suis depuis déjà quelque temps.
— A cause de lui ? Tu ne voulais pas qu'il sache pour Jill ? »
Un ultime sanglot serra la gorge de Jennie. « Oui, ce n'était pas pensable. »

Il cessa de lui poser des questions et, pendant une ou deux minutes, tous deux restèrent silencieux. Elle se sentait sale, négligée, misérable. Elle s'assit, ce qui lui coûta un effort, et demanda à Peter de quitter la pièce. Elle s'enveloppa dans son peignoir et gagna la salle de bains.

Elle entra sous la douche et se savonna machinalement. Saisie d'une sorte de léthargie, elle s'attarda plus que nécessaire sous le délicieux crépitement de l'eau chaude. Puis elle sortit, se brossa les dents et brossa ses cheveux, dont les brunes ondulations se remirent en place. Cependant, son visage faisait peine à voir avec ses yeux enfoncés et injectés de sang sous leurs paupières bouffies. Horrible. Cela n'avait pas d'importance. Plus rien n'avait d'importance. Les gens se peignaient, se brossaient les dents. Cela avait-il vraiment un sens ? Quelle importance si vos dents se gâtaient ?

« Tu as meilleure mine, dit Peter lorsqu'elle reparut.

— Je suis atroce. Regarde-moi un peu attentivement. » Par quelque ressort pervers, elle voulait qu'il reconnaisse l'état de décrépitude dans lequel elle se trouvait.

« Bon, dit-il en changeant de sujet, que dirais-tu de te faire servir ton café au lit ?

— Au lit ? Je dois aller travailler, Peter. Il est huit heures.

— Tu n'es pas en état d'aller travailler aujourd'hui, et tu le sais parfaitement. Va te remettre au lit. »

Il lui avait préparé des tartines grillées et un œuf dur, auxquels elle ne toucha pas. Cela faisait une dizaine de jours qu'elle n'avait pratiquement plus d'appétit. Il l'observa un moment en train de boire son café à petites gorgées, serrant la tasse à deux mains, puis il déclara :

« Je vais appeler ton cabinet pour dire que tu n'es pas bien, à moins que tu ne préfères le faire toi-même ?

— Non, vas-y. Tu n'as qu'à demander Dinah. » Elle se sentait vidée de toute énergie, de toute ambition, et cependant elle se devait de montrer quelque force d'âme face à l'état de dévastation de son existence. « Dis que je reprends demain.

— Je ne suis pas certain que tu en seras capable. Tu as tout de même le droit de prendre quelques jours.

— Je n'ai "le droit" de rien du tout.

— Pourquoi es-tu si dure avec toi-même ? Tu as eu un choc. Un peu comme s'il venait de se produire un décès parmi tes proches. »

C'était une étrange façon de décrire ce qui venait d'arriver, et cependant, oui, il y avait à tout cela comme un parfum macabre. Je ne sais pas trop comment la vie va pouvoir continuer, se dit-elle. Il est à peine croyable que tout ait pu se terminer ainsi, en l'espace de deux ou trois minutes.

« Il a dit quelque chose au moment de passer la porte, commença-t-elle. Je n'arrive pas à me rappeler ce que c'était exactement. Est-ce que tu t'en souviens ? » Devant l'air interdit de Peter, elle ajouta : « Hier soir, comme il partait. Je l'appellerai Joe, mais ce n'est pas son nom. Oui, j'essaie de me souvenir. N'était-ce pas quelque chose à propos de confiance à accorder aux autres ?

— Ah, ça ? Tu veux vraiment le savoir ? Tiens-tu vraiment à revenir sur tout ça ?

— Oui, j'y tiens.

— Il a dit : ''Plus jamais je ne croirai en qui ou en quoi que ce soit.'' »

Cette parole, même rapportée par un autre, avait un accent élégiaque, contenait quelque chose de douloureusement irrévocable. Elle se la répéta mentalement pendant quelques secondes, puis demanda à Peter si, selon lui, « Joe » pensait vraiment ce qu'il avait dit.

« ''Jamais'', cela fait un bail, Jennie.

— Tu as raison. Ma question était stupide. »

Ainsi donc, tôt ou tard, il y aurait une autre femme. Fermant les yeux, elle se prit à imaginer les femmes auprès desquelles il se consolerait. Quels mots emploierait-il avec elles ? Ceux que nous nous disons entre nous, ceux de notre petit lexique amoureux ?

Les psychologues peuvent bien noircir des milliers de pages de vulgarisation et disqualifier la jalousie comme un sentiment immature et dégradant, il n'en reste pas moins qu'elle est une torture et qu'elle pousse des êtres au meurtre et au suicide.

Ainsi, Jennie, tu sais maintenant ce qu'il a ressenti lorsqu'il est entré ici hier soir.

On sonna à la porte de façon si soudaine que Peter sursauta.

« C'est Shirley. Elle habite à l'autre bout du couloir. Elle vient souvent sonner à cette heure-ci pour me demander si je veux partir avec elle. Nous allons souvent à notre travail à pied.

— Je vais lui dire que tu es grippée. »

Il revint avec le sourire. « Si tu avais vu la tête qu'elle a faite ! Les sourcils lui sont remontés sous la frange.

— Oui, j'imagine, fit amèrement Jennie. Tu ne ressembles pas du tout à celui qu'elle a l'habitude de trouver ici le matin.

— Elle voulait entrer, mais je lui ai dit que je m'occupais de toi. Je suis un ami de longue date et, qui plus est, médecin.

— Merci. Je ne tenais pas à ce qu'elle me voie dans cet état. »

Il était étrange qu'elle n'eût pas honte de se montrer ainsi devant Peter. « Shirley est une gentille fille, mais elle parle un peu trop. Elle sait tout sur tout le monde.

— Tu as sûrement d'autres amies. Est-ce que cela ne te ferait pas du bien si l'une d'elles passait te voir ?

— Je ne veux voir personne.

— Mais tu pourrais profiter d'un soutien moral en attendant que les choses se remettent en place.

— Il est fort possible qu'elles ne se remettent jamais ''en place'', comme tu dis. Je vais probablement devoir m'en tirer toute seule, alors autant m'y habituer tout de suite. »

Ces paroles ne manquaient ni de courage ni de bon sens ; cependant Jennie n'y croyait qu'à moitié. Jay reviendrait très probablement pour demander des explications... Mais un détail capital lui revint : la question de Jill serait toujours là, rien ne serait résolu.

« Excuse-moi, mais pourquoi dis-tu ''jamais'' ?

— C'est une longue histoire.

— Peut-être pourrais-tu me la condenser ?

— Il y a que je lui ai menti. Alors que lui ne m'a jamais menti. Oh, tu ne peux pas comprendre ! Il faudrait que tu le connaisses, lui et tout ce qu'il y a eu entre nous. »

Peter semblait perplexe, mais il ne posa pas d'autres questions. Sortant d'elle-même comme elle en avait l'habitude, Jennie se vit assise dans son lit face à un inconnu qui, de façon très subtile, commençait à lui devenir familier. Il avait une ombre rousse sur les joues et le menton, et elle se rappela l'époque où il parlait de se laisser pousser la barbe. Elle se souvenait...

Et elle se livra à des comparaisons : même s'il n'était que de quelques années le cadet de Jay, il faisait bien plus jeune, plus serein, comme si la vie lui était plus facile. Peut-être était-ce le cas. Elle réalisa qu'elle ne savait rien de lui, sinon qu'il était professeur. Elle se l'imagina l'espace d'une seconde devant un amphithéâtre d'étudiants. Il devait porter des mocassins cirés et un pull jacquard en cachemire. Elle se posa la question de savoir s'il fumait la pipe, et décida que non — c'eût été un cliché. Les filles devaient minauder en sa présence. Les garçons devaient respecter sa haute taille et sa carrure. En fait, elle ne savait rien de lui.

« Es-tu marié ? interrogea-t-elle.

— Moi ? Pourquoi cette question ?

— Je ne sais pas. Simple curiosité.

— Non, je suis célibataire.

— J'ai vu ton nom, une fois. C'était dans un annuaire des universitaires américains. J'ai été contente de voir que tu étais arrivé à ce que tu voulais.

— Contente ? fit-il, surpris. Après ce qu'il s'était passé entre nous ?

— Ce sont deux choses complètement différentes. »

Il secoua la tête. « Comment se fait-il que tu sois si bienveillante ? Mais il est vrai que tu l'as toujours été. »

Une ombre de sourire passa sur le visage de Jennie. « Il n'y a pas que cela, dit-elle. Je suis toujours contente d'apprendre qu'une belle intelligence n'a pas été gaspillée.

— Ma foi, je ne suis pas Schliemann sur les ruines de Troie, mais j'ai publié quelques petites choses sur des découvertes intéressantes que j'ai faites dans nos déserts du Sud-Ouest, et j'aime mon métier d'enseignant. Tout bien considéré, je suis assez content de la vie que je mène. Mais parle-moi un peu de toi, de ta profession d'avocate. »

Il était presque enjoué, et elle comprit qu'il s'agissait d'un effort maladroit pour la distraire de ses pensées. Mais tout bascula brusquement. La lumière hivernale, parcimonieuse et bleutée, était sans complaisance pour cette petite pièce, qui pouvait pourtant devenir si plaisante à la nuit tombée. La commode était toute griffée, les rideaux blancs étaient jaunis. Tout ici parlait d'échec.

Comme elle ne répondait pas, il reprit la parole, cette fois, sur un ton plus grave. « Je répugne à te laisser toute seule. Je regrette de devoir partir.

— Tu rentres à Chicago ?

— Non, je vais rester une semaine. Je dois voir plusieurs personnes du département d'archéologie de Columbia. Il y a un colloque cet après-midi et deux ou trois dîners. Et la semaine prochaine, je prends l'avion pour Atlanta. »

Elle ne fit pas de commentaire.

« C'est le quarantième anniversaire de mariage de mes parents. »

Elle ne disait toujours rien.

« Je me doute que tu n'as pas envie d'entendre parler d'eux. »

Elle aurait pu lui rétorquer que, s'il s'en doutait, il n'avait qu'à ne pas les évoquer. Mais ce n'était pas dans sa manière. « Non, cela ne me dérange nullement », dit-elle.

Il se mit à rougir. « C'était juste pour te dire la raison de mon voyage à Atlanta. Sans cela, je resterais ici pour essayer de t'aider. Vous aider, Jill et toi... Enfin, tu sais bien ce que je veux dire. T'aider, toi surtout, même si je ne vois pas très bien comment.

— Ni moi non plus. Tu feras donc aussi bien d'aller à cet anniversaire à Atlanta », dit-elle non sans froideur.

Il semblait désireux d'épuiser le sujet. « En vérité, ce ne sera rien de bien conséquent. La famille s'est beaucoup réduite. De nombreuses personnes sont mortes depuis que tu... Bref, nous ne serons pas très nombreux. Sally June n'a pas d'enfants... »

Jennie les imaginait autour de la grande table de bois foncé. Le linge de table immaculé, la lueur des chandelles... Et par les hautes fenêtres, la vue sur le parc, le vert sombre des résineux, les pelouses flétries. Sa sœur n'a pas d'enfants ; ils n'ont donc pas de petits-enfants. Cela devait être une grande tristesse, surtout pour des gens de cette sorte, avec la fierté que leur inspiraient lignage et pérennité du nom.

Elle ne put s'empêcher de demander : « Ont-il jamais cherché à savoir, est-ce qu'il leur est arrivé d'évoquer...

— Non, jamais. » Elle remarqua qu'il fuyait son regard. Il ajouta cependant : « Il m'arrive souvent de me demander s'ils y pensent jamais ou s'ils en parlent entre eux.

— Est-ce que tu vas leur en parler, maintenant que tu sais ?

— Je ne sais pas. Je me demande si ce serait une bonne idée. Qu'est-ce que tu en penses ?

— Moi ? Je n'en ai pas la moindre idée », dit-elle amèrement.

Ils demeurèrent silencieux, jusqu'à ce que Peter répète : « Je répugne à te laisser seule dans cet état, mais je ne peux faire autrement.

— Je t'en prie, vas-y. Ne te mets pas en retard à cause de moi.

— Je te téléphone. A moins que je ne repasse.

— Rien ne t'y oblige.

— Je t'ai mis une carafe d'eau sur la table. Je vais refermer en sortant. »

Lorsqu'il fut parti, une nouvelle vague de désespoir la submergea. C'était comme si tout ce qui faisait le rayonnement de l'existence, l'espérance, le soleil, toutes les joies douces ou intenses, eussent été balayées d'un coup. Et jamais, jamais, elle ne s'était sentie aussi lasse.

Elle appelait le sommeil de tous ses vœux. Pendant un temps, il se refusa à elle. Puis le bruit des moteurs et des klaxons commença de se fondre en un grondement monotone, et elle sut que le sommeil allait l'engloutir. Bien qu'elle eût conscience du caractère éphémère et trompeur de cette évasion, elle s'y abandonna avec soulagement.

Jennie dormit toute la journée et toute la nuit qui suivit. Le lendemain matin, elle avait recouvré suffisamment de forces pour se lever promptement, s'habiller, manger un peu et faire le point. Elle décida que son cabinet pourrait se passer d'elle une journée de plus. Elle sentait l'espoir renaître, même s'il était assorti d'une bonne dose de scepticisme. Peut-être serait-il judicieux de ne pas bouger d'ici. Jay allait peut-être passer... Il allait appeler le cabinet, apprendre qu'elle était souffrante...

Elle en était là de ces considérations, lorsque Shirley sonna.

« Rétablie, on dirait ?

— Oui, ça va mieux. Sans doute un petit virus ou quelque chose comme ça.

— Une chance que ton ami ait été là. Il m'a dit que tu étais presque tombée dans les pommes.

— Oui, ça m'a prise d'un coup.

— Je prends mon après-midi. Je vais sans doute rentrer de bonne heure. Aussi, si tu as besoin de quoi que ce soit, surtout n'hésite pas.

— Merci beaucoup, Shirley. Mais je me sens beaucoup mieux. Vraiment. »

Elle se versa une seconde tasse de café et se rassit. Dans la minuscule cuisine, les objets n'étaient pas à leur place habituelle. Le plateau laqué était sur l'étagère du haut au lieu de celle du bas. Mais il faisait mieux là-haut, à côté de la boîte à thé laquée. C'était l'œuvre de Peter ; il était sensible à ce genre de chose. Il était méticuleux, il avait le goût de la perfection. N'était-il pas après tout le fils de la maison aux grandes colonnes blanches ? La maison où Jennie avait été indésirable. Et dire qu'elle leur avait donné une petite-fille ! Elle se prit la tête entre les mains et, alors qu'elle tremblait de froid quelques minutes plus tôt, elle sentit le sang couler plus vite dans ses veines et fut inondée d'une bouffée de chaleur.

Et pourtant, Peter avait été si obligeant ! De même que Shirley. Ils étaient désireux de lui venir en aide, et elle leur devait quelque gratitude. Oui, elle leur en était reconnaissante. Le seul, toutefois, qui aurait pu vraiment l'aider était Jay.

La matinée s'écoula ainsi.

Au tout début de l'après-midi, elle réalisa brusquement que, perdue en elle-même, elle n'avait eu aucune pensée pour George Cromwell. Le gentil vieillard dénué de malice reposait sous le sol gelé. Elle rougit de culpabilité. Elle se devait d'envoyer quelques fleurs à sa veuve et de passer la voir dans les prochains jours. Dans son désespoir, elle avait presque oublié cette autre femme. Elle voulut comparer la peine de cette malheureuse à la sienne ; mais leurs souffrances se situaient à des extrémités opposées de la vie, elles étaient trop différentes pour qu'on pût les comparer.

Je vais m'occuper des fleurs sans plus tarder, se dit-elle. Ce n'est l'affaire que de quelques minutes, et si Jay passe entre-temps, il attendra.

Il ne viendra pas.

Ouvrant la porte donnant sur la rue, elle vit avec consternation Peter qui se dirigeait vers l'entrée de l'immeuble. C'en était trop!

Elle n'avait nul besoin de lui, nul désir d'une conversation à cœur ouvert à propos de Jill ou d'eux-mêmes.

« Voilà que tu mets le nez dehors! lança-t-il. En tout cas tu as bien meilleure mine qu'hier matin. Comment te sens-tu?

— Ça va bien, comme tu peux voir. »

Il la toisa de haut en bas. « "Bien", je ne sais pas. Mais il y a certainement un mieux. Tu vas quelque part en particulier?

— Chez le fleuriste de l'avenue.

— Tu vois un inconvénient à ce que je t'accompagne?

— Aucun. » Et d'ajouter : « J'ai dit que je me sentais bien, mais je suis quand même très fatiguée. Aussi ne m'en veux pas si je ne suis pas très bavarde. »

Il ne répondit pas. Les passants étaient rares en cet âpre début d'après-midi, ce qui rendait plus sonore le bruit sec et précipité des talons hauts de Jennie, et, en conséquence, plus lourd et lugubre le silence de Peter. Une étrange sensation de distance oppressait la jeune femme, comme si elle était de retour après une longue absence. Elle fit une halte devant le supermarché voisin du fleuriste afin de reprendre ses esprits et demeura un long moment immobile à regarder un jeune garçon disposer une petite pyramide de flacons de parfum. *Nuit de Noël*, *Calèche*, *Shalimar*... tous ces noms chantaient à l'oreille. *Shalimar* était très doux, on pensait à des roses, du sucre et de la vanille. Du sucre candi, disait-il toujours en l'embrassant dans le cou. Se détournant de la devanture, elle était si aveuglée par les larmes qu'elle eût percuté un passant si Peter ne l'avait rattrapée par le bras.

Chez le fleuriste, elle demanda qu'une gerbe de roses fût envoyée chez Martha Cromwell, puis elle ressortit pour affronter un après-midi de plus en plus venteux et cruel.

Ce fut Peter qui rompit le silence. « Jennie, est-ce que je peux te poser une question ? Je ne cherche pas à t'accabler, Jennie, mais est-ce que tu lui as parlé ?

— Non. »

Il grimaça. « Seigneur Dieu, tout ça est ma faute.

— Cela ne pouvait finir que comme ça, compte tenu des circonstances.

— Tu veux parler de Jill. Tu veux dire que c'est à cause d'elle.

— Oh, Peter, je ne veux rien dire du tout. Pour l'amour du Ciel, ne me force pas à penser ! Je voudrais rester complètement vide.

— C'est marrant, aujourd'hui Jill m'a dit la même chose à son propre sujet.

— Tu l'as revue ?

— Oui. Je t'ai dit que je devais passer à Columbia. Je n'ai eu qu'à traverser Broadway, et nous avons déjeuné ensemble. Je lui ai parlé de toi, je lui ai tout raconté. Est-ce que cela te contrarie ?

— Qu'est-ce que ça changerait ? Non, je suppose que cela m'est égal.

— Elle a pleuré. Elle dit qu'elle s'est mal conduite avec toi. Elle ne se serait pas montrée aussi insistante, si elle avait su ce qu'il en était de ta vie.

— Elle ne pensait pas mal faire. Dis-lui que je le sais. Je ne veux pas qu'elle se sente coupable à cause de moi.

— Il serait préférable que tu lui dises tout cela toi-même, Jennie. »

Jennie leva les bras au ciel. « Tu sais bien que cela n'amènera rien de nouveau. Nous ne ferions que ressasser les mêmes arguments.

— Comment peux-tu en être aussi sûre ? Est-ce que cela ne vaut pas la peine d'essayer ? »

Des excuses, des explications et sans doute de nouvelles larmes, se dit-elle. « Non, cela ne donnerait rien de plus.

— Je ne cherche pas à te forcer la main, Jennie. Mais elle est si jeunette. Hier encore, ce n'était qu'une enfant. Pense à cela. »

Jennie soupira. « J'y pense, Peter. Et je viens de te communiquer le produit de mes réflexions.

— Pense-y encore un peu. S'il te plaît. »

Sa voix s'était faite apaisante, enjôleuse, ce dont elle se rendait compte. Il avait probablement raison. Non, il avait sûrement raison. J'ignore tout de Jill et de son enfance. Ce que je sais en revanche, c'est qu'il est douloureux de ne pas être comprise. Comme moi de Jay, comme Jill de moi. Tout était lié, tout s'entrelaçait comme dans un nœud.

Mais je ne puis tout débrouiller maintenant. Je n'en ai pas la force.

Courbant la tête contre le vent, elle hâta le pas. A mi-chemin de chez elle, elle s'immobilisa et tendit la main à Peter.

« C'est ici que nous nous séparons, Peter.

— Tu ne veux pas que je te raccompagne. Entendu, Jennie. Je peux le comprendre. Mais je voudrais que tu me promettes une chose. Je voudrais que tu envisages une nouvelle rencontre avec Jill. Je voudrais que tu y réfléchisses.

— Je vais faire de mon mieux, Peter. »

Elle tournait la clef dans la serrure quand la porte de Shirley s'ouvrit.

« Ça alors, mais où étais-tu passée ? Je commençais à croire que tu ne rentrerais jamais.

— Comment cela ? Je ne me suis absentée qu'une demi-heure, trois quarts d'heure au grand maximum.

— Jay est passé. »

Le cœur de Jennie fit un bond. « Tu lui as parlé ?

— Comme tu ne répondais pas, il a sonné chez moi. Je lui ai dit que je t'avais vue dans la rue, juste comme je rentrais, avec ton ami, le docteur de Chicago.

— Tu lui as dit ça ?

— Ben oui. J'aurais pas dû ? »

Étonnant de voir comme le cœur peut défaillir alors que la voix demeure si égale !

« Qu'a-t-il dit ?

— Rien. Il m'a remerciée et il est reparti. Il est si bien élevé ! Ah, je lui ai également dit que tu te sentais beaucoup mieux ce matin et que ton ami le docteur devait t'avoir dit que tu pouvais mettre le nez dehors. »

Jennie posait un regard désenchanté sur son amie. La sophistication pouvait n'être qu'une qualité toute superficielle, un certain flair dans l'habillement et une somme de maniérismes mondains ; derrière tout cela, Shirley n'était qu'une gosse gentille, bavarde et écervelée. A son insu, elle venait de sceller définitivement le destin de Jennie. Avec cette seconde apparition de l'« ami de Chicago », cette dernière perdait tout espoir de regagner la confiance de Jay.

« Je crois que je vais aller m'allonger un moment, dit-elle faiblement.

— Tu n'aurais pas dû sortir par ce temps. Tu es blanche comme un linge. On dira ce qu'on voudra, je trouve idiot d'aller risquer la pneumonie... »

Mais Jennie avait déjà refermé sa porte.

Elle était tout engourdie. Elle se laissa tomber sur la chaise de l'entrée et se mit à fixer le sol. Le petit tapis était à motifs carrés. Quatre sur la largeur, sept sur la longueur. Quatre fois sept font vingt-huit... Dans son esprit éperdu, le cours du temps commença de se dissoudre, le Peter de jadis et celui d'aujourd'hui se fondirent, se confondirent avec Jay dans un tournoiement de lumière, de ténèbres et d'angoisse. Que vais-je faire maintenant ? Que vais-je faire de ma vie ? Et tout à coup, comme par un matin frisquet on saute brusquement du lit après maints atermoiements, elle alla décrocher le téléphone pour composer le numéro du cabinet de Jay.

La voix familière de la secrétaire lui parut vaguement hésitante, ou gênée, ou bien distante, et Jennie sut aussitôt qu'elle ne lui disait pas la vérité. Non, Mr. Wolfe n'était pas passé. A vrai dire, il était probable qu'il ne viendrait pas de la journée. Non, elle ne savait vraiment pas où il était ni quand il repasserait. Telle fut la réponse de la dame à cheveux gris qui avait d'ordinaire toujours un mot gentil pour elle et à qui on avait même promis une invitation au mariage !

Il était quinze heures. Les enfants devaient être rentrés de l'école. Bien sûr, se dit-elle, c'est ce qu'il faut que je fasse. Emily et Sue me diront s'il est à la maison. Elle avait la main en suspens au-dessus du téléphone. S'il est là, que vais-je lui dire ? Par quoi commencer ? *Mon chéri, mon amour, je t'en supplie, écoute-moi*. Et ensuite ? Cependant, sa main composait déjà le numéro.

« Sue, c'est toi ?

— Non, c'est Emily.

— Comment vas-tu, ma chérie ? C'est Jennie.

— Je t'avais reconnue, dit l'enfant.

— Dis-moi, est-ce que ton papa est là ?

— ... Je ne sais pas.

— Comment cela, ma chérie, "tu ne sais pas" ? »

La fillette émit un murmure inintelligible.

« Je ne t'entends pas, Emily. Que dis-tu ?

— Je dis que Nanny ne veut pas que je reste au téléphone.

— Est-ce que Nanny sait que c'est avec moi que tu es en train de parler ?

— Je crois, oui. »

Jennie ne comprenait que trop bien ce qui avait dû se passer. Jamais Jay n'aurait dit aux enfants quelque chose de négatif sur son compte. Et jamais, assurément, il ne leur aurait dit de la bouder. Sans doute avait-il dit à la nurse qu'il ne souhaitait pas lui parler, et sans doute celle-ci avait-elle eu la maladresse d'en toucher un mot aux enfants.

Et elle vit Jay dans la bibliothèque, pièce d'où il passait le plus souvent ses coups de fil. Le téléphone était posé sur le bureau, près de la statuette de Lincoln. Le fauteuil était tendu de cuir vert foncé avec des clous de cuivre. Peut-être même s'y trouvait-il en ce moment, seul avec sa désillusion.

Elle voyait d'ici Emily courant décrocher le téléphone, le poste du couloir. La fillette se précipitait toujours dès la première sonnerie, ce qui avait le don d'irriter sa nurse. Il s'agissait d'une femme très rigide, et Jennie avait réfléchi à la façon dont, après le mariage et avec tact, elle allait convaincre Jay de trouver quelqu'un d'autre.

« Tu me manques, ma chérie, dit-elle.

— Toi aussi, tu me manques, mais Nanny dit qu'il faut que je raccroche.

— Au revoir, Emily », dit paisiblement Jennie avant de replacer le combiné.

Tout à coup, elle fondit en larmes. Elle poussa une plainte déchirante, un cri d'angoisse et de désespoir, tel que l'on en émet, sans doute, à la mort de son enfant. Elle se plaqua la main sur la bouche afin d'étouffer les sanglots qui la secouaient si douloureusement qu'elle en avait le corps cassé en deux.

Au bout d'un long moment, les sanglots s'espacèrent et s'achevèrent sur un soupir d'épuisement. Elle se leva pour aller prendre dans le placard le carton de céréales où était caché le petit coffret de chez Cartier. Puis elle alla dans la chambre pour tirer de dessous une pile de chandails celui qui renfermait le collier de perles. La bague lui avait toujours paru incongrue à son doigt ; cet œil de diamant lui avait toujours semblé la regarder avec froideur. Les perles coulaient entre ses doigts, lisses et opulentes comme de la soie. Retournons-les à leur propriétaire afin qu'elles parent le genre de gorge pour lequel elles sont faites. Dans la cuisine, elle emballa les deux coffrets dans un petit carton qu'elle renforça de ficelle et de ruban adhésif. Elle avait, durant toute l'opération, gardé les dents serrées, ce dont elle s'aperçut lorsqu'elle appela le bureau de poste pour s'enquérir du code postal.

Écrivant d'une main tremblante le nom de Jay Wolfe, elle se dit qu'elle le faisait pour la dernière fois.

A la poste, pour payer l'assurance du recommandé, elle dépensa la totalité de la petite réserve d'argent qu'elle conservait chez elle en cas d'urgence. Quand elle remit le colis à l'employée, elle se dit que l'on devait éprouver la même chose au sortir d'une opération chirurgicale, cette douleur teintée de soulagement à l'idée que tout est terminé.

Je dois maintenant me tourner vers l'avenir, se dit-elle résolument. Quand me suis-je déjà tenu ce langage ? La réponse ne se fit pas attendre : c'était après la naissance de ma fille.

Je devrais peut-être déménager, pensa-t-elle sur le chemin du retour. Même si ce n'est pas le sien, ce quartier est trop plein de lui. Ce magasin où nous sommes restés un long moment à contempler les chatons angoras, nous laissant presque tenter d'en acheter un, nos dîners chez l'Italien du coin, le disquaire où nous nous approvisionnions en disques compacts... Est-ce que je serai assaillie de souvenirs chaque fois que je passerai devant ces endroits ?

Le jour commençait de décliner. Une bise mordante faisait voleter des bouts de papier au long des caniveaux de la grande cité gris acier. Il faut que je me ressaisisse. Il ne faut pas laisser s'installer un tel état d'esprit. Il est trop facile de se laisser glisser dans la dépression. Elle se souvenait de ces mornes semaines précédant la naissance de Jill, durant lesquelles elle restait des après-midi entiers à sa fenêtre, fixant d'un œil vide un paysage aussi venteux et glacial que celui-ci.

Devant la porte de l'immeuble, elle croisa un homme qui descendait les marches à la hâte. Elle crut remarquer qu'il la regardait un peu trop intensément, comme s'il eût voulu imprimer ses traits dans sa mémoire. Elle pensa que peut-être elle le connaissait, puis elle se dit que ce devait être le passant qu'elle avait manqué heurter, quelques heures plus tôt devant le supermarché. Oui, c'était sûrement cela. Sottises. Dans l'état d'esprit où elle se trouvait, elle était capable d'imaginer n'importe quoi. Mais peut-être était-ce bien l'homme en question. Puis elle pensa à l'enregistrement. Oh, qu'est-ce que tu vas chercher là ?

Là-haut, elle s'aperçut qu'elle avait oublié de fermer sa porte à clef. « C'est la nervosité, dit-elle à voix haute. Cela ne t'arrive jamais. Tu ne réfléchis pas à ce que tu fais. » Elle se mit à frissonner. La température avait dû chuter brusquement. Non, ce n'était pas cela. Encore un effet de ses nerfs à vif. « Fais-toi un thé et mange quelque chose. Tu n'as rien avalé depuis le petit déjeuner. »

Se réchauffant les mains autour de sa tasse, elle s'absorba dans la contemplation du ciel. Des nuages légers dérivaient devant un soleil pâle et bas. Le tic-tac de l'horloge de la cuisine soulignait le silence et le vide. Lorsqu'elle eut terminé son thé, elle se leva et se mit à arpenter le séjour. Elle passait en revue la journée qui s'achevait. Il y avait quelque chose à quoi elle était censée réfléchir.

Ah oui, il s'agissait de Jill. Elle était si jeunette, avait dit Peter. Hier encore, ce n'était qu'une enfant.

C'est vrai. Et voici qu'elle est triste à cause de lui. Pourquoi pleurer si jeune ? Elle en aurait tout le loisir lorsqu'elle serait plus vieille. A présent, plus rien ne lui interdit de venir ici. Plus rien...

Insensiblement, elle commença de réaliser qu'un changement très subtil était en train de s'opérer. Elle venait de perdre un amour, un mari, et de retrouver une enfant. Des projets étaient annulés, d'autres se profilaient, comme décidés par quelque agent céleste, dont le grand dessein n'aurait pu prendre en compte les aspirations individuelles. Tous ces espoirs déçus, toute cette énergie dépensée en pure perte ! Chacun se construit une représentation de l'autre, comme je l'ai fait avec Jay, mais jusqu'à quel point celle-ci est-elle exacte ? D'ailleurs, n'en va-t-il pas de même de l'image que l'on se fait de soi ?

Au bout d'un moment, une décision prit corps. Jennie appela Peter à son hôtel.

« J'ai réfléchi, comme tu me l'as demandé. Dis à Jill de se rasséréner et de venir dîner demain.

— Chez toi ? fit Peter.

— Chez moi, oui, pas au restaurant. Nous trois. Venez à six heures.

— En ce cas, Jennie... tout est fini avec lui ?

— Oui, et je n'ai aucune envie d'en parler, répondit-elle d'une voix égale et ferme.

— Il faut que tu saches que je suis de tout cœur avec toi, Jennie. Mais je ne peux m'empêcher d'éprouver aussi une certaine satisfaction. Pour Jill. Elle va être tellement heureuse quand je vais lui dire ça. » Il lui était sincèrement reconnaissant et visiblement très ému. Jennie imagina le sourire qui devait lui plisser les yeux. « Dieu te garde, Jennie. Je savais qu'au bout du compte tu ne nous décevrais pas. »

Elle raccrocha. Sur le bureau, à côté du téléphone, il y avait un empilement de dossiers en souffrance.

« Tu ferais mieux d'y mettre le nez, se dit-elle. Remets-toi au travail. Habitue-toi au nouvel ordre des choses. Tu n'as pas d'autre choix. »

Mais sa souffrance ne l'avait pas quittée.

12

Grâce aux efforts de Peter, le dîner, qui avait débuté dans une atmosphère un peu contrainte, s'anima peu à peu. Il agrémenta d'une bouteille de vin le menu tout simple — salade, poulet et fruits — préparé par Jennie. Il lui offrit en arrivant un gros bouquet enveloppé de cellophane. Ce geste si caractéristique ne laissa pas d'agacer un peu la jeune femme ; il agissait, et avait toujours agi, se souvenait-elle, comme si quelques fleurs étaient un remède à toutes les humeurs, une sorte de panacée miraculeuse. Le bouquet vint néanmoins égayer la table.

Jill apporta un de ces coûteux gâteaux aux noix et au chocolat amer que l'on trouve dans les pâtisseries de l'Upper East Side. Contrastant avec les manières enjouées de Peter, elle semblait quelque peu éteinte, avec cet air inquiet de qui apporte un modeste présent dans une maison en deuil et le remet avec un timide sourire, presque en s'excusant. Sans doute Peter lui avait-il brossé un tableau désastreux de l'effondrement de Jennie.

Ce fut lui qui, au début, fit les frais de la conversation, s'attachant à ne pas effleurer de sujets trop sensibles. Ayant apparemment décidé que la nourriture était un sujet sans risques, il commença par leur raconter des anecdotes sur un barbecue de coquillages dans le Maine, un ragoût de serpent à Hong Kong, la Sachertorte de l'hôtel Sacher de Vienne. Cette dernière étant, selon lui, très surfaite.

« Bien trop sèche, j'ai trouvé. »

Jill ouvrait très peu la bouche, à tel point qu'en dépit de ce que lui avait dit Peter, Jennie se prit à penser qu'elle était encore pétrie de ressentiment. A moins que ce ne fût de l'appréhension. Mais voici qu'elle prenait tout à coup la parole.

« La mienne n'est pas sèche du tout. J'ai une excellente recette. Et puis je sors toujours mes gâteaux cinq ou six minutes avant le temps indiqué. »

Cette élégante jeune personne, avec sa somptueuse chevelure rousse, ses bottines noires et ses ongles écarlates, ne cadrait pas avec l'image de quelqu'un qui sort « toujours » ses gâteaux du four.

« Tu sais donc faire la cuisine ? » s'enquit Jennie, intriguée.

Cette fois, Jill soutint son regard. « Je me débrouille. Maman et moi avons suivi des cours ensemble.

— Voilà qui ne me ferait pas de mal. Les fourneaux et moi, cela fait deux », dit Jennie. Elle s'ouvre, pensa-t-elle. C'est un peu comme de tourner les pages d'un livre, d'une pleine étagère de livres.

La réponse fut polie, toute conventionnelle. « C'est que tu ne peux être à la fois au tribunal et à la cuisine. »

Comprenant que le compliment sous-entendu était une offrande de paix, Jennie lui sourit. « Ce n'est pas une excuse. Si je le voulais vraiment, je pourrais trouver le temps. »

Voyant que la conversation commençait de prendre son essor, et visiblement désireux de ne pas la laisser retomber, Peter intervint. « Je vois tous ces dossiers, là, sur ton bureau. Tu ne nous as encore rien dit de ta pratique. Est-ce que tu fais du pénal, ou bien es-tu spécialisée ?

— Jennie défend surtout des femmes, tu ne le savais pas ? fit Jill. Des femmes pauvres, des femmes battues. »

Jennie crut percevoir une note admirative dans le ton de la

jeune fille, et cela lui fit chaud au cœur. « Cela occupe effectivement une grande part de mon temps, mais je travaille aussi sur des affaires concernant l'environnement. D'ailleurs, en ce moment même, je suis au milieu d'un affrontement très dur. »

Une vague d'inquiétude la submergea ; si elle était, comme elle le disait, au milieu de cette affaire, elle aurait dû s'en occuper activement. Quatre jours s'étaient écoulés depuis la mort de George. Martin avait certainement récupéré la bande et sans doute avait-il glané quelques indices sur les circonstances de la mort. Pourquoi n'avait-elle eu aucun signe de lui ? Elle allait devoir entrer en rapport avec Arthur Wolfe ou la personne qui avait remplacé George Cromwell ; et cependant, dans les circonstances actuelles, comment le pourrait-elle ?

Et, presque à son corps défendant, elle dit d'une voix blanche : « George a été inhumé hier. »

Interdit, Peter demanda qui était George.

« Non, rassure-toi, je ne suis pas devenue folle, dit-elle. Simplement, je pensais tout haut. »

Elle était tenue, maintenant, de leur parler de George Cromwell. Aussi, sans divulguer de noms de lieux ou de personnes, elle se mit à leur raconter l'affaire du Marais Vert.

Les deux autres étaient fascinés. Il semblait à Jennie qu'une sorte de ferveur teintait son récit, comme si elle était en train de plaider pour une femme ou un enfant spolié ou maltraité. Sans un mot, Peter et Jill finirent de manger, aidèrent à débarrasser la petite table et emportèrent leur café au salon, tandis que Jennie continuait sa relation de l'affaire.

« Cela me tient à cœur. Pour moi, la protection de la nature est aussi importante que mon travail pour les droits des femmes. Si nous n'arrêtons pas de sacrifier nos lacs et nos collines à la loi du profit, que va devenir la liberté des hommes et des femmes de ce pays ? Ah, si j'avais les moyens, j'achèterais et j'achèterais de la terre pour la confier à l'administration ! Cet endroit est si magnifique que cela fait mal au cœur de penser à ce qu'ils veulent en faire.

— Je sais ce que tu veux dire, fit Jill d'un air indigné. Chez moi, les journaux sont pleins de ce genre d'affrontements à couteaux tirés. Et que dire aussi des séquoias qu'on abat en Californie ? Des arbres millénaires ! Ça me fait bouillir. »

Peter eut un geste surpris, comme saisi d'une inspiration soudaine. « J'étais en train de me dire... Ne serait-il pas merveilleux de nous retrouver dans l'Ouest un de ces étés, en Californie, dans la région des séquoias, ou même peut-être du côté de Santa Fe, de louer une Jeep et de partir en exploration ? » Il interrogeait les deux femmes du regard. « Je ne sais pas... peut-être est-ce impossible. C'était juste une idée en l'air », conclut-il d'un air songeur et vaguement triste.

Tu es en train de brûler les étapes, pensa Jennie. C'était bien dans la manière de Peter. Il était néanmoins merveilleux qu'ils fussent maintenant capables de se parler et de se comprendre.

Il ne s'agissait pas d'un échange superficiel ; chacun s'impliquait, mettait de lui-même dans la conversation. Jennie sentait tout son corps se détendre. Elle se laissa bientôt aller contre le dossier de la banquette. La main de Jill était posée près de la sienne. Les jolis doigts fins, leurs ongles rouge vif faisaient un contraste touchant avec les paroles sérieuses de la jeune fille.

« Quand on pense qu'il y en a même qui veulent bâtir une galerie marchande sur un champ de bataille de la guerre de Sécession ! Ils sont en train de défigurer le désert de l'Arizona, il n'en restera bientôt plus rien... Jennie, il faut continuer le combat. Il le faut. »

Jill avait un éclat farouche dans le regard. Jennie en éprouva un sursaut de fierté et d'amour-propre. Les événements des derniers jours, son comportement, son échec, tout cela avait concouru à la déprécier à ses propres yeux. Il lui avait été si douloureux de se sentir une quantité négligeable entre ces deux êtres. Voici qu'elle venait de leur parler avec autorité et qu'ils l'avaient écoutée.

« J'ai bien l'intention de ne pas baisser les bras, répondit-elle, contrainte de préciser aussitôt : quoiqu'il va sans doute m'être difficile de participer plus longtemps à ce combat précis. Mais il y en aura d'autres.

— Pourquoi abandonner celui-ci ? s'enquit Peter.

— J'ai mes raisons.

— Réponds juste à ceci : si tu continuais à t'occuper de cette affaire, est-ce que cela pourrait être dangereux pour toi ?

— Oh, je ne pense pas.

— Ce qui est arrivé à ce malheureux est si horrible, dit Jill. Fais bien attention à toi. »

Cette enfant m'aime vraiment bien, pensa Jennie. Il y a dans sa voix quelque chose qui ne trompe pas. Elle est sincère.

« Je vais faire attention. » Elle sourit à Jill. Il y a quelques jours, j'avais envie de mourir, se dit-elle. Et maintenant je veux vivre. Maman a tout perdu sous Hitler, et cependant elle s'en est sortie.

Jill lui rendait son sourire. Peter arborait une expression tranquille et satisfaite. Il apparut brièvement à Jennie que tous trois ressemblaient à une famille passant une paisible soirée à la maison après un bon dîner.

Que de retournements de situation ! Quelque temps plus tôt, elle était pleine d'une juste colère à leur endroit... Et voici qu'elle se disait combien Peter était attentionné et Jill chaleureuse.

Celle-ci regarda sa montre. « J'ai un test en histoire demain matin. Et je ne suis pas en avance dans mes révisions. Il faudrait que je travaille un peu ce soir. »

Jennie se leva aussitôt. « Bien sûr. Peter, tu te charges de lui trouver un taxi ?

— Mieux, je vais le prendre avec elle. » Il prit Jennie par les épaules. « Je tiens à te dire que j'ai passé une merveilleuse soirée. » L'émotion le faisait trembler légèrement. « Nous en chérirons le souvenir.

— C'est vrai », dit Jill. Elle parut hésiter avant d'ajouter : « Jennie, je suis désolée de tout ce qui s'est passé. Je sais que tout est ma faute. »

Cet aveu avait quelque chose de pathétique. Ce jeune visage fier redevenait ce qu'il avait dû être dans la petite enfance, un petit minois mélancolique et chagrin, aux yeux cernés de noir, aux lèvres mobiles, prêtes dans l'instant à frémir de colère, de tristesse ou de rire. De quel ancêtre tenait-elle donc ce tempérament volatil ?

« Oh ça, fit Jennie, volontairement vague, les causes en sont multiples. Il n'y a jamais un seul et unique fautif.

— Mais c'est moi qui ai tout gâché. Ça, j'en ai conscience. Je l'ai dit à Peter.

— Moi aussi, j'y ai eu ma part », ajouta Peter d'un air maussade.

Il n'était d'autre réponse que l'acquiescement. Il n'eût servi de rien d'accumuler les reproches. Chacun à sa manière, tous étaient fautifs. Aussi Jennie se contenta-t-elle de faire un geste de la main. « Si possible, tournons-nous vers l'avenir, plutôt que de ressasser les erreurs passées.

— Je regrette de devoir partir, alors que nous avons encore tant de choses à nous dire, reprit Jill.

— Peut-être pourriez-vous vous voir un de ces après-midi », suggéra Peter.

Et Jill d'ajouter avec empressement : « Demain, ça me serait possible. Mon dernier cours prend fin à treize heures. » Elle était impatiente. Elle entendait cimenter leur relation au plus vite. « N'importe où fera l'affaire. Le musée, le Metropolitan. Nous pourrions y faire un tour, puis aller prendre un thé. »

Jennie avait prévu de passer la journée à son cabinet. Elle avait passé suffisamment de temps cachée chez elle à lécher ses plaies. Dinah l'avait appelée plusieurs fois pour lui transmettre des messages. Elle devait, en outre, joindre le procureur. Elle s'étonnait de n'avoir pas eu de nouvelles de l'affaire...

Cependant, auprès de la supplique de Jill, quelle importance pouvait avoir une journée de plus ?

« D'accord. On se retrouve sur les marches. Ou à l'intérieur s'il fait mauvais. »

Elle les entendit descendre les escaliers. Elle courut à la fenêtre pour les regarder sortir de l'immeuble et s'éloigner sur l'avenue. Lui revint à nouveau cette étrange sensation : nous sommes liés les uns aux autres. Elle se pencha à l'extérieur et tendit le cou jusqu'à ce qu'ils fussent hors de vue.

De gros nuages couraient au-dessus de la ville. On devrait lever plus souvent le nez vers les cieux, se dit-elle, fascinée par le spectacle. Cela aide à remettre les choses en perspective, au moins sur le moment, pensa-t-elle avec un petit sourire contraint. Elle allait abaisser le store lorsque quelque chose attira son attention. Debout sous un réverbère, un homme levait les yeux vers son immeuble. Était-ce absurdité d'imaginer qu'il surveillait sa fenêtre ? Bien évidemment. Il s'était juste arrêté le temps de remonter le col de son manteau. D'ailleurs voici qu'il repartait en direction du fleuve.

Seigneur, mes nerfs me jouent des tours. Ils sont à vif, que je le veuille ou non

Elle aurait voulu se concentrer sur Jill, mais ses pensées ne cessaient de divaguer. Elles étaient arrêtées devant une statuette égyptienne vieille de quatre mille ans, qui représentait un homme et une femme debout. Elle le tenait par la taille, lui avait le bras passé autour de ses épaules. Éternel et intemporel amour humain ! Un terrible ressentiment submergea Jennie, faisant battre le sang à ses tempes, lui empourprant le visage.

« Bon, peut-être cela suffit-il pour aujourd'hui ? fit-elle en se forçant à parler normalement. J'apprécierais une chaise et un bon thé.

— Tu es fatiguée ? Je marche peut-être trop vite ? » Une réelle inquiétude perçait dans le ton de Jill, comme ce premier soir où elle avait cru Jennie sur le point de s'évanouir.

« Non, bien sûr que non. Je ne suis pas encore impotente. » Puis, de crainte d'avoir paru agacée, elle se hâta d'ajouter : « Tu es si attentionnée, Jill.

— Mais toi aussi, Jennie.

— Je m'y efforce, fit Jennie avec gravité.

— Oui, tu l'es. Je m'en aperçois, maintenant que je comprends mieux les choses. C'est vraiment ce que je pense et je tenais à ce que tu le saches », dit Jill avec une égale gravité.

Elle commanda deux thés et demeura un moment silencieuse, promenant le regard sur les gens des tables voisines. Si ce salon de thé avait une devanture, se dit Jennie, Jill contemplerait le spectacle de la rue. J'apprends peu à peu à la connaître. Elle aime les longs colliers ; elle aime jouer machinalement avec. Aujourd'hui, elle porte deux rangs de perles émaillées orange, un collier probablement indien ou birman, agréable à manipuler et à faire cliqueter.

« Je suis heureuse que tu te sois remise à bien aimer Peter, dit tout à coup la jeune fille.

— Qu'est-ce qui te fait penser que c'est le cas ? demanda Jennie, interloquée.

— Tu as cessé de lui en vouloir. Tu étais vraiment furieuse la première fois qu'il t'a appelée.

— Il y a une grande différence entre ne pas en vouloir à quelqu'un et avoir de l'affection pour lui.

— N'empêche que tu l'aimes bien. Cela se voyait hier soir.

— Tu te fais des idées. Non, simplement nous passions un agréable moment.

— Plus qu'agréable. Nous avons vécu des instants merveilleux. N'as-tu pas eu ce sentiment ? »

La ferveur de Jill avait quelque chose de dérangeant. Jennie se mit à tourner lentement son thé au lait tout en réfléchissant à une réponse mesurée.

« Je suis contente que cette soirée ait eu lieu.

— N'était-ce pas renversant ? Pense un peu ! Nous étions comme en famille. Nous formions une famille ! »

La veille, lorsque cette pensée lui avait traversé l'esprit, Jennie l'avait chassée comme relevant de l'exagération. Voici qu'à présent elle la trouvait inquiétante.

« Tu as déjà une famille, Jill, dit-elle d'un ton ferme, comme pour mettre la jeune fille en garde.

— J'ai conscience d'avoir eu beaucoup de chance. J'ai eu une enfance merveilleuse et j'en ressens encore toute la chaleur. Je n'ai pas été contrainte de devenir comme toi adulte du jour au lendemain. Et cela, j'en mesure le prix.

— Et moi, dit Jennie, je suis très reconnaissante à tes parents de t'avoir offert une enfance merveilleuse. »

Elle balançait maintenant entre son inclination naturelle à s'épancher et le souci de protéger son intimité. Et, les traits légèrement crispés, elle reprit : « Je vais te dire des choses que j'ai toujours cherché à refouler. Je me suis toujours fait tellement de souci à ton sujet ! Je me demandais si tu étais toujours de ce monde. Peut-être quelque maladie infantile... ou un accident. Ou bien je me disais : que va-t-il advenir d'elle si ses parents viennent à mourir ? Le jour de ton anniversaire m'était particulièrement éprouvant. Lorsque novembre arrivait, je n'avais plus un regard au calendrier. » Elle regarda Jill, mais celle-ci détourna les yeux comme l'on se détourne du spectacle de la douleur.

« Il n'est jamais rien arrivé de semblable, Jennie.

— On vous dit que vous oublierez dès que l'enfant aura été confié, murmura Jennie. Mais ce n'est pas vrai. On n'oublie pas.

— C'est ce que dit Peter. On n'oublie pas. »

Peter. Qu'avait-il à oublier, pour l'amour du Ciel ! Mais si, bien évidemment, des tas de choses. Et, étant ce qu'il était, sans doute avait-il traversé lui aussi des heures sombres. Je me sens d'humeur si singulière aujourd'hui, se dit Jennie. J'éprouve comme une sorte de pitié pour le monde entier et pour tous ces gens occupés à bavarder dans ce bel endroit. Qui peut dire ce que chacun d'entre eux a enduré ou endurera ?

Peter. Oui. Peter.

« Je me suis dit... commença Jill. Tu ne vas pas être fâchée de ce que je vais dire ? »

Jennie eut un sourire. « Non, je ne vais pas l'être.

— Tant mieux. Oui, je me suis dit que... qu'il y aurait peut-être une chance que Peter et toi... Je veux dire, vous vous entendiez tellement bien hier soir... Bien sûr, ce ne serait pas pour tout de suite. Mais le moment venu ?...

— Jill, ne fantasme pas. Je t'en prie.

— Des fantasmes ? Je ne vois pas cela comme ça ! J'ai le sentiment que Peter serait prêt à...

— Pourquoi ? Qu'a-t-il dit ? interrompit Jennie.

— Il n'a rien dit du tout. C'est un sentiment que j'ai. » Jill se mit à rire, remuant les mains en sorte que ses ongles vernis jouèrent dans la lumière. « La boucle serait bouclée. Ce serait dans l'ordre des choses ! Je suis quelqu'un de très ordonné On pourrait presque parler de compulsion.

— Eh bien, pas moi », fit plutôt sèchement Jennie en fixant ses propres ongles, qui n'étaient pas vernis.

Un ange passa, bientôt chassé par une Jill rougissante. « Je sais bien que je n'aurais pas dû dire ça ! Je voulais dire que, maintenant que celui que tu devais épouser… » Elle se tut. « Et voilà que je m'enferre ! J'ai vraiment gaffé, hein ? On m'a toujours répété de tourner ma langue dans ma bouche avant de l'ouvrir. Je suis terriblement désolée, Jennie. »

Elle paraissait en cet instant si juvénile et si navrée que Jennie ne put que dire : « Ce n'est pas grave. Ce n'est qu'une différence de vues. »

Et Jill d'ajouter d'un ton plus léger : « Ma foi, sans cela il n'y aurait pas de courses de chevaux, comme dit toujours mon grand-père.

— Oui, c'est aussi ce que dit toujours ma mère.

— Est-ce que j'aurai un jour l'occasion de faire sa connaissance ? »

Oh, maman qui a toujours rêvé d'avoir une petite-fille ! Si elle avait été grand-mère, jamais elle ne serait allée vivre en Floride.

« Je ne sais pas, Jill. Je ne sais pas si ce serait bien pour elle de lui parler de toi seulement maintenant. Il faudrait que j'y réfléchisse longuement. »

Jill hocha la tête. « Oui, je comprends. Tu sais, je te comprends mille fois mieux que la semaine dernière. »

Jennie lui toucha la main. « Je te suis reconnaissante de ce que tu viens de dire. Que dirais-tu d'un autre gâteau ?

— Je dois faire attention à ma ligne.

— Allez, un dernier morceau. Cela ne t'arrive pas tous les jours. D'ailleurs, je te trouve un peu maigre.

— Les hommes aiment les filles maigres.

— Pas tous.

— C'est le cas de mes petits amis.

— Tu emploies le pluriel ?

— Je suis sortie avec le même toute l'année dernière, mais j'ai fini par me dire qu'il était stupide de se focaliser sur un seul individu, d'autant que je n'étais pas amoureuse. Il est beau garçon et très intelligent — il est en physique —, mais ce n'est pas une raison pour que je lui consacre tout mon temps. Tu n'es pas d'accord ?

— Tout à fait.

— Un jour, dit gravement Jill, je voudrais aimer quelqu'un si fort que je ne puisse imaginer vivre sans lui. Et j'entends recevoir le même amour en retour. Est-ce trop romantique ? N'est-il pas un peu irréaliste d'avoir de telles exigences à notre époque ?

— Non, fit très doucement Jennie, c'est un domaine où il faut être exigeant.

— Aussi, en attendant, je me montre très difficile. En ce moment, je fréquente trois garçons qui m'adorent. L'un est musicien et il a le chic pour trouver des billets pour des spectacles qui jouent à guichets fermés. Le samedi après-midi nous allons à l'opéra. J'ai appris à aimer l'opéra à Santa Fe. Tu as sûrement entendu parler de l'opéra qu'on nous a construit là-bas ? »

Mangeant du gâteau, buvant du thé, Jill continuait de parler des hommes, des amis, des matières qu'elle étudiait et des livres qu'elle aimait.

« J'ai aussi toute une bande de copains. Nous sommes sept ou huit et nous adorons danser. Un peu tout, le rock, le disco... Depuis peu, nous sommes plusieurs à lire Proust en français pour notre mémoire de fin de cycle. C'est un gros morceau, tu peux me croire. »

Ce monologue plein de joie de vivre était destiné, Jennie le comprenait, à établir une atmosphère d'optimisme entre elles deux, mais il venait aussi de ce que Jill se sentait en confiance. Moins attentive à ce que disait la jeune fille qu'à la façon dont elle le disait, Jennie se répétait une nouvelle fois : Comme elle est jeune ! Comme elle est à la fois candide et pondérée, confiante et circonspecte ! Chère enfant qui n'a encore jamais essuyé de blessures, sinon celle que je lui ai faite, mais je crois qu'elle est en train de s'en remettre. Je l'aide à s'en remettre, grâce à Peter qui m'y a poussée. Peut-être aura-t-elle la chance de traverser l'existence sans connaître de souffrances plus méchantes. Je l'espère. Certains êtres ont ce bonheur.

Quand arriva l'heure de se quitter, elles s'embrassèrent. « Je te souhaite tout ce que tu te souhaites », murmura Jill.

A l'heure actuelle et après tout ce qui vient de m'arriver, je ne sais pas exactement ce que je me souhaite, se dit Jennie en s'éloignant. Je suis à la dérive.

« Déjà au lit ? s'étonna Peter lorsque elle eut décroché.

— Oui, je voudrais me lever de très bonne heure et passer au cabinet.

— Tu es bien certaine d'être prête à entrer dans la course des rats ?

— Aussi prête que je le serai jamais.

— Est-ce que tu as eu des nouvelles ? Ça t'ennuie si je te demande ça ?

— Des nouvelles de quoi ? éluda Jennie.

— Eh bien, de… lui.

— C'est fini, Peter, dit-elle non sans brusquerie. Je te l'ai déjà dit.

— Seigneur, quel gâchis ! Je n'arrive pas à comprendre les gens.

— Écoute, je n'ai pas envie d'en parler.

— Entendu. Mais je tiens à ce que tu saches que je suis là. »

Elle ne répondit pas.

« Tu n'es pas seule au monde. »

Il y eut un cliquetis sur la ligne.

« Jennie ? Tu es là ?

— Oui. »

Nouveau cliquetis.

« C'est ce bruit. J'ai cru que tu m'avais raccroché au nez.

— Ce n'est pas mon genre, tu le sais.

— Dis donc… tu te rappelles ce dont j'ai parlé pour l'été de l'année prochaine ? Est-ce que ça te dirait ? Une semaine dans les réserves indiennes, toi, Jill et moi ? »

Malgré elle, Jennie était émue. Et elle répondit d'une voix douce : « Peter, je suis incapable de projets aussi lointains.

— D'accord. On en reparlera une autre fois. En fait, je voulais surtout savoir comment s'était passée ta journée.

— Elle a été excellente ! Nous avons vu de très belles choses. Elle a d'abord voulu voir des portraits du XVIIIe siècle pour son cours d'histoire de l'art, puis nous sommes allées visiter l'aile égyptienne. Elle est très cultivée, très intelligente.

— Une perle rare. Toi et moi avons produit une perle rare, Jennie. Parfois, quand je me mets à penser à elle, je ris de bonheur. Elle te ressemble tellement.

— Elle me ressemble ? Mais elle est ta copie conforme.

— Physiquement, c'est vrai. Mais je veux parler de ses attitudes, de ses positions, de ce dégoût de l'injustice. Et ce caractère qu'elle a. Quel tempérament !

— Tu trouves que j'ai du tempérament ?

— Si tu as du tempérament ? Un sacré tempérament ! Et entêtée avec ça ! Une fois que tu as décidé quelque chose... Tiens, quand tu as décidé de couper les ponts à la naissance de Jill... » Il marqua une pause, puis reprit tristement : « Depuis, cette époque, j'ai porté le cilice. Ça, tu peux me croire, Jennie.

— Non, balbutia-t-elle, ne parle pas de ça maintenant.

— Oui, tu as sans doute raison. Bon, porte-toi bien. Et évite le surmenage, demain. »

Lorsqu'elle eut raccroché, elle écarta le document dont elle avait commencé la relecture. Un tourne-disque jouait trop fort quelque part dans les étages. Mais la musique était agréable, quelque concerto pour piano, mélodieux et plein de nostalgie. Elle pensa à du vin et des roses, renversa la tête en arrière et ferma les yeux. Le lit était souple et tiède. Qu'il était bon de s'abandonner au sommeil...

Peter en costume d'été blanc dansait sous des lampions. Elle regrettait d'en savoir si peu sur son compte. Ils n'avaient pratiquement parlé que de Jill. Survenait Jay, montrant dans l'encadrement de la porte un visage triste et sombre. Puis quelqu'un qui n'était ni Jay ni Peter, mais les deux en un même homme, se tenait au-dessus d'elle, sous un éclairage d'une douloureuse densité. Et elle se sentait terriblement triste parce qu'elle ne savait pas de qui il s'agissait.

Reprenant conscience, elle vit que la lampe était directement orientée vers son visage. Elle l'éteignit. A présent tout à fait éveillée, elle se prépara à attendre longuement le sommeil, les yeux grands ouverts sur les ténèbres.

13

Le corsage de soie pêche bruissait, les bracelets en or de sa mère cliquetaient à son poignet. Elle avait aux pieds les escarpins de lézard noir qu'elle avait gardés pour « après ». Puisqu'il n'y aurait pas d'« après », elle pouvait aussi bien les porter maintenant et repartir du bon pied. Cependant, à l'intérieur, elle se sentait toute faible et sans substance.

Tout en se dirigeant vers l'arrêt de bus, elle s'analysait. Tu redoutes le retour à la vie d'avant, celle que tu aimais parce qu'elle était si stimulante, si colorée. Mais aujourd'hui tu crains de la retrouver, car tu sais bien qu'en dépit des sorties au théâtre, des visites de galeries d'art, des conversations passionnées et des jeunes hommes brillants, elle n'est qu'un vain tourbillon. Elle était maintenant dans le bus. Les stations se succédant, il l'emportait vers le centre d'affaires de Manhattan, la ramenait vers son passé. Elle regardait droit devant elle. Glacée par un sentiment de déréliction, elle se pelotonnait dans son manteau.

Une femme vint s'asseoir près d'elle. Se poussant pour faire de la place sur la banquette, Jennie tressaillit en découvrant un visage hostile, taillé à coups de serpe. Elle se serra contre la fenêtre et ajusta plus étroitement les pans de son manteau.

Tout à coup, la femme lui adressa la parole : « Excusez-moi, mais je suis en admiration devant vos souliers. J'aimerais pouvoir en porter de semblables, mais j'ai de tels problèmes avec mes pieds... » Elle sourit, et ses yeux, qui avaient paru si durs, étaient baignés d'une douce lueur.

« Merci », dit Jennie. Et d'ajouter, car il lui paraissait nécessaire de dire une parole gentille : « Ils sont très confortables. » Et, aussi instantanée que l'aversion ressentie quelques secondes plus tôt, elle éprouva une bouffée de gratitude envers cette inconnue. Dire que le réconfort et la chaleur humaine pouvaient naître d'une remarque banale à propos d'une paire de souliers ! Et c'est étrangement apaisée qu'elle arriva au cabinet.

« Cette grippe t'a rudement secouée, on dirait, observa Dinah. Tu as perdu du poids.

— Peut-être un peu, oui. Je ne m'attendais pas à te voir ici un samedi.

— Je ne vais rester que la matinée. J'ai reporté tous tes rendez-vous sauf les plus importants, afin que tu puisses te remettre. » Dinah accompagna Jennie jusqu'à son bureau. « Tiens, regarde. On les a livrées il y a quelques minutes. »

Jennie vit, sur son bureau, une gerbe de roses rouges disposée dans un haut vase effilé. Leur parfum capiteux adoucissait l'odeur de renfermé. L'espace d'une seconde, Jennie se dit qu'elles étaient peut-être envoyées par Jay. Stupidité ! Elle effleura un pétale duveteux. Nul besoin de prendre connaissance de la carte. Elle la lut cependant, s'étonnant d'avoir gardé le souvenir de l'écriture insolite, mi-cursive mi-moulée, de Peter.

« Bonne chance pour ta reprise. Affectueusement, Peter. » Puis, serré en dessous, comme rajouté après coup : « Et Jill. »

Peter et ses fleurs ! Elle les agençait machinalement.

« Il y en a une douzaine, je les ai comptées. Est-ce qu'elles ne sont pas splendides ? » Dinah était impressionnée et curieuse. Et comme Jennie ne répondait pas, elle ajouta : « Il y a toute une pile de courrier. J'ai fait le tri et j'ai mis tout ce qui était important sur ton bureau. Il y avait un recommandé. Je l'ai ouvert. J'ai bien fait ?

— Bien sûr. De quoi s'agit-il ?

— Ça vient de nos clients de la campagne. L'affaire du Marais Vert. »

C'était une note brève, dactylographiée sur le papier à en-tête du nouveau président de l'association, Arthur Wolfe. On l'informait que de « nouvelles dispositions » avaient été prises, et on la priait de bien vouloir envoyer sa note d'honoraires pour ses services à ce jour. C'était tout.

Elle demeura comme figée, tenant à la main ce qui était par essence un reniement. Il lui semblait que tout son corps baignait dans une fournaise. Comment pouvaient-ils lui faire cela ? Tout ce travail qui partait en fumée. Cependant, étant donné les circonstances, pouvaient-ils agir autrement ? D'ailleurs, aurait-elle, elle-même, souhaité continuer de travailler avec Arthur Wolfe ? Non, c'eût été impossible, et ce dernier l'avait bien compris.

Et cependant elle en avait le cœur brisé.

« Dinah, tu vas répondre. Dis que j'ai pris bonne note de la lettre et que je ne facture pas mes services. Ce que j'ai fait, je l'ai fait parce que j'y croyais, et je n'en ai jamais attendu de rétribution. Tu écris cela. Et fais-le tout de suite, Dinah, s'il te plaît. Je veux que cela parte cet après-midi. »

Elle était toujours debout, immobile, la lettre d'Arthur Wolfe entre les mains. Tout à coup, une pensée lui vint, qui aurait dû lui traverser l'esprit plus tôt. Elle avait le droit d'être tenue au courant d'événements qu'elle avait elle-même déclenchés ! Elle avait au moins le droit de savoir ce qu'il advenait de Martha Cromwell ! Et si cet individu ou ses complices étaient allés chez elle dans l'espoir d'y trouver l'enregistrement ? Il était logique qu'ils eussent poursuivi leurs recherches dans cette maison isolée, où la vieille femme malade se trouvait maintenant toute seule. Jennie fut glacée d'effroi en se représentant la maison de bois au bout de la rue, dissimulée derrière la friche d'un jardin, avec son porche mangé de vigne vierge. Un homme pouvait s'y glisser et en ressortir en toute discrétion… Il fallait qu'elle sache.

Sans autres considérations, elle décrocha le téléphone et composa le numéro des Cromwell.

« Jennie Rakowsky à l'appareil. Je suis une amie de Martha et j'appelle pour avoir de ses nouvelles. »

La voix d'une jeune femme retentit dans l'écouteur sur fond de conversations bourdonnantes. « Oh, mais je sais qui vous êtes ! Vous êtes l'avocate qui a parlé si magnifiquement, l'autre fois, à la réunion. »

Ces mots mirent un peu de baume au cœur de Jennie, qui en avait bien besoin. Elle remercia sa correspondante.

« Comment va Martha ? J'entends des voix et je me réjouis qu'elle ne soit pas seule. Je craignais que ce ne soit le cas.

— Seule ? Dieu, non. Les voisins se relaient pour assurer un tour de garde. De jour comme de nuit, il n'y a jamais moins de deux personnes avec elle. En ce moment, nous sommes tout un tas, et nous allons nous incruster !

— Splendide ! J'étais si inquiète.

— Vous pouvez lui parler, si cela vous dit. Bien sûr, elle est couchée, la pauvre, mais elle a un téléphone sur sa table de chevet. »

« Ça va, fit Martha d'une voix faible. Je tiens mieux le coup que je ne croyais.

— Vous êtes comme George, vous avez du cran. Dites-moi, Martha, est-ce qu'on s'est introduit chez vous pour essayer de récupérer la bande ? Est-ce que vous l'avez mise en lieu sûr ? »

Martha laissa échapper un soupir, commença de parler, puis soupira derechef. « Jennie, je ne sais comment vous annoncer ça. Dès le départ, cela a été un malheureux concours de circonstances.

— Comment cela ?

— Eh bien, le jour de l'enterrement, ma nièce est venue faire le ménage dans la maison. George avait mis la cassette sous le lit, dans un sac en papier kraft. Je n'y ai pas pensé... évidemment, ce jour-là, je n'avais pas les idées bien en place... et elle a mis le sac en question aux ordures. Il a été incinéré avec le reste, Jennie. »

Jennie dut réprimer une crise d'hilarité. Un sac en papier sous le lit ! C'était bien de George !

« Je suis vraiment désolée, Jennie. Cela nous prive de la seule arme véritable dont nous disposions, n'est-ce pas ?

— J'en ai peur. Enfin, l'association se retrouve à la case départ, voilà tout.

— J'ai appris que vous n'étiez plus notre avocate. Que s'est-il passé ?

— C'est une longue, une trop longue histoire.

— Sans vous, nos chances de l'emporter sont bien minces.

— Oh, c'est me donner trop d'importance. Je n'ai aucune influence sur le conseil municipal. Ils vont voter comme ils l'entendent.

— Non, il y a un ou deux conseillers susceptibles de basculer d'un côté ou de l'autre. Et avec une oratrice telle que vous...

— Merci de ces gentilles paroles, Martha, mais je ne m'occupe plus de l'affaire à présent. Soignez-vous bien. Je rappellerai pour prendre de vos nouvelles. »

Ainsi, la compagnie Barker va l'emporter, ce coin de verdure va être saccagé, et Martha et moi et tous les autres n'avons plus rien à craindre. Un sac jeté aux ordures... après tous ces efforts, ces moments d'angoisse, ces déchaînements de haine. Quelle ironie !

En l'espace d'une petite semaine, le travail s'était amoncelé jusqu'au plafond. La matinée se passa en courrier et rendez-vous. Comme toujours, la plupart des clientes étaient accompagnées d'un enfant, en avaient mis un autre en garde chez une voisine, ou bien étaient dans leurs derniers mois de grossesse. Un grand nombre de ces femmes vivaient sans homme sur qui compter, soit qu'elles eussent été abandonnées, soit qu'elles ne se fussent jamais mises en ménage. Ces femmes menaient une existence difficile, et cependant Jennie ne pouvait s'empêcher de penser avec quelque amertume qu'au moins elles jouissaient d'une certaine liberté, que leur mode de vie était connu de tous et ne requérait nulle explication.

Les clientes se succédèrent jusqu'à midi. Jennie déjeuna à son bureau d'un méchant sandwich, tout en mayonnaise, et d'une bouteille de soda, n'ayant pas le temps de sortir acheter quelque chose de meilleur. Le téléphone ne cessait de sonner. Le courrier fut distribué et une nouvelle pile de lettres remplaça la précédente. Lorsque Dinah s'en fut à treize heures, Jennie avait déjà repris le travail.

« Tu as l'air crevé, dit la secrétaire. Pourquoi ne rentres-tu pas chez toi ?

— Non, je t'assure, je me sens bien. Je vais rester encore une heure ou deux. »

Elle voulait être fatiguée. Il serait tellement plus facile de rentrer épuisée, d'avaler un bout de fromage et un fruit, puis de s'endormir sans penser à Arthur Wolfe ou à... qui que ce fût.

On frappa à la porte d'entrée. Sa première impulsion fut de ne pas réagir et d'attendre que l'importun s'en aille. Mais les coups se firent insistants. Il lui traversa l'esprit qu'il pouvait s'agir de cette pauvre fille terrorisée qui était passée le matin même, les bras et le cou couverts de bleus. Peut-être son amant était-il revenu pour la battre une seconde fois. Elle se leva et alla ouvrir.

Il s'agissait d'un homme bien mis, dans les quarante-cinq ans, avec un pardessus gris.

« Je m'appelle Robinson. Je sais qu'il est tard, mais j'ai vu de la lumière. Puis-je entrer ? »

Mais il avait déjà un pied à l'intérieur. Jennie le précéda jusqu'à son bureau, dont chaque surface plane était couverte de papiers visés ou en souffrance, reliefs d'une journée de travail.

L'homme posa sa mallette par terre, près d'un fauteuil, ramassa une liasse de papiers posée sur le siège et la tendit à Jennie.

« Je peux m'asseoir ? »

Elle prit les papiers qu'il lui tendait. Ce type est sûr de lui, se dit-elle, sacrément sûr de lui. Qui peut-il être ?

« Vous êtes bien installée, fit l'homme en promenant un regard sur le désordre ambiant. Joli bouquet. Moi-même, je cultive des rosiers. C'est un de mes passe-temps.

— Que puis-je faire pour vous ? interrogea Jennie, maintenant sur la défensive.

— Sans doute quelqu'un qui pense très fort à vous. C'est qu'elle ne sont pas données, ces roses à longues tiges. »

Qui était-il ? Jennie sentit se hérisser les poils de ses avant-bras. Un animal acculé dans son terrier sait reconnaître le danger. Où y a-t-il un lieu vraiment sûr ? Où peut-on se cacher ?

« Je vous ai demandé ce que je pouvais faire pour vous, dit-elle en conservant un ton égal. Dans quelle branche êtes-vous ?

— Ma foi, je fais de petites choses à droite et à gauche. » Lorsqu'il sourit, ses lèvres découvrirent des gencives blanchâtres et bosselées, et des dents jaunes d'une extraordinaire longueur.

« Des dents immenses, avait dit George. Des dents comme on n'en a jamais vu. »

Elle était cependant certaine que l'homme qu'avait rencontré George ne s'était pas présenté sous ce nom de Robinson. Seule à cette heure dans l'immeuble silencieux, saisie d'un début de panique, elle ne parvenait pas à se rappeler le nom de l'interlocuteur de George. Mais à quoi bon ? Elle s'efforça au calme.

« Oui, de petites choses à droite et à gauche, répéta l'homme, dont les doigts manucurés jouaient avec le poignet de la chemise faite sur mesure.

— Mais encore ? Avez-vous des problèmes avec la justice, êtes-vous en litige avec quelqu'un ? Je suis avocate.

— Oui, je sais. Et je sais aussi que vous avez quelque expérience des lois sur l'adoption. Ça aussi, je le sais. »

Saisie de stupeur, Jennie croisa le regard de deux yeux noirs et plissés, les yeux d'un rongeur aux aguets.

« Sur l'adoption ? dit-elle. Non, pas spécialement.

— Ah ? Ce n'est pas ce qu'on m'a dit.

— Non, en fait pas du tout.

— Allez, on ne me la fait pas. Je vois bien que vous êtes dans vos petits souliers. » Un nouveau sourire fit luire ses dents d'un éclat sinistre. « Tout finit par se savoir, vous savez. Il y a toujours des gaffes, des indiscrétions. Il suffit de gratter un peu. »

Le cliquetis sur la ligne, l'homme sur le perron de l'immeuble et sous le réverbère. Le jour où elle avait oublié de fermer sa porte à clef...

Tout se mettait en place. Ils n'avaient reculé devant rien dans leur quête de l'enregistrement. Ils n'avaient pas eu accès à la maison de George à cause des voisins qui s'y trouvaient en permanence ; en outre, George ne leur avait-il pas donné à croire que « quelqu'un d'autre » détenait la bande ? En toute logique ce quelqu'un ne pouvait être qu'Arthur Wolfe, Jay ou elle-même. Tout cela lui traversa l'esprit en quelques secondes sous le regard froid de ces yeux de fouine.

Une douleur brève lui traversa la poitrine. L'annonce d'une crise cardiaque ? Si jeune qu'elle fût, la chose était possible. Elle ne répondait toujours pas.

« Oui, et certaines personnes, une certaine personne serait intéressée de savoir ce que vous savez en matière d'adoption. Même une adoption qui remonterait à un bout de temps. »

Comme tout ceci est étrange, se disait Jennie. L'écheveau se démêle. Peter et Jill et le Marais Vert se rencontrent et s'entrelacent aux pieds de Jay. Ou du moins le feraient-ils si Jay avait toujours les pieds là où il les avait avant.

« Ça évidemment, dès qu'elle sera au courant, finie la belle vie, finies les balades dans la campagne à bord de son joli petit cabriolet Mercedes. »

C'était donc bien le même homme. La voiture en question appartenait aux parents de Jay et restait à la campagne. Elle et Jay la prenaient de temps en temps pour aller se promener.

« Qu'est-ce que vous voulez ? demanda-t-elle.

— Vous le savez, ce que je veux.

— Si c'était le cas, je ne vous le demanderais pas », rétorqua-t-elle, surprise non seulement d'être capable de parler, mais aussi de lui tenir tête.

« Bon, écoutez, chacun de nous tient quelque chose contre l'autre. Aussi, si vous êtes une fille intelligente, vous n'allez pas chercher à jouer au plus fin avec moi. Je veux la bande. » Et, comme elle tardait à répondre, il se pencha en avant comme s'il allait bondir de son siège. « Et ne me dites pas ''quelle bande ?'' Le moment serait mal choisi de jouer les innocents. » Sa voix demeurait sourde et modulée.

Jennie avait les mains moites, elle était terrorisée. « Je n'ai aucune bande en ma possession. » Les yeux chafouins la fixaient sans expression. « C'est la vérité. Je n'ai jamais eu le moindre enregistrement en ma possession. »

L'autre fit pivoter son fauteuil et se mit à regarder par la fenêtre. L'immeuble d'en face était obscur, à l'exception des derniers étages, où les équipes de nettoyage commençaient leur travail. Jennie chercha à se souvenir de l'heure à laquelle elles prenaient leur service, mais la peur lui brouillait les idées. Elle aurait dû avoir assez de bon sens pour ne pas rester seule dans cet immeuble désert.

« C'est moche, ce qui est arrivé au vieux, vous ne trouvez pas ? dit l'homme, toujours de profil.

— Quel vieux ? » éluda-t-elle.

Il fit volte-face, bondit de son fauteuil et vint se dresser au-dessus d'elle avec une telle rapidité qu'elle eut un mouvement de recul et se protégea instinctivement le visage.

« Jennie, Jennie, vous abusez de mon temps. » Il souriait de la réaction qu'elle venait d'avoir. « Vous n'allez quand même pas me pousser à abîmer ce joli portrait. Vous êtes une fille sensée, une avocate, vous n'avez pas besoin que je vous fasse un dessin. Voici ma dernière proposition : vous me remettez l'enregistrement et je la ferme au sujet de la petite et de l'autre type. Est-ce qu'on peut être plus arrangeant ?

— Vous pouvez raconter ce que vous voulez au monde entier, cela n'a plus aucune importance. Quant à la bande, je vous répète que je n'en sais pas plus que vous. Je n'ai plus rien à voir avec toute cette affaire.

— Qu'est-ce que vous me chantez là ?

— La vraie vérité. Je ne suis plus leur avocat. On m'a remerciée.

— Je ne vous crois pas.

— Si vous me laissez me lever, je vous retrouve la lettre. »

Son cerveau s'était remis à fonctionner. L'animal acculé dans son terrier se bat bec et ongles pour sauver sa peau.

« Je ne vous ai pas interdit de vous déplacer, fit-il avec un sourire mauvais.

— Vous vous tenez trop près. Je tiens à mes dents. »

Il eut un rire silencieux et recula de deux pas. « Vous avez du cran. J'aime ça chez une femme. »

Les mains tremblantes, elle chercha dans les piles de papiers entreposées sur le bureau. Il se tenait à côté d'elle, si proche qu'elle entendait le bruit de sa respiration. Avec l'énergie du désespoir, elle tournait et retournait les amas de paperasses.

« Elle n'y est pas, on dirait. M'est avis que vous m'avez raconté des salades.

— Non, elle y est, il faut qu'elle y soit. » A moins que Dinah ne l'ait jetée. Si c'est le cas, le Ciel me vienne en aide.

George m'a dit : j'ai bien cru qu'il allait me casser la figure. En fait, il a fait bien pire.

« Attendez. Laissez-moi réfléchir une minute.

— Je ne vais pas passer la nuit ici. »

Elle pouvait entendre le silence du couloir, de l'autre côté de la porte. Le silence rugit, dit-on. Comme le bruit des vagues, lorsque l'on porte une conque à son oreille. C'est la pulsation du sang dans les artères.

Une pensée lui vint. Les corbeilles à papier n'avaient pas encore été vidées. Bien sûr, la lettre devait se trouver dans la corbeille du bureau de Dinah, dans le hall d'entrée.

Une poigne de fer lui serra douloureusement le bras. « Hé là ! Où comptez-vous aller comme ça ?

— Juste à côté... »

Elle renversa la corbeille sur le sol, s'agenouilla et se mit à séparer fébrilement les prospectus bouchonnés, les enveloppes déchirées, les journaux du matin. Faites, faites que je la trouve...

« La voilà ! » Le haut de la feuille avait été en partie déchiré, mais tout était parfaitement lisible. Toujours à genoux, elle la lui tendit. « Vous voyez, c'est comme je vous l'ai dit. J'ai été remerciée. »

Il prit connaissance de la lettre, puis considéra attentivement Jennie, qui s'était rassise, les genoux douloureux.

« Et donc, vous vous fichez pas mal de la suite des événements, pas vrai ? »

Maintenant il va s'en prendre aux Wolfe, se dit-elle. Je ne

peux rien faire pour eux, et ils ne vont pas s'en tirer mieux que moi.

« C'est vrai, dit-elle. Je m'en fiche pas mal.

— Et vous vous en fichez tout autant s'il est mis au parfum au sujet de votre progéniture. »

Il se tenait si près d'elle que leurs genoux se frôlaient. « Te voilà donc de nouveau en chasse.

— Je ne vois pas ce que vous voulez dire.

— Bien sûr que si. Le père de la petite. » Il avait l'air de s'amuser. « Avec lui, ça va repartir comme au bon vieux temps, hein ? »

Elle se mit à claquer des dents. Elle avait lu des articles sur ce genre de phénomène, mais ne l'avait jamais expérimenté. Bizarre, cette façon qu'elles avaient de s'entrechoquer sans désemparer.

L'autre tendit le bras pour lui palper un sein. « Tu sais que t'es belle. »

Elle porta les mains à ses seins. Il la saisit aux poignets.

Elle leva les yeux vers lui, résolue à jouer la carte de la sévérité et de l'appel à la raison. « Pourquoi voulez-vous faire cela ? Le jeu n'en vaut pas la chandelle.

— Tu devines pas ? Tu t'imaginais pouvoir me posséder, hein ? Me piéger grâce à l'autre vieux con. » Il lui tenait les poignets d'une main de fer. « Je me demande quel air tu aurais avec le nez cassé. Ou peut-être quelques cicatrices sur ta jolie petite gueule...

— Je vais hurler...

— Gueule tant que tu veux. Qui va t'entendre ? »

Son poing, sur lequel brillait une énorme chevalière en or, vola vers le visage de Jennie. Elle esquiva, mais, emportée par le mouvement, tomba sur le côté et heurta de la tête l'arête du bureau. Une violente douleur lui vrilla l'estomac ; elle se sentit sur le point de vomir. Se penchant, l'autre la saisit par le devant de son corsage et la souleva. On entendit la soie se déchirer. Elle voyait au-dessus d'elle les grandes dents jaunes, le visage déformé par la fureur, elle sentait la tiédeur de son haleine empuantie de tabac. Il armait de nouveau son poing...

C'est alors qu'à l'autre bout du couloir retentit le ferraillement de la porte de l'ascenseur, un bruit de voix, des pas, l'entrechoquement de seaux métalliques. « C'est l'équipe de nettoyage qui arrive », s'écria-t-elle entre deux hoquets.

L'autre fut dans l'instant sur ses pieds. « Merde ! » Ayant récupéré mallette et pardessus, il avait passé la porte avant même que Jennie ne se fût relevée.

Toute faible, vacillante, elle prit appui sur le dossier d'un fauteuil. Elle était toujours dans la même position, s'affairant à arranger son chemiser déchiré, lorsque la porte s'ouvrit et qu'entra un jeune garçon, poussant devant lui tout son fourniment de seaux, serpillières, chiffons et balais. Il tomba en arrêt devant elle.

« L'homme ! fit-elle d'une voix méconnaissable. Regardez dans le couloir ! Est-ce qu'il est parti ? »

L'adolescent secoua la tête. « Pas parler anglais. »

Elle aurait voulu se confondre en remerciements, se prosterner à ses pieds. Sans doute l'eût-il tenue pour folle. Peut-être était-ce déjà le cas.

Encore toute tremblante, avec l'espoir que ses jambes pourraient la porter, elle passa sa veste, rassembla manteau, sac à main et gants, puis effrayée à l'idée de descendre dans la rue, se rassit. Et s'il l'attendait sur le trottoir ? Allons, il fallait envisager rationnellement les choses. Il n'allait évidemment pas l'attendre dans la rue, là où elle pourrait appeler du secours. Ferait-il, en revanche, une seconde tentative chez elle ?

Elle décrocha le téléphone, mais ses tremblements étaient si violents qu'elle dut laisser retomber le combiné. « Il faut que je réfléchisse, dit-elle à voix haute. Est-ce que j'appelle la police ? Elle ne va pas rechercher un homme en pardessus sombre parmi les milliers d'hommes qui correspondent à ce signalement dans les rues de New York. Absurde ! Appeler Martin ? » Elle avait tout le visage douloureux, elle était en nage, elle avait besoin qu'on lui dise ce qu'elle devait faire. Comme elle se sentait seule sans Jay ! Une pensée horrible la traversa. Et si son agresseur se mettait en tête d'aller chez Jay ? A n'en pas douter, cette nurse stupide et snob le ferait entrer sur la foi de son par-dessus bien coupé et de sa mine de gentleman. Elle y serait peut-être seule avec les enfants. Et même si Jay s'y trouvait, il se pouvait que l'autre ait un couteau sur lui...

Elle parvint à reprendre contrôle de ses mains, le temps de composer le numéro. Si elle appelait, c'était uniquement pour faire une mise en garde et pour rien d'autre ; elle n'avait nullement l'intention de supplier, pas plus que de s'imposer dans une maison où l'on ne voulait plus d'elle. Oui, elle appelait simplement pour les mettre en garde ; elle allait insister sur ce point.

Il n'y avait personne à l'appartement. Lorsqu'elle appela le cabinet de Jay, ce fut le service de permanence de l'immeuble qui répondit, indiquant que le cabinet serait fermé jusqu'au lundi matin. Désirait-elle laisser un message ? Non. On pouvait difficilement laisser un message du genre : « Méfie-toi d'un personnage à grandes dents jaunes. »

Elle chercha ensuite à joindre Martin, le procureur. Elle finit pas le trouver chez lui et dévida son histoire d'un trait. « Je suis certaine que c'est le type qui a contacté George, conclut-elle. George disait vrai, ses dents le trahissent.

— S'il n'est pas l'assassin, il sait à l'évidence qui c'est.

— C'est en substance ce qu'il m'a laissé entendre. Je me demande si ce ne serait pas Fisher qui aurait réglé son compte à George.

— Je ne sais pas. Nous le surveillons de très près. L'affaire a connu de nouveaux développements, dont je ne peux parler au téléphone. A ce propos, méfiez-vous de votre téléphone jusqu'à ce que nous ayons déconnecté cette table d'écoute. Je vais veiller à ce qu'on s'en occupe dès lundi. » Il marqua un temps de silence. « J'ai cru comprendre que vous ne vous occupiez plus de l'affaire.

— C'est exact. On m'a remerciée. » Elle fut saisie d'une sorte de fierté défensive. « Pas pour raison professionnelle. Le motif est d'ordre personnel.

— C'est ce que je m'étais dit. Je le déplore. Vous faites honneur à votre profession. »

L'éloge lui fit venir de nouvelles larmes. Elle remercia Martin.

« En tout cas, je suis content qu'il n'y ait pas eu trop de bobo. C'est ça le plus important. Mais vous avez eu chaud, et je vous conseille de rentrer chez vous, de prendre un scotch et de vous reposer. »

Lorsque le contact téléphonique eut été rompu, la peur investit de nouveau la pièce. J'ai besoin de quelqu'un, se dit-elle, n'importe qui. Seulement elle ne pouvait appeler quelqu'un qui ne serait pas au courant de toute l'histoire. Pas question non plus d'appeler Jill. On ne se repose pas sur quelqu'un d'aussi jeune, et puis je n'ai nulle envie de lui faire peur.

Restait Peter... Elle composa le numéro du Waldorf Astoria.

Il parut surpris et heureux de l'entendre. « Tu m'as eu de justesse. J'allais partir pour aller dîner avec des connaissances arrivées aujourd'hui de Chicago.

— Ah ! fit-elle, dépitée. Ah bon.

— Que se passe-t-il ? Tu pleures ?

— Non. Ou plutôt oui. » Et elle raconta en sanglotant ce qui venait de lui arriver.

« Bon sang ! Est-ce que tu as appelé la police ?

— Non. Il ne m'a rien fait à proprement parler. Je ne pourrais rien prouver.

— C'est ridicule. A quoi sert la police alors ? Fais-moi le plaisir de l'appeler immédiatement.

— Tu ne comprends pas ! Des trucs comme ça, j'en entends tous les jours ! Dans cette ville, ils doivent recevoir mille appels à la minute. Tu n'as pas idée. Ils ne vont pas se déranger pour quelque chose qui a failli arriver, mais ne s'est finalement pas passé. Et puis de toute manière mon agresseur s'est envolé. Et en plus je suis crevée, conclut-elle d'une voix mal assurée.

— J'arrive, fit aussitôt Peter. Verrouille la porte de ton cabinet jusqu'à ce que j'arrive. Je vais dire au taxi d'attendre en bas et je te ramène chez toi.

— Mais... et ton dîner ?

— Au diable mon dîner ! Ne bouge pas, j'arrive. »

« Ma ligne était sur écoute. C'est à peine croyable. Il était au courant pour Jill. » Elle avait ôté non seulement son corsage déchiré, mais également la veste et la jupe, tout ce qu'elle portait, comme si ces vêtements étaient souillés. Plus jamais elle ne les remettrait. Pelotonnée au fond du grand fauteuil, elle frissonnait encore en dépit de l'épais peignoir molletonné dont elle s'était enveloppée.

« Seigneur, si je n'avais pas retrouvé cette lettre ! Il était dans un tel état de rage, une fureur bizarre, tranquille. Pas une fois il n'a élevé la voix. Dieu merci, je l'ai retrouvée. Et Dieu merci, il l'a crue. » Elle n'avait pas cessé de parler depuis que Peter l'avait ramenée chez elle. Les mots se déversaient de ses lèvres en rangs serrés, portés par une voix inhabituellement aiguë et précipitée. « C'est quelque chose qui me dépasse. Ce coin de terre est tellement innocent. Peter, il est là depuis toujours, occupé à nourrir des arbres, habité par tout un tas de petites créatures paisibles, visité par des oies sauvages venues du Canada. Oui, tellement innocent ! Et puis surviennent les brutes bipèdes, désireuses de se l'approprier, prêtes pour cela à s'entre-déchirer et même à tuer. Oui, des brutes ! J'en ai vu de toutes sortes, tu sais. Dans mon métier, on ne se collette pas précisément avec des parangons de douceur et de délicatesse. N'empêche, tant qu'on n'a pas soi-même été confronté à ça, on ne sait pas jusqu'où certains êtres peuvent aller pour de l'argent. La violence que rapporte la presse n'est qu'une abstraction, jusqu'au jour où l'on devient soi-même une victime, une chose... Oh, Peter, tu imagines ? Je sens encore son odeur. Une eau de Cologne ou une crème à raser que je reconnaîtrais entre mille, quelque chose de douceâtre, un peu comme de la cannelle. Si l'équipe de nettoyage n'était pas arrivée... est-ce que tu penses qu'ensuite il m'aurait tuée ? Ou peut-être m'aurait-il tailladé le visage ? Il a parlé de quelque chose dans ce goût-là. Il y a eu une affaire comme ça, il y a quelques années, tu te souviens ? Je n'arrive pas à croire que cela me soit arrivé, à moi ! Ce sont des choses qu'on voit dans les journaux, des choses qui n'arrivent qu'aux autres ! »

Elle se balançait d'avant en arrière, les bras noués autour des genoux, se faisant toute petite au fond du fauteuil. Des gouttes de pluie rabattues par le vent vinrent crépiter contre les vitres. Ils tournèrent la tête vers la fenêtre.

« Ce n'est rien, dit Peter. Rien qu'une banale nuit d'hiver et une fenêtre orientée au nord. » Il était grand, costaud et calme. « Personne ne peut entrer, Jennie. La porte est bien fermée. J'ai mis le verrou. »

Elle eut un sourire. « Merci de lire mes pensées. » Avec lui ici, elle se sentait en sécurité. C'était la deuxième fois que cela se produisait. « Tu as été très bon avec moi », dit-elle.

Il fronça les sourcils d'un air triste. « Jamais je n'aurais imaginé que tu dirais un jour ce genre de chose.

— Je ne pensais pas à *autrefois*, je parle de *maintenant*. De ces derniers jours et de l'instant présent. Tu m'aides à traverser des heures difficiles.

— Je reste pour la nuit. Pas question que je te laisse toute seule. »

Levant les yeux, elle lui vit une expression douloureuse. Il parut sur le point de dire quelque chose, mais referma les lèvres et détourna le regard. Enfin, il se jeta à l'eau : « Je ne t'en ai pas assez dit sur la culpabilité que j'ai pu éprouver.

— Mais si, Peter, tu m'en as déjà parlé. Il ne faut pas que tu continues de battre ta coulpe. C'est inutile. »

Mais il persistait : « Que tu le voulusses ou non, j'aurais dû aller te retrouver après la naissance. » Elle leva la main pour protester. « Laisse-moi poursuivre. Oui, c'est ce que j'aurais dû faire. Je tiens à ce que tu le saches. Et l'enfant était lui aussi au centre de mes pensées. Mais tu m'avais si clairement fait comprendre que tu ne voulais plus rien avoir à faire avec moi. »

Ne voulant pas en entendre plus, elle l'interrompit. « C'est vrai. C'était le cas. Mais dis-moi un peu à quoi sert de remuer...

— A me soulager d'un fardeau. Voilà à quoi ça sert. C'est peut-être égoïste de ma part, mais tout ça a été occulté, relégué dans un coin avec l'espoir de l'oublier ou le nier, et je veux, j'ai besoin, Jennie, j'ai besoin de tout dire. »

Ces choses qu'on refoule pour essayer de les oublier ou de les nier. Et elle dit d'une voix sourde : « Après tout, je suppose que je t'ai fait du mal, moi aussi. »

Il avança la main, paume vers le ciel. « Une égratignure comparée à un coup de marteau. Et l'excuse que je me suis fabriquée, celle de ma jeunesse d'alors, est bien mince. Oui, bien mince. »

La lumière de la lampe éclairait son front courbé, ses mains jointes, exacerbant l'image de son chagrin et de son repentir. Cette posture avait aux yeux de Jennie quelque chose de familier. Il lui fallut plusieurs minutes pour se souvenir de la dernière fois où elle l'avait vu ainsi. Une image émergea avec une netteté bouleversante du troupeau de souvenirs évanescents : la veille du jour où elle avait pris l'avion pour le Nebraska, il était resté un long moment dans cette position, assis au pied du lit, regardant la télévision, dans un motel minable.

« Jennie ? On ne dirait pas que cela fait dix-neuf ans, ça ne te fait pas la même impression ? Je veux dire, je ne ressens pas ce sentiment d'étrangeté auquel je m'étais attendu. Et toi ?

— Oui, peut-être bien, éluda-t-elle.

— Le peu que ça a duré, nous deux, c'était bien, non ? » Il y avait dans sa voix une attente, l'espoir d'une confirmation.

« C'est vrai. »

Elle sentit venir une vague de tristesse à l'évocation de cet échec. La vie n'était-elle donc faite que de périodes de récupération succédant à des échecs ? C'était quelque chose que réfutait son côté optimiste. Non, la vie ne pouvait se résumer à cela. Il y avait autre chose. Néanmoins, la tristesse l'envahissait.

« Est-ce que tu veux un somnifère ? interrogea Peter.

— Je n'en prends jamais. » Cela avait un accent un peu crâne.

« Je me disais qu'après ce que tu viens de traverser, tu aurais peut-être besoin d'un petit coup de pouce pour t'endormir.

— Non. Cependant, je crois que je vais me coucher. Tu es certain de vouloir rester ici ?

— Absolument. »

Elle n'en était pas mécontente. Même si elle parvenait encore à afficher un certain sang-froid, elle était heureuse de ne pas avoir à rester seule. Dormir seul n'avait rien de naturel ; même le chien aime sentir une présence près de lui, la nuit.

« Je vais te chercher des couvertures. Je suis désolée, mais il n'y a que la banquette.

— Ce sera parfait. » Lorsqu'il se coucha sur le côté pour confirmer ses dires, les genoux lui remontaient presque contre la poitrine.

Jennie se mit à rire. « ''Le Pygmée.'' Papa m'a un jour demandé pourquoi on t'appelait ainsi, et je lui ai répondu que c'était à cause de ton mètre quatre-vingt-dix. Tu vas passer une nuit effroyable là-dessus. Il vaut mieux que tu rentres dormir à l'hôtel.

— Pas question. Pas après ce que tu as traversé il y a une paire d'heures. »

Elle parut réfléchir. Son lit, qu'elle avait rapporté de la chambre d'amis de ses parents à Baltimore, faisait six pieds de large. On pouvait y dormir à trois sans même se gêner. Elle fit une proposition hésitante.

« Si tu veux, il y a suffisamment de place dans le lit. Il serait ridicule que tu passes la nuit plié en trois sur la banquette. Tu ne fermerais pas l'œil de la nuit.

— Écoute, je veux bien. » Il se redressa en faisant la grimace. « Ce truc est vraiment inconfortable.

— Affaire conclue. Je vais éteindre et tu viens te coucher quand tu voudras.

— Ça marche comme ça. »

Jennie demeura un long moment éveillée, se débattant avec le souvenir de l'air méprisant et de la brutalité de son agresseur, s'efforçant de chasser toute considération sur ce qui s'était passé, ce qui avait failli arriver et ce qui se serait ensuite produit si... si...

Le halo de la ville, filtrant à travers le store, détourait le dos immobile de Peter, allongé sur le côté. J'ai été accusée d'avoir couché avec lui, alors qu'il n'en avait rien été, se dit-elle avec un sourire amer, et me voici maintenant dans le même lit que lui. La dernière fois, c'était dans ce motel il y a bien des années. Nous étions, cette fois-là aussi, chacun à un bout du lit, mais pour une tout autre raison. Il avait peur de me toucher, sans doute parce que j'étais enceinte. Peut-être même était-il dégoûté par ce qui se trouvait dans mon ventre. La tristesse de cette nuit-là !

Il fut pourtant une époque où la passion nous consumait, où nous comptions les heures d'un week-end à l'autre. Du vendredi soir au vendredi soir suivant, il y en avait cent soixante-huit. Chaque fois que, dans la semaine, il nous arrivait de nous croiser, les regards que nous échangions au passage disaient notre souvenir émerveillé et notre attente exaspérée.

Comme leur histoire d'amour avait été douce en son début ! Durant toute cette année-là, ils avaient baigné dans la fraîcheur et la lumière d'un printemps apparemment éternel. Ils avaient partagé tant de fous rires. Et elle se prenait maintenant à se demander si, à supposer que des tiers ne se fussent pas opposés à leur mariage, ils auraient fait un long bout de chemin ensemble, si leur amour aurait perduré avec ses rires et sa tendresse.

Il n'y aurait alors pas eu de Jay. Cette pensée lui donnait le vertige. Jamais elle n'aurait connu *sa* tendresse, sa sagesse, sa façon d'être si particulière. Elle ne l'aurait jamais connu ni perdu.

Dehors, la bise sifflait. Peter se retourna.

« Allonge le bras vers moi. »

Leurs doigts se touchaient à peine à travers le vaste lit.

« Je voulais juste te dire bonne nuit. Fais de beaux rêves, Jennie. Essaie de ne plus penser à ce qui s'est passé aujourd'hui. »

Ces paroles et ce contact bref eurent le don de la consoler. La respiration régulière de Peter lui était apaisante. Tu es en sécurité, se représenta-t-elle. Tu n'es pas seule. La circulation sur l'avenue produisait un grondement lointain, comme un bruit de ressac. Elle se sentait partir au gré des flots...

Et elle fit un rêve. Elle rêva que des bras tendres et aimants l'enveloppaient ; et, simultanément, elle se disait : oui, tu fais ce rêve salutaire afin de ne pas penser à l'arme terrifiante que peut devenir le sexe. Alors, laisse-toi aller, ne te réveille pas, abandonne-toi à ce rêve, c'est doux, c'est délicieux.

Elle revint à un demi-sommeil. Quelqu'un était en train de l'embrasser, et elle rendait ce baiser.

« Chérie », dit Jay.

« Oui, oui, laisse-toi aller », entendit-elle encore. Et de se réveiller en sursaut.

« Peter, mais qu'est-ce qui te prend ? » fit-elle, horrifiée. Elle s'assit pour se glisser hors du lit.

« Cela fait dix minutes que je te tiens entre mes bras. C'est toi qui voulais, dit-il.

— J'étais en train de rêver. C'était dans mon rêve, dit-elle en se cachant le visage dans les mains.

— Oui, je sais. Et moi aussi, je rêvais. Je rêvais que tu voulais être aimée. »

Elle avait les lèvres qui tremblaient. « Mon idée était stupide. J'aurais dû avoir l'idée de dormir sur la banquette. Elle est assez longue pour moi. »

Elle alluma la lampe de chevet. Les yeux de Peter, les opales aux reflets lavande, étaient inquiets et honteux.

« Peut-être, mais, rêve ou pas rêve, tu avais envie de faire l'amour.

— C'est vrai, fit-elle piteusement.

— Mais ce n'était pas avec moi. »

Comme elle ne répondait pas, il insista : « Tu penses toujours à lui ?

— Tu poses trop de questions. Je ne peux pas te répondre. Je ne sais pas. »

Elle savait, au contraire. Dans son rêve, c'était avec Jay qu'elle était couchée, c'était son visage qu'elle voyait, son nom qu'elle prononçait. Et elle comprit d'un coup qu'elle n'était pas prête à en aimer un autre. Le serait-elle jamais ?

La lumière de la lampe éclairait le tapis, la couverture bouchonnée et l'expression dépitée de Peter.

« Une dernière question, dit-il. Est-ce que tu m'en veux ? »

Une douloureuse confusion régnait sur les pensées de Jennie. Rien ne permettait à Peter de penser qu'elle se laisserait... Et pourtant, endormie ou à demi éveillée, elle s'était blottie entre ses bras, au creux de ce havre tiède et sûr. Elle comprit qu'il avait le sentiment d'avoir été rejeté en tant qu'homme, et elle en conçut du regret.

« Tu es toujours un des hommes les plus attirants que j'aie rencontrés, dit-elle avec douceur.

— Merci, mais ce n'est pas la peine. Tu dis ça parce que tu penses m'avoir froissé.

— Cela n'en est pas moins vrai. Tu es resté quelqu'un de très attirant. » Elle porta la main à sa gorge. Sa bouche se plissa. Elle venait de prendre brusquement conscience de l'absurdité de la situation et du pitoyable tableau qu'ils formaient tous les deux.

« Recouche-toi, dit tout à coup Peter. Je vais sur la banquette.

— Je suis complètement réveillée, dit-elle. Je ne vais pas me rendormir de sitôt. »

Elle le suivit dans la pièce voisine. La température y avait baissé, le chauffage étant réduit pendant la nuit. Le vent flagellait toujours les fenêtres. Peter s'enveloppa dans une couverture, Jennie dans son peignoir molletonné, et ils s'assirent face à face. Au bout d'une minute de morne silence, Peter posa une nouvelle question.

« C'est lui qui t'a fait accepter l'affaire dont tu t'occupais jusque récemment ?

— Qui, ''lui'' ?

— ''Tom'', si tu préfères. C'est pour cette raison qu'on t'a retiré l'affaire ?

— Oui. Pourquoi parles-tu de ça ?

— Je me demandais, c'est tout. En tout cas, ce n'est pas plus mal. Cela devenait vraiment dangereux.

— Je voulais gagner. Je m'y étais investie à fond.

— Il y aura d'autres affaires. D'autres rencontres, aussi, ajouta-t-il après un temps d'arrêt.

— Je ne sais pas.

— Quand même, il y en a eu d'autres pendant toutes ces années ?

— Des affaires ou des rencontres ?

— Des rencontres, j'entends. Des hommes.

— Oui, mais cette fois c'était différent.

— N'est-ce pas toujours ce que l'on pense en pareil cas ? » Elle eut une ombre de sourire. « Mais il arrive qu'on le pense et que ce soit vrai. Que l'un meure ou bien… s'en aille, l'autre ne sera plus jamais le même. »

Peter posa sur elle un regard plein de gravité. Ils se fixèrent quelques secondes et quelque chose passa entre eux. « Oui, dit-il, s'il est au monde quelqu'un comme cela, je pense que c'est toi. » Et il laissa échapper un soupir.

Jennie sentit que des choses importantes allaient être dites. Peut-être avait-il réellement espéré qu'elle et lui pourraient refermer la boucle. Jill n'avait-elle pas dit que ce serait « dans l'ordre des choses » ? Qu'elle avait eu ce « sentiment » ?

Et Peter de poursuivre : « Autant te dire que j'ai roulé certaines pensées ces jours derniers. J'aurais bien dû me dire qu'elles étaient irréalistes. Tu veux que je te les dise ?

— Bien sûr.

— Bon, eh bien. Sans, naturellement, attendre de miracle instantané, je me disais qu'avec le temps quelque chose, une sorte de fil du destin, pourrait peut-être nous rapprocher à nouveau. Je ne suis pas superstitieux, tu dois t'en rappeler, mais je voyais vraiment se réaliser une sorte de dessein dans la façon dont les choses se sont passées avec Jill, et dans la façon dont toi et moi nous sommes revus sans ressentiment. Mais cela, tu ne le veux pas.

— Peter… ne vois-tu pas que je suis comme morte à l'intérieur ?

— Non, tu te trompes. Tu traverses une période de grande douleur, mais tu es vivante. Et cette souffrance, tu ne l'as pas méritée. »

Elle ne répondait pas. Il attendit un moment, puis très doucement, presque dans un murmure, il lui demanda : « Tu ne veux vraiment pas me parler de lui ?

— Non. Ce qui est fini est fini.

— Une pensée me traverse à l'instant… C'est étrange, mais, chaque fois dans ta vie, c'est Jill qui a été cause de la rupture. D'abord avec moi, et maintenant avec lui.

— Il n'y a pas de comparaison possible, Peter.

— Oui, c'est vrai. N'empêche, tu devrais te marier, lâcha-t-il abruptement. Il est temps. »

Cela la fit sourire. « Tu crois ? Et toi alors ?

— Moi, je l'ai été. A trois reprises. » Il détourna les yeux, comme pour maîtriser son embarras. « Cela te surprend, n'est-ce pas ?

— Un peu, oui.

— Oh, ce n'est rien dont je puisse me glorifier. Il n'y a pas grand-chose à en dire, et le peu que je pourrais en dire n'est pas facile à dire.

— En ce cas, n'en dis rien, fit-elle, émue par son air pitoyable.

— Je n'en parle jamais. Pourtant, j'ai envie que, toi, tu saches. » Il prit une profonde inspiration. « La première fois, ça a été avec l'amie de ma sœur, celle qui était là lorsque tu es venue pour le week-end. »

Oui, se rappela-t-elle, la mijaurée qui était assise sur le lit, pendant que j'essayais cette robe ridicule.

« Nous nous sommes mariés le lendemain du jour où j'ai reçu mon diplôme universitaire. Elle avait dix-sept ans et demi. Nous n'avons jamais rien eu à nous dire.

— Pourquoi diable l'as-tu épousée ?

— Elle était devenue une beauté. Et puis nos familles... On a tout fait pour nous rapprocher.

— Je vois. » Les parents les couvant du regard, les coups de coude, les clins d'œil, les allusions, les petits soupers et autres pique-niques habilement prémédités.

« Nous n'avons pas tenu deux ans.

— Pas d'enfants ?

— Dieu, non. Ensuite, cela a été une étudiante studieuse, une fille du fin fond de l'Alabama, qui avait une bourse à Emory. Elle et ma mère ne s'entendaient pas. Elle détestait ma famille et ne cherchait pas à s'en cacher. Et je reconnais que ma mère n'avait pas vraiment lieu d'être contente d'elle. »

Je vois cela d'ici, se dit Jennie. Et de frissonner comme si elle eût été de nouveau assise dans l'immense salle à manger, sous cette sinistre galerie de portraits.

« Alors cela a rendu les choses très difficiles. »

Jennie voulait bien le croire ! Peter pris entre deux feux, entre sa femme et sa mère, quand la paix était tout ce à quoi il aspirait.

« Forcément, cela ne pouvait durer très longtemps. Je nourris toujours un vif sentiment de loyauté à l'égard des miens, tu sais, même si je ne suis pas toujours d'accord avec eux. »

Ça aussi, Jennie le savait. *Pourquoi prendre position contre la guerre au Viêt-nam, pour ensuite opiner aux thèses de ses partisans ? Parce qu'ainsi on préserve le calme et l'harmonie.*

« Ses études terminées, elle a refusé d'habiter Atlanta, ce que, moi, je voulais. C'est ce qui a mis le point final. Le plus drôle c'est que, quelques mois plus tard, je partais pour Chicago. Voilà pour mon deuxième mariage. » Il s'interrompit. « Est-ce que tu es choquée ? Écœurée ?

— Ni l'un ni l'autre. »

Elle était émue par le récit de ses échecs, ainsi que par sa candeur. Il avait toujours cette même franchise naïve. L'espace d'une seconde, elle pensa, par contraste, à l'attitude toujours très réfléchie de Jay, à la prudence dont il faisait montre en toute chose, quelle que fût l'intensité de ses sentiments.

« Qu'en a-t-il été du troisième ? »

Comme un courant d'air subit fait claquer une porte laissée grande ouverte, le visage de Peter se ferma. Jennie dut attendre pendant plusieurs secondes sa réponse.

« Alice, fit-il. Elle est morte. » Et, comme si la porte se rouvrait d'un coup, il s'écria presque : « C'était quelqu'un de merveilleux, Jennie, de vraiment merveilleux. Elle avait un petit garçon. Nous étions heureux ensemble, tous les trois. Ses parents ont pris le petit chez eux après que... lorsqu'elle n'a plus été là. Il me manque, elle me manque... Enfin, il faut bien surmonter les épreuves, pas vrai ? Ou tout au moins s'y efforcer. »

Elle ne put que dire : « Je suis désolée pour toi, Peter. »

Il lui lança un regard interrogateur, un étrange regard, triste, douloureux, où perçait cependant une vague lueur d'humour.

« Il faut que je te dise qu'elle avait beaucoup de points communs avec toi. Elle était pleine d'idéal, elle débordait d'énergie. Et même, elle te ressemblait un peu physiquement. »

A nouveau, Jennie ne sut que dire, sinon : « Merci, Peter. »
Elle était bouleversée par l'hommage qu'il venait de lui rendre, et attristée par son récit. Ce mariage avec Alice n'aurait-il pas eu, lui, de bonnes chances de durer ? D'un autre côté, après deux échecs et s'il était toujours sous l'empire de sa mère, peut-être cette union eût-elle, elle aussi, tourné court. Les fils tissés entre les êtres étaient si compliqués ; pour y voir clair, il fallait plus de connaissances en la matière que Jennie n'en possédait. Elle avait néanmoins quelques certitudes : Peter était quelqu'un de bien, mais il n'était pas fait pour elle, en dépit de ce que lui-même ou Jill pouvaient penser.

« Tu as l'air triste, dit-il d'un ton inquiet. Je n'aurais pas dû t'assommer avec mes malheurs.

— Oh écoute ! se récria-t-elle. Après tout ce que moi, je t'ai infligé cette semaine... Non, j'espère que quelque chose de très heureux va survenir dans ta vie.

— Oh, mais plein de choses très heureuses me sont déjà arrivées ! Ne va pas croire que j'erre comme une âme en peine. J'aime l'endroit où je vis, j'ai des tas d'amis et je fais le métier que j'ai toujours voulu faire. En plus, au risque de passer pour un fat, je peux dire que je me suis fait un nom dans ma branche.

— Oui, je sais. Jill m'a dit que tu jouis d'une certaine notoriété. Son père fait de l'archéologie en amateur, et il lit tous tes articles depuis qu'elle lui a parlé de toi.

— Ils ont l'air de gens tout ce qu'il y a de bien.

— Oui, il suffit de regarder Jill pour s'en persuader. »

Peter éclata de rire. « N'y sommes-nous pas pour quelque chose, toi et moi ? Ne soyons pas modestes.

— Oui, oui, sans doute un petit quelque chose. »

Jennie se sentait tout à coup épuisée. Cette incroyable journée, qui avait commencé par une cruelle déception, s'était enchaînée sur un épisode d'une violence traumatisante pour s'achever dans une confusion troublante entre rêve et réalité, cette journée l'avait vidée de toute énergie.

Elle se leva. « Il est très tard. Ce coup-ci, tu prends le lit et moi je dors ici, sur le canapé. Je vais m'en arranger.

— Tu crains de me mettre une nouvelle fois à l'épreuve, c'est ça ? Tu n'as pas confiance ?

— Non, ce n'est pas ça. Simplement, je pense que c'est mieux ainsi. » Elle l'embrassa sur la joue. « Bonne nuit. »

Il était assez tard quand elle se réveilla le lendemain matin. Le grand lit était fait, Peter était parti. Il avait laissé un mot : « Désormais, sois plus prudente au bureau. Lorsque tu es chez toi, aie soin de bien fermer la porte. Je t'appellerai avant de repartir pour Chicago. »

La routine matinale reprit ses droits. Elle nettoya la cuisine et se lava les cheveux. Puis elle se plongea dans des dossiers avec l'intention de leur consacrer toute sa journée.

Vers midi, Shirley appela à travers la porte. « Hé ! Tu es là ? »

Dans son nouveau manteau, avec aux oreilles de grandes boucles bariolées, Shirley était vêtue pour une journée de loisir. Le regard inquisiteur dont elle balaya l'appartement n'échappa pas à Jennie.

« Est-ce que ça te dit d'aller manger un morceau ? J'ai rendez-vous avec des copines. Ensuite on pourrait aller voir un film.

— Merci, mais je ne vais pas pouvoir. J'ai une masse de travail en retard.

— Tu fais de tels mystères ces derniers temps, dit Shirley, assise sur le bord d'une chaise. Franchement, je me suis fait du souci pour toi.

— Je ne cherche pas à être mystérieuse. » Compulsant des papiers, Jennie avait hâte que Shirley s'en aille.

« Bon sang, mais qu'est-ce qui t'est arrivé ? »

Le bleu de sa pommette avait commencé de prendre une teinte livide.

« J'ai dû me lever en pleine nuit et je me suis cognée dans la porte de la salle de bain. »

L'autre haussa les sourcils d'un air sceptique, puis attendit quelques instants, comme se demandant si elle allait ou non se jeter à l'eau.

« Jennie... que se passe-t-il entre toi et Jay ? Je suis peut-être indiscrète, mais on se connaît quand même depuis pas mal d'années, et je ne peux pas m'empêcher de me faire du souci pour toi. Mais je suis indiscrète, je le vois bien. »

En effet, en dépit de la détermination dont elle s'était armée,

Jennie venait de se remettre à pleurer. Tête baissée au-dessus de ses papiers, elle ne répondait pas.

« Oh, fit Shirley. Oh, ce que je suis désolée. Je ne voulais pas...

— Épargne-moi ta sollicitude. Et ne sois pas désolée pour moi. Ça me rend les choses encore plus difficiles. »

Shirley se mit debout. « D'accord. Je comprends. Mais il faut que tu saches que si tu as besoin de parler, si jamais cela t'arrive, je suis là.

— Oui, un jour je te parlerai de tout ça. Mais il me faut d'abord apprendre à vivre avec. »

Pendant de longues minutes après que la porte se fut refermée, Jennie demeura immobile, la tête posée sur le bureau. Comment endurer une telle douleur ? Ce qu'il faut, c'est se constituer une carapace. Et ainsi, serrant les dents et les poings, elle dompta, au moins pour un temps, sa peine et se remit au travail. Avec régularité, prenant des notes, elle étudia ses dossiers les uns après les autres. Après une courte pause, le temps de manger des œufs et un toast, elle s'y plongea de nouveau. Elle était toujours en train de travailler, quand, peu après vingt et une heures, le téléphone sonna.

« Comment vas-tu ? » demanda Jill.

Jennie fut traversée d'un léger frisson de plaisir. « Ça va. Et toi ? Qu'est-ce qui te prend de m'appeler un samedi soir ? Tu es censée sortir et t'amuser.

— Le père de mon copain a été hospitalisé cet après-midi. C'est pourquoi je me retrouve dans ma chambre un samedi soir. » Jill baissa la voix. « J'ai eu un coup de fil de Peter. Il m'a raconté ce qui t'est arrivé hier. C'est atroce ! Des types comme ça, il faudrait les supprimer.

— Ce n'est malheureusement pas comme cela que fonctionne la justice. Mais j'ai eu de la chance, je m'en suis sortie indemne.

— Es-tu suffisamment en forme pour parler de quelque chose ?

— Oh, sûrement. De quoi s'agit-il ?

— Eh bien, je me suis procuré en avance le journal de demain. Il contient un article à propos d'un conflit sur une question d'environnement. Une zone située dans le centre de l'État et nommée le Marais Vert. Il s'agit de l'affaire dont tu t'occupes, il me semble. »

Le secret n'étant plus de mise, Jennie répondit directement : « Dont je m'occupais, tu veux dire. J'ai été remerciée.

— Peter m'a dit ça. Après s'y être tellement impliquée, cela doit être très dur.

— Ce qui fait le plus mal, c'est de penser que les promoteurs vont probablement arriver à leurs fins.

— N'y a-t-il rien que tu puisses faire ?

— Rien du tout. Je ne suis pas domiciliée là-bas. Je n'y paie pas d'impôts.

— Je ne vois pas ça comme ça. Tu es citoyenne américaine, non ? Tu as le droit de prendre la parole où tu le souhaites. Qu'est-ce qui t'empêche de te rendre aux réunions et de dire ce que tu penses ? »

Jill s'exprimait de sa manière la plus emphatique, et Jennie pouvait voir cet ample geste par lequel elle rejetait ses cheveux en arrière, elle pouvait imaginer son regard intense et les deux rides qui, en cet instant, lui barraient le front.

« Je n'en ai plus l'énergie, dit-elle.

— Tu as peur à cause de ce qui s'est passé hier ? Mais dans une réunion publique, tu serais en sécurité. »

Cette supposition offensait la fierté de Jennie — ou ma prétendue fierté, se dit-elle —, et elle s'empressa de répondre : « Non, ce n'est pas ça. Simplement, je n'ai plus le cœur à ça.

— Il le faut pourtant, insista Jill. Après tout ce que tu as fait, tu ne vas tout de même pas baisser les bras maintenant ?

— Ce combat n'est plus le mien.

— Je te répète que si ! C'est notre combat à tous. Mes parents sillonnent tout le Sud-Ouest, ils assistent à chaque réunion, ils écrivent à leur sénateur. Jamais ils ne renoncent. »

Tu sais captiver un auditoire, Jennie.

Son plaidoyer, dont, en bonne avocate, elle avait déjà dressé les grandes lignes, aurait été saisissant. Il eût touché le cœur et la conscience de quiconque possédait un cœur et une conscience.

« Si tu veux, je t'accompagnerai », disait Jill.

Il fallut un moment à Jennie pour enregistrer cette surprenante proposition.

« Tu m'accompagnerais ?

— Cela me ferait très plaisir. Je peux me permettre de manquer quelques heures de cours. »

L'idée était folle. D'un certain côté, peut-être ne l'était-elle pas tant que cela. En tant que simple citoyenne, Jennie pourrait s'exprimer plus librement encore que ne le ferait un avocat. Elle commença d'éprouver un délicieux émoi. Ce projet portait en lui comme un parfum romanesque.

« Jennie ? Tu es en train d'y réfléchir ?

— Cela pourrait être intéressant, dit-elle en détachant ses mots.

— Un peu, mon neveu ! Alors, c'est d'accord ? »

Une autre pensée agréable s'imposa à son esprit : ce serait l'occasion de faire montre de ses talents à sa fille. Sa fille, le mot lui était venu spontanément : c'était la première fois.

« Ma foi, cela mérite qu'on s'y arrête. Voyons voir, je pourrais louer une voiture. Il faudrait que nous partions au plus tard à trois heures du matin. T'en sens-tu capable ?

— Plus tôt, si tu veux.

— Trois heures, ce sera parfait. »

Jennie se sentait soudainement animée d'un esprit aventureux. Une partie de son esprit lui répétait qu'elle avait besoin de quelque chose de semblable. Cela lui donnerait l'impulsion nécessaire pour retrouver le monde des vivants.

Elle était aiguillonnée par le sentiment d'un défi. Écoute, ma vieille, il y avait la vie avant Jay, il y aura la vie après Jay. C'est ainsi. Et qu'il aille se faire voir.

« Bon, je passe te prendre devant l'entrée principale, sur Broadway. »

14

Elle passa la journée du dimanche à polir et à peaufiner son argumentation. En tant qu'intervenant privé, il lui faudrait parler brièvement de crainte qu'on ne l'interrompe. Il lui faudrait développer ses arguments avec clarté et concision, sans pour autant renoncer à une certaine éloquence. Elle était en plein travail lorsque Peter appela pour dire au revoir.

« J'ai été content d'apprendre la nouvelle de ton expédition avec Jill.

— L'idée est d'elle. Elle m'y a encouragée.

— Il me semble qu'un lien solide est en train de se tisser entre vous deux.

— J'espère. Je le pense.

— En ce cas, il sera quand même sorti de tout cela quelque chose de positif. J'espère que cela va compenser pour le reste, Jennie. » Comme elle ne répondait pas, ne sachant que dire, il ajouta avec plus d'entrain : « Je reviendrai. On ne se débarrasse pas de moi aussi facilement.

— Je ne cherche pas à me débarrasser de toi », dit-elle sincèrement.

Elles suivirent un couloir qui sentait le détergent et dont les portes avaient des inscriptions telles que Service de santé, Commissariat, Infractions au code de la route, Taxes foncières. Elles pénétrèrent dans la salle du tribunal. Le conseil municipal siégeait sur une estrade surmontée du drapeau américain.

Un homme, qui se tenait contre le mur du fond, toucha le bras de Jennie. Elle reconnut Jerry Brian, le policier qui avait équipé George d'un magnétophone. Il était en civil. « Vous êtes toujours intéressée par l'affaire ? interrogea-t-il.

— C'est pour cela que je suis venue.

— Je m'attendais un peu à vous voir. Écoutez. » Ayant entraîné la jeune femme à l'écart, il lui murmura : « Vous n'allez pas en revenir, mais nous tenons déjà une piste.

— Déjà ?

— Le patron a travaillé jour et nuit. Il s'avère que cette compagnie a mauvaise réputation. Elle est mouillée avec la Mafia.

— Barker Development, vous voulez dire ?

— Tout juste. Le grand manitou a opéré en Californie sous un autre nom, il a eu des ennuis dont il a réussi à se dépêtrer, et il est venu dans l'Est se constituer une nouvelle respectabilité. »

Jennie émit un léger sifflement. « Quel genre d'ennuis ?

— Une voiture piégée. Quelque chose à voir avec un emplacement avec vue imprenable qu'ils voulaient acquérir et dont le propriétaire ne voulait pas se défaire. Un truc dans ce goût-là. Selon Martin, leur culpabilité ne faisait aucun doute, même si on n'a rien pu prouver.

— Et pour George ? Est-ce qu'on va pouvoir prouver quelque chose ?

— Martin pense que oui. Attention, hein, je ne suis pas au courant de tous les détails de l'enquête. Si je suis ici ce soir, c'est pour ouvrir l'œil, voir qui est là. Non que nous nous attendions à voir débarquer l'homme aux dents jaunes. » Même dans ce coin sombre, Jennie vit que le jeune homme souriait. « J'ai entendu dire que vous lui aviez échappé de justesse.

— Vous pouvez le dire. Et l'autre brute, là, Fisher ? Quel est son rôle dans tout cela ?

— Rien à voir. Il se trouve qu'il a un bout de terrain à vendre, et cela le rend fou furieux qu'on lui mette des bâtons dans les roues.

— J'aurais juré qu'il avait été recruté par les autres, dit Jennie. Après tout, je ne suis peut-être pas si futée que cela.

— Oh mais si, vous l'êtes. Regardez, il commence à y avoir pas mal de monde. Vous feriez mieux de vous trouver une place. »

Une foule importante occupait déjà la plupart des sièges. Du fond de la salle, Jennie parcourut les travées du regard à la recherche de deux places inoccupées. Elle reconnut quelques visages sur l'estrade, puis, sur le côté de la salle, les têtes grisonnantes d'Enid et Arthur Wolfe. Ils étaient seuls, ce à quoi Jennie s'attendait, Jay pouvant difficilement échapper pour toute une journée à ses obligations au cabinet ou au tribunal fédéral. Ils n'avaient tourné la tête qu'une fraction de seconde, et cependant elle était certaine qu'ils l'avaient vue. Flanquée de Jill, elle descendit jusqu'au troisième rang, où elle avait repéré deux places. S'ils souhaitent me saluer, se dit-elle, rien ne les en empêche. Et s'ils m'interrogent sur cette belle jeune personne qui est avec moi, eh bien je leur dirai qui elle est. C'est une décision toute fraîche. Je ne sais pas comment j'y suis arrivée, mais elle est prise et je m'y tiendrai.

Les Wolfe, toutefois, ne bronchèrent pas. Qu'est-ce que Jay leur aura raconté ? Elle se les imagina écarquillant les yeux d'effroi. Elle les voyait comme si elle y était, dans leur cuisine — rideaux de guingan bleu et blanc, boutures de saintpaulia dans des pots de porcelaine rouge, le chien allongé à leurs pieds —, en train de prendre leur thé de l'après-midi. Sans doute s'étaient-ils regardés en secouant la tête d'un air contrit. *Elle qui était pourtant si sincère, si franche !*

Son assurance la quitta aussi vite qu'elle lui était revenue. Elle n'aurait pas dû venir ici. Cela ne servait qu'à remuer le couteau dans la plaie. Si elle avait deux doigts de bon sens, elle allait faire demi-tour et rentrer directement à New York.

Laisser à quelqu'un d'autre le soin de défendre le Marais Vert. Mais c'eût été s'humilier sous le regard de Jill. N'était-elle pas venue en partie pour briller un peu devant cette dernière ?

Et donc, attendant son tour, elle assista à toute la procédure liminaire, le serment d'allégeance, la lecture des minutes des précédentes assemblées et de tous les rapports techniques. Une nouvelle fois, les avocats des deux parties s'affrontèrent. Le jeune homme au service de la firme répéta son argumentation, cherchant à persuader l'auditoire des avantages que le projet allait apporter à la communauté. Jennie se demandait si ce jeune avocat aux manières engageantes, à l'air tout à fait respectable, était de mèche avec « Robinson » alias « Harry Corrin ». Elle conclut par la négative. Au sein d'organisations telles que Barker Development, il était de la première nécessité de faire en sorte que la main droite ignorât ce à quoi s'employait la gauche.

L'avocat qu'on avait substitué à Jennie, homme las, entre deux âges, ne faisait pas le poids face à ce fringant jeune homme. Énonçant des statistiques d'une voix monocorde, il perdait peu à peu l'attention des conseillers ; le maire bâillait ostensiblement.

Puis on ouvrit enfin la discussion au public. Jennie attendit qu'une demi-douzaine de citoyens eussent exprimé leurs opinions. Ils étaient à peu de chose près également partagés. Et elle supposait que le conseil municipal était, lui aussi, aussi également divisé qu'il l'était quelques mois plus tôt. Le scrutin allait donc être très serré. Elle leva la main, on lui fit signe et elle se leva pour prendre la parole.

« Je m'appelle Jennie Rakowsky, commença-t-elle d'une voix ferme. Peut-être certains d'entre vous se rappellent-ils m'avoir déjà entendue devant cette assemblée. Cette fois, je suis ici en tant que simple citoyenne. Je voudrais vous parler de la compagnie Barker. Comme tous les promoteurs, ces gens-là sont de beaux parleurs, ils vous font miroiter des créations d'emplois, des abattements fiscaux et toutes ces merveilleuses améliorations qu'ils vont apporter à votre ville. Surtout n'en croyez pas un mot, lança-t-elle en levant le doigt. Ils viennent ici pour faire de l'argent et rien d'autre. Ils ne se soucient de rien d'autre que de leur bilan de fin d'année. On les connaît, ces gens-là. Ils sévissaient déjà dans les années 1890, lorsqu'ils cherchaient, dès sa création, à rogner de moitié le parc national de Yosemite Valley. Si à l'époque quelques citoyens avisés ne les avaient pas combattus, nous n'aurions plus aujourd'hui de Yosemite Valley, de Grand Canyon, ni aucune autre réserve naturelle. »

Quelqu'un se mit à applaudir et fut aussitôt rappelé au silence. Les Wolfe avaient, semblait-il à Jennie, le regard perdu du côté de l'estrade ou peut-être vers le plafond. Mais quelqu'un avait applaudi. Cela l'éperonna et elle reprit le mors aux dents.

« Il n'est que de remonter plus loin dans le passé, jusqu'à Isaïe, il y a plus de deux mille ans, ou jusqu'aux anciens Grecs. Platon savait que lorsqu'on rase une forêt, il n'y a plus rien pour retenir l'eau et que le ravinement emporte la terre jusqu'à la mer. »

Elle avait des notes à la main, mais n'éprouvait nul besoin d'y recourir. « Or une partie de votre région est un marécage, une immense éponge qui retient l'eau et l'empêche d'inonder les terres avoisinantes. Cette région est un sanctuaire pour les animaux sauvages, elle est source de beauté et de détente. Elle est un écosystème qui a mis des milliers d'années à se constituer. Si on détruit celui-ci, on ne pourra revenir en arrière. Vous savez tout cela, et ces gens-là le savent aussi bien que vous, seulement ils s'en moquent. Là est la différence. »

Toutes les têtes étaient tournées vers Jennie. On aurait entendu une mouche voler.

« Il y a d'autres endroits, disent certains ; ceux-là, nous n'aurons qu'à les préserver. Mais cette planète n'est pas élastique. Et pour l'instant elle est la seule que nous ayons. »

D'après sa montre, cela faisait six minutes qu'elle parlait, et elle s'attendait à être à tout moment interrompue, mais personne sur l'estrade ne semblait songer à le faire. Elle voyait comme dans une brume des dizaines de visages levés dans sa direction, elle avait conscience de l'attention captivée de Jill et du flux d'énergie qui émanait de sa propre personne.

« Ce n'est pas comme s'il s'agissait de loger des familles sans toit. Ces appartements, ces terrains de golf ne répondent pas à un réel besoin. Je ne vois là que frivolité et cupidité. » Elle marqua un temps. « Nous savons tous ce qu'est la cupidité. Le monde en regorge. Il y a même des gens qu'elle pousse au meurtre. »

Voilà pour toi, Robinson, pensa-t-elle. C'est alors qu'elle repéra Fisher. Il était assis au premier rang à l'autre bout de la salle. Elle ne l'avait pas vu en arrivant. Il portait son éternel cuir noir et arborait toujours ce même sourire mauvais. Ça, tu peux te vanter de m'avoir induite en erreur, se dit-elle. Non, ce n'est pas toi qui as tué George. Tu n'es qu'un dur de troisième catégorie. Tu n'es pas assez intelligent pour que les autres t'aient recruté. N'empêche, je n'aurais aucune envie de te rencontrer au coin d'un bois !

Elle recouvra le fil de ses pensées. Elle avait bien parlé, il était maintenant temps de conclure, ce qu'elle fit promptement en s'adressant aux conseillers municipaux.

« Il nous faut adopter une nouvelle approche de notre monde. J'espère que vous le comprenez et que vous conviendrez que ce projet doit être repoussé. »

Son cœur battait toujours à se rompre lorsqu'elle se rassit.

« Tu as été parfaite », lui souffla Jill, le regard admiratif.

Une bouffée de joie envahit Jennie. Cependant, elle aurait voulu savoir ce que les Wolfe étaient en train de se dire.

Le maire demanda si quelqu'un d'autre souhaitait intervenir et, comme personne ne se manifestait, déclara les débats terminés.

C'était maintenant au conseil municipal de délibérer et de voter. La discussion fut brève et sans surprise ; comme lors de la première réunion, on entendit des remarques acerbes sur les bonnes âmes qui se souciaient plus des rats musqués et des fouines que de leurs semblables, remarques qui suscitèrent parmi l'assistance autant de huées que d'applaudissements. Fisher bondissait à chaque fois de sa chaise pour manifester bruyamment son approbation. Le bibliothécaire se prononça pour la préservation du site. Un personnage maigre était lui aussi de cet avis ; il s'agissait de Jack Fuller, le fermier. *Tu as une incroyable mémoire des noms*, avait coutume de dire Jay.

Puis ce fut le vote. Une voix contre. Deux autres contre. Trois pour. Assise sur le bord de sa chaise, Jennie attendait la suite avec anxiété.

Un gros homme se leva. Il portait les verres épais de quelqu'un qui est atteint de la cataracte. « Je dois reconnaître que j'étais encore hésitant en début de soirée. Chaque solution présentait à mes yeux des aspects positifs. Toutefois, après avoir entendu la jeune dame qui vient de parler, je ne balance plus. Oui, c'est vrai, nous avons des devoirs envers les générations à venir. Elle a tout à fait raison. C'est pourquoi je vote non au projet. On ne doit pas toucher au Marais Vert. »

« Quatre contre quatre », souffla Jennie. Jill lui étreignit la main. Cramoisi et furieux, le maire se tourna vers celui qui se trouvait à l'autre bout de la table.

« Mr. Garrison ? »

C'est celui qui a des problèmes d'argent. Un brave homme, se souvint Jennie. Mais Arthur Wolfe le disait influençable.

L'homme arborait une mine solennelle et s'éclaircissait la gorge comme pour se lancer dans un long discours. Il avait visiblement le sentiment de son importance.

« J'étais moi aussi hésitant, commença-t-il. Bien sûr, la préservation de la nature a du bon. Mais, d'un autre côté, il faut penser à ces créations d'emplois et à l'allègement de la pression fiscale que nous vaudraient les taxes foncières imposées aux propriétaires du site. »

Jennie gémissait en silence.

« Il convient donc de peser le pour et le contre. D'un côté nous avons... »

Pour l'amour du Ciel, vas-tu en venir au fait ?

« D'un autre côté, il y a... »

Au bout de deux minutes de mise en balance, il livra enfin sa conclusion. « En conséquence, je me prononce contre le projet. Que l'administration classe le site zone protégée. »

Jennie se mit à rire. Ses yeux se noyèrent de larmes. Jil' l'embrassait.

« Tu as gagné ! Tu as gagné ! »

Puis la foule s'ébranla lentement vers la sortie. Derrière et autour d'elle, Jennie pouvait entendre les commentaires que les gens échangeaient entre eux.

« J'ai dans l'idée que sans cette jeune dame avocate, ils auraient voté pour.

— Peut-être bien. Elle y a été pour quelque chose, c'est certain.

— Je ne les quittais pas des yeux. Elle les a remués, ça ne fait pas de doute.

— Oui, on voyait que ça travaillait dur sous le crâne de Garrison.

— N'empêche que certains l'ont mauvaise. C'est jamais très drôle de voir autant d'argent vous passer sous le nez. »

« Ce que tu dois être contente ! dit Jill comme l'on démarrait. Tout ça, c'est ton œuvre.

— Non, tout n'est pas de mon fait. Mais j'y ai contribué, et j'en suis heureuse. »

Mon petit discours aurait été au goût de Jay. Il a été concis et enlevé, et sacrément efficace. J'y ai mis tout mon amour-propre et toute ma douleur.

Elles traversèrent la petite ville et se retrouvèrent bientôt sur l'autoroute. Jennie consulta la montre du tableau de bord. « Neuf heures et demie et pas de circulation. Nous serons rentrées pour minuit. »

Coupés en deux par le lacet noir de la route, les champs faisaient un patchwork blanc et noir où la neige avait partiellement fondu et de nouveau gelé. Le ciel était blanchâtre et calme.

« Je ne me rendais pas compte qu'il restait autant de coins campagne dans l'Est, dit Jill.

C'est que tu n'as été qu'à New York. Tiens, regarde, tite route qui mène au Marais Vert. Le lac n'est qu'à mètre d'ici. C'est un des plus beaux endroits qui Nouveau-Mexique.

ns y faire un tour.

eure-ci ?

— Pourquoi pas ? Regarde comme la nuit est claire. Et puis tu viens de dire que ce n'est qu'à un kilomètre.

— D'accord, s'inclina Jennie. Après tout, cela ne nous fera arriver qu'un quart d'heure plus tard. »

La petite voiture dérapait et cahotait dans les ornières. Elle s'arrêta lorsque le chemin devint trop étroit. Après quelques minutes de marche sur la neige crissante, les deux femmes arrivèrent au sommet de la colline d'où l'on découvrait toute l'étendue du lac. Tout comme la campagne, la vaste pièce d'eau était un patchwork de noir et de blanc. Là où la glace était absente, l'eau luisait comme marbre noir. Une profonde tranquillité enveloppait les collines herbues et les berges couvertes de bouleaux, que pas un souffle n'agitait.

Jennie était déjà venue ici, peut-être à cet emplacement même. Sous un doux soleil, dans la lumière dorée d'une matinée radieuse, Jay l'avait prise dans ses bras...

« Oh Jennie, regarde ! Une chouette ! »

Depuis une branche basse, l'oiseau les considérait de ses yeux d'ambre. Puis il déploya ses ailes immenses et prit son essor pour traverser le lac et bientôt s'évanouir dans les ténèbres.

« Comme cet endroit est beau, murmura Jill. Je comprends que tu te sois battue pour le sauver. »

Le jeune fille respectait le silence et la paix du lieu. Elle était pénétrée de son atmosphère. Les mains jointes devant elle, elle contemplait, immobile, la nature endormie. Jennie l'observait à la dérobée.

Elles regagnèrent la voiture et repartirent vers New York. Elles roulèrent un moment en silence. Ce fut Jill qui parla la première.

« J'ai tout raconté à maman.

— Tout ?

— Je lui ai parlé de toi et je lui ai expliqué pourquoi tu ne voulais pas me rencontrer. Elle trouve que je n'aurais pas dû insister.

— Tu n'as qu'à lui dire que tout s'est bien terminé.

— Vraiment ? »

Ah, si seulement les choses pouvaient être aussi simples !

« Oui. Vraiment.

— Il y a une chose que je tiens à te dire. Ton secret — celui de mon existence — aurait été bien gardé. Jamais je ne l'aurais trahi. »

Jennie sentit sa gorge se serrer.

« Je n'aurais pas pu vivre avec ce mensonge. Me retrouver chaque matin en face de lui, sachant quelque chose qu'il aurait ignoré.

— Il y a des gens qui s'en accommodent.

— Oui, mais moi, j'en serais incapable. »

Pour la seconde fois de la soirée, Jill posa la main sur celle de Jennie.

Qu'est-ce que j'éprouve en cet instant ? se demanda cette dernière. Une bouffée d'amour, un mélange de gratitude et de chagrin. Puis elle se morigéna : Oh, nous sommes tous si nombrilistes de nos jours ! Cesse donc de toujours t'analyser ! Contente-toi de prendre les choses comme elles viennent. Et arrête de t'interroger sur le pourquoi et le comment de ce que tu éprouves. Cela n'avance à rien.

« Tu dois mourir de faim après ce petit dîner sur le pouce, dit-elle à Jill. Arrêtons-nous pour manger un morceau.

— J'aimerais autant que nous ne nous arrêtions pas. Je n'avais pas réalisé qu'il y avait autant de route à faire.

— Entendu. C'est vrai qu'il est tard. Il vaut mieux que tu viennes passer la nuit chez moi. Pourquoi ne ferais-tu pas un somme dès maintenant ? La journée a été longue. » On croirait les paroles d'une mère, se dit Jennie en jetant un coup d'œil à la jeune fille.

« On croirait entendre maman, fit justement celle-ci.

— Ah oui ? J'en suis heureuse. »

Jill s'endormit. La voiture passait devant des repères que Jennie avait en mémoire et qu'elle voyait pour la dernière fois : un pont, une échoppe ambulante où Jay s'arrêtait toujours pour acheter des pommes. Et me voici, se disait-elle, avec à côté de moi mon enfant de hasard, ni attendu ni désiré. Ses beaux cheveux font une corolle autour de son visage si pur. Et, ensemble, nous fonçons dans la nuit.

Il était presque une heure du matin quand elle se gara le long du trottoir. La rue était plongée dans le noir, mais il y avait de la lumière aux fenêtres de son appartement.

Qu'est-ce que c'était encore ? Elle eut une furieuse envie de fuir, de remonter en voiture et de repartir.

« Qu'est-ce qu'il y a ? interrogea Jill.

— Il y a de la lumière chez moi. Je crois qu'il vaut mieux ne pas monter.

— Pourquoi pas ?

— Tu poses la question, après ce qui m'est arrivé l'autre jour ?

— Donne-moi ta clef. On y va et s'il y a quelque chose qui cloche, on hurle et on réveille tout l'immeuble.

— Dis donc, tu cherches à me faire passer pour une trouillarde, ou quoi ? C'est bon, j'y vais, mais je veux que tu m'attendes ici.

— Je reste quelques marches en arrière.

— Non ! Tu restes ici.

— On croirait entendre maman. »

Jennie s'engagea dans les escaliers. Elle s'arrêta sur le palier du troisième afin de tendre l'oreille. Aucun bruit ne troublait le silence. Tu vois, se dit-elle, ce n'est qu'un banal cambriolage. On s'est introduit chez toi et on a emporté la stéréo, le poste de télévision et quelques vêtements, parce qu'il n'y avait rien d'autre à prendre. Ce n'est pas la fin du monde. Ce genre de chose arrive quotidiennement dans cette ville.

La porte était entrebâillée. Elle rassembla tout son courage et, du bout des doigts, la poussa.

« Entre, Jennie. Entre. »

A l'autre bout du séjour se tenaient deux hommes. Peter, qui riait, et Jay, qui courait vers elle, les bras grands ouverts. « Oh, ma Jennie ! » s'écria-t-il.

Complètement dépassée, Jennie balbutia : « Que se passe-t-il ? Qu'est-ce que vous faites ici ?

— Oh, ma Jennie », répéta Jay. Il referma les bras autour d'elle. « Je mériterais que tu me gifles ! Que tu me balances dans les escaliers ! Quand je pense à ce que je t'ai fait... »

Entre deux sanglots étranglés, elle ne put que répéter : « Qu'est-ce que vous faites ici ?

— Peter est passé au cabinet cet après-midi pour tout me raconter. Mais enfin pourquoi, pourquoi ne t'es-tu pas expliquée ? »

Elle enfouissait le visage dans son épaule.

« Tu aurais pu tout me dire.

— Non, elle ne le pouvait pas », dit Peter.

Jay releva la tête de Jennie afin de la regarder droit dans les yeux.

« Pourquoi ne l'as-tu pas fait ? » répéta-t-il.

Toujours incapable de lui répondre, elle se plaça la main sur le cœur, comme pour en atténuer les palpitations effrénées.

Et Peter, dont l'hilarité première avait disparu, en sorte qu'une sorte de gravité triste habitait ses yeux, déclara : « Je vous ai expliqué ce que j'en ai compris... ce qu'il en était... Elle a eu peur.

— Peur de *moi* ! fit Jay, stupéfait. Mais enfin, Jennie chérie, tu aurais dû m'en parler tout de suite. »

La voyant terrassée par l'émotion, Peter prit sur lui de répondre : « Elle a eu peur de vous perdre. Et puis, comme je vous l'ai dit, fit-il d'une voix soudain altérée, cela a à voir avec moi. Moi et ma famille. J'ai pas mal réfléchi ces jours derniers... Nous l'avons marquée. Après cela, elle a toujours douté de sa propre valeur. Et ce qui vient d'arriver était comme une réédition de ce premier traumatisme.

— Est-ce ainsi que tu as ressenti les choses, Jennie ? interrogea Jay d'une voix peinée.

— Je crois, oui. Quelque chose comme ça, murmura-t-elle.

— Nous aurions tout perdu si Peter n'était pas venu me trouver. Moi, de mon côté, j'étais incapable de raisonner... j'étais dans les dispositions d'esprit de quelqu'un qui découvre que sa mère travaille pour les services de renseignement ennemis. »

Jay pivota d'un quart de tour. « Et voici ta fille ? »

Jill se tenait sur le seuil, observant la scène avec curiosité et attendrissement.

Jennie recouvra enfin l'usage de la parole. « Oui, voici Jill, dit-elle avec fierté. Victoria Jill.

— Voilà donc la cause de tout ceci! » Jay prit Jill par les épaules et l'embrassa sur les deux joues. Il regarda Jennie, puis à nouveau la jeune fille. « Si tu es capable de faire de si beaux enfants, Jennie, il faut que tu en fasses une douzaine. »

Jennie avait la tête qui tournait, une grande faiblesse dans les jambes. Elle dut s'asseoir.

« Quelle semaine, murmura-t-elle en se tamponnant les yeux.

— Épouvantable, fit Jay. Une semaine épouvantable. Mais où avais-je la tête? Je viens d'apprendre ce qui t'est arrivé l'autre soir à ton cabinet. Quand Peter m'a raconté cela, j'ai cru devenir fou. »

Jennie fermait les yeux pour lutter contre l'étourdissement qui la gagnait. Assis à côté d'elle, Jay lui fit poser la tête sur son épaule et se mit à lui caresser doucement les cheveux.

« J'ai l'impression d'avoir vécu une vie entière depuis cet après-midi, reprit-il. Quand j'ai vu Peter entrer dans mon bureau, je me suis pincé pour vérifier que je ne rêvais pas. »

Peter se mit à rire. « Il m'a reconnu à mes cheveux. Avec des cheveux de cette couleur, il est très difficile de se fondre dans la foule.

— Sitôt entré, il s'est mis à me chapitrer. Il m'a dit que je n'avais pas le droit de te traiter de cette façon, que j'étais une brute et que...

— En fait, je n'en menais pas large. Je m'attendais vraiment à me faire jeter dehors. Mais il n'était pas question de reculer. Je ne pouvais reprendre l'avion pour Chicago et te laisser dans cet état, alors que tout ce qui venait d'arriver était ma faute.

— Non, ce n'était pas vraiment ta faute, fit Jennie.

— Question de point de vue. Toujours est-il que je me suis souvenu de Shirley, ta voisine. Tu m'avais dit qu'elle savait tout de la vie des autres, alors je suis allé la voir pour lui poser quelques questions — évidemment, j'ai continué de me présenter comme ton ami médecin. C'est comme cela que j'ai obtenu le nom de Jay. Le reste a été un jeu d'enfant. » Peter était visiblement content de lui.

Jay se mit à rire. « Pauvre Shirley, il n'est jamais difficile de la faire parler. Le plus dur, c'est de la faire taire.

— Je savais depuis le début ce que Peter avait en tête, intervint Jill. Et quand nous sommes arrivées et que j'ai vu de la lumière là-haut, j'ai compris que tout avait bien marché. J'ai été toute la journée sur des charbons ardents.

— Je comprends maintenant pourquoi tu étais si pressée de rentrer, dit Jennie en souriant.

— Mais oui ! s'exclama Jay. J'oubliais l'autre grande question de la journée. J'étais tellement retourné ces derniers temps que le Marais Vert était bien le cadet de mes soucis. Mais Jennie, elle, y pensait toujours. Alors comme ça, tu y es allée ?

— C'est Jill qui m'a forcée.

— Est-ce que je n'ai pas eu raison ? Elle a gagné, annonça Jill à l'adresse des deux hommes. Elle a fait une merveilleuse plaidoirie et c'est ce qui a fait basculer le vote. Elle s'est battue et elle l'a emporté.

— Oui, ma Jennie est une battante.

— Oui, renchérit Peter, pour les causes justes. Lorsqu'il s'agit de prendre la défense d'autrui. »

Il y eut un silence. Puis Jay demanda d'une voix quelque peu hésitante si ses parents étaient présents à l'assemblée.

« Ils y étaient. Mais nous ne nous sommes pas parlé. » Il y avait une chose que Jennie avait besoin de savoir. « Que leur as-tu dit à mon sujet ?

— Seulement que je pensais, que j'avais des raisons de penser que tu avais trouvé quelqu'un d'autre. Je suis resté très vague. J'aurais été incapable d'en dire plus, et d'ailleurs ils n'ont pas cherché à en savoir plus.

— Ce sont des gens si estimables, murmura Jennie.

— Ça, ils t'aimaient beaucoup. Mais évidemment, quand ils ont appris que tu faisais souffrir leur fils... il est compréhensible que mon père ait pris un autre avocat. Je lui ai demandé de n'en rien faire, mais il n'a rien voulu entendre tant il était lui-même affecté.

— J'essaierai de me faire pardonner, Jay.

— Tu n'as pas à te faire pardonner quoi que ce soit ! Écoute, la première chose que nous allons faire demain matin, c'est faire publier les bans. On laisse tomber les préparatifs pour un mariage en grande pompe. Pas question que je patiente plus de trois jours. » Jay se tourna vers Jill et lui prit les mains. « Je tiens à ce que vous soyez des nôtres. Vous êtes la fille de Jennie et vous allez devenir la mienne. » Et très doucement, si doucement que c'est à peine si Jennie l'entendit, il dit encore : « J'aime tellement votre mère, Jill. Et dire que j'ai failli la perdre. Par ma faute.

— Non, dit Jill, la responsable de tout, c'est bien moi. Je suis horriblement désolée d'avoir failli tout gâcher.

— Le moment est peut-être venu de cesser de penser aux fautes de chacun, intervint Peter. Tournons-nous vers l'avenir. » Il réprima un bâillement et se mit à s'étirer. « Il se fait tard et je prends l'avion de bonne heure, aussi vais-je vous souhaiter une bonne nuit. » Il alla prendre son manteau. « Jill, est-ce que je te vois bientôt à Chicago ?

— Oui. En rentrant à la maison pour les vacances de Noël, je pourrais y faire escale et nous déjeunerions ensemble. Rien qu'une brève escale, parce qu'il me tarde de revoir maman, papa et les enfants. »

Jay regardait fixement la jeune fille.

« Vous avez l'air perplexe, remarqua-t-elle avec un sourire.

— Pas exactement. Simplement, je ne sais rien de vous et j'aimerais apprendre à vous connaître.

— Vous en aurez l'occasion. Je viendrai vous voir chaque fois que vous m'inviterez. J'en serai ravie.

— Vous viendrez nous voir ?... fit Jay, interdit.

— Ah, vous pensiez peut-être que j'allais venir vivre avec Jennie ? Cela n'a jamais été mon intention ! J'ai une famille merveilleuse. Non, ce que je voulais, c'était seulement savoir qui j'étais. Et maintenant que je le sais et que ce que j'ai découvert me plaît, je me sens en paix avec moi-même. Oui, vraiment en paix.

— Eh bien, vous pouvez avoir deux familles, dit Jay.

— Trois familles, rectifia Peter. Si je me proclame famille à moi tout seul.

— Serez-vous des nôtres pour le mariage ? lui demanda Jay. Cela ne vous fait que trois jours à attendre. »

Peter venait d'enfiler son pardessus. « Merci, mais il faut que je parte. Je suis comme une pierre qui roule. » Il serra la main de Jay, embrassa Jill. Il tendait la main à Jennie, lorsque celle-ci se leva et l'embrassa.

Elle eut un petit rire. « Cela ne t'ennuie pas au moins, Jay ?

— Non... pour un peu, moi aussi je l'embrasserais.

— Je vous en prie, n'en faites rien », fit Peter et tout le monde de s'esclaffer.

Lorsqu'il fut sorti, tous, sans se concerter, allèrent se poster à la fenêtre pour le regarder traverser la rue sous la lueur des réverbères et partir vers l'avenue de son pas sautillant et juvénile.

« Je l'aime bien, dit tout à coup Jay.

— Moi, je croyais le haïr, répondit Jennie.

— Mais ce n'est pas le cas, dit Jill.

— Comment le pourrais-je ? Grâce à lui, je vous ai retrouvés tous les deux. » Elle prit la main de Jill et, de l'autre, celle de Jay, qui était chaude et ferme.

« Que de chemin parcouru », dit-elle.

Une grande douceur descendait sur elle, comme lorsque l'on rentre chez soi au terme d'un long voyage. Cette petite pièce toute simple renfermait tout un monde. C'est alors qu'une pensée la traversa.

« Dis donc, Jill ! N'est-ce pas toi qui m'as dit que tu garderais le secret ?

— Ma foi, j'ai menti », répondit joyeusement la jeune fille.

Cet ouvrage a été réalisé sur
Système Cameron
par la SOCIÉTÉ NOUVELLE FIRMIN-DIDOT
Mesnil-sur-l'Estrée
pour le compte des Presses de la Renaissance
le 8 janvier 1990

Photocomposition : Charente-Photogravure

Imprimé en France
Dépôt légal : janvier 1990
N° d'impression : 13819